Duas palavras me ocorrem para plicidade e sabedoria. Simplicidade, porque o texto é acessível sem ser simplista, sempre ressaltando a verdade do evangelho e oferecendo ao leitor, em notas, sugestões para aprofundar o tema. Sabedoria, porque trata com pertinência e leveza um modo de ser que tem suscitado muito desassossego entre nós cristãos por normalizar paixões pecaminosas como medo, ira, rivalidade e soberba. O autor não cede a nenhum dos dois lados dessa guerra político-cultural, fazendo-nos passear por todo um panorama das ideias nocivas mais comuns ao reacionarismo e ao progressismo. A tese principal do livro — a guerra cultural é incompatível com o fruto do Espírito — é defendida com maestria, enquanto se torna ainda mais claro que Deus nos chama para outro tipo de guerra, contra o pecado e as hostes demoníacas, para que possamos ensinar os confusos, reerguer os feridos e alcançar os perdidos com misericórdia e amor.

NORMA BRAGA
Doutora em Literatura Francesa, mestre em Teologia Filosófica
e fundadora da consultoria Teologia & Beleza

A polarização política tem desgastado a igreja e comprometido a comunhão dos santos. Em *Igreja polarizada*, Gutierres Siqueira nos convida a refletir sobre o perigo de transformar a fé em militância e reduzir Cristo a um mascote ideológico. Um chamado necessário ao discipulado fiel em tempos de histeria e sectarismo. Leitura essencial!

RODRIGO BIBO
Criador do Bibotalk e autor de *O Deus que destrói sonhos*

Nos últimos anos, a igreja brasileira foi tragada pela agenda político-partidária. Consequentemente, testemunhamos estragos quase irreversíveis, os quais nos convidam a avaliar com seriedade nossa participação na esfera pública a fim de discernir as causas dos excessos e denunciar os equívocos. Por isso, *Igreja polarizada* chega em ótima hora. Com acuracidade crítica e sensibilidade analítica, Gutierres Siqueira ilumina importantes temas, desfaz usos ilegítimos de ideias políticas e aponta caminhos mais razoáveis para os seguidores e seguidoras de Jesus.

KENNER TERRA
Pastor, doutor em Ciências da Religião, professor e escritor

Pentecostais são, por natureza, corajosos — e até meio kamikazes. Estão dispostos a morrer por aquilo que acreditam ser o certo. É por isso que pastores conquistam o respeito de traficantes. Dizer o que é inconveniente, mas necessário, é o que, entre evangélicos, se chama de "voz profética". Certamente foi isso que motivou Gutierres a escrever este livro. Se você não é evangélico, talvez não compreenda a coragem necessária para criticar a polarização e as guerras culturais em um momento em que o alvo mais fácil dos linchamentos virtuais é quem escolhe ficar fora das trincheiras. Ao mesmo tempo, o autor demonstra um patriotismo que vai além do significado que essa palavra adquiriu nos últimos dez anos. É uma leitura especialmente recomendada para quem é de esquerda e está cansado dos fundamentalismos da própria esquerda — que enxerga problemas em todos os lados, menos em si mesma.

JULIANO SPYER
Antropólogo e autor de *Crentes* e *O povo de Deus*

GUTIERRES
FERNANDES
SIQUEIRA

IGREJA POLARIZADA

COMO A
GUERRA
CULTURAL
AMEAÇA
DESTRUIR
NOSSA FÉ

Copyright © 2025 por Gutierres Fernandes Siqueira

Os textos bíblicos foram extraídos da *Nova Versão Transformadora* (NVT), da Tyndale House Foundation, salvo indicação específica.

Todos os direitos reservados e protegidos pela Lei 9.610, de 19/02/1998.

É expressamente proibida a reprodução total ou parcial deste livro, por quaisquer meios (eletrônicos, mecânicos, fotográficos, gravação e outros), sem prévia autorização, por escrito, da editora.

Edição
Daniel Faria
Revisão
Ana Luiza Ferreira
Produção
Felipe Marques
Diagramação
Gabrielli Casseta
Colaboração
Guilherme H. Lorenzetti
Capa
Jonatas Belan

CIP-Brasil. Catalogação na publicação
Sindicato Nacional dos Editores de Livros, RJ

S63i

    Siqueira, Gutierres Fernandes
      Igreja polarizada : como a guerra cultural ameaça destruir nossa fé / Gutierres Fernandes Siqueira. - 1. ed. - São Paulo : Mundo Cristão, 2025.
      160 p.

    ISBN 978-65-5988-427-8

    1. Cristianismo. 2. Religião e política. 3. Religião e sociedade. 4. Direita e esquerda (Ciência política) - Aspectos religiosos - Cristianismo. 5. Polarização (Ciências sociais) - Aspectos religiosos - Cristianismo. 6. Ética cristã. I. Título.

25-96431   CDD: 201.72
                                  CDU: 27-662:322

Meri Gleice Rodrigues de Souza - Bibliotecária - CRB-7/6439

Categoria: Cristianismo e sociedade
1ª edição: abril de 2025

Publicado no Brasil com todos os direitos reservados por:
Editora Mundo Cristão
Rua Antônio Carlos Tacconi, 69
São Paulo, SP, Brasil
CEP 04810-020
Telefone: (11) 2127-4147
www.mundocristao.com.br

Mesmo tendo esperança da graça celeste;
e embora Deus proclame a paz,
Seguem vivendo em ódio, inimizade e discórdia,
Travando guerras cruéis, devastando
a Terra para se destruírem;
Como se (o que deveria nos unir)
Não houvesse já inimigos infernais em demasia,
Que dia e noite tramam nossa ruína.

John Milton, *Paraíso perdido*,
Livro 2, linhas 499-505 (tradução livre)

Se possível, naquilo que depender de vocês,
vivam em paz com todos os homens.
Apóstolo Paulo, Carta aos Romanos 12.18 (NVI)

SUMÁRIO

Introdução   9

1. O que é guerra cultural?   21
2. Conservador, não reacionário   41
3. Os reacionários e as Escrituras   63
4. O fascínio evangélico por teorias conspiratórias   83
5. Polarização é sectarismo   91
6. Os problemas dos evangélicos progressistas   105
7. Ativismo sem transcendência   129
8. Jesus era de direita ou esquerda?   143

Sobre o autor   159

INTRODUÇÃO

"O Brasil está polarizado" é uma afirmação que já se tornou lugar-comum. De um lado, a direita torna-se cada vez mais direitista; do outro, a esquerda, cada vez mais esquerdista. E o centro? Desapareceu sem um réquiem. Nesse clima tenso, tentar conversar sobre diferenças é como andar em um campo cheio de minas terrestres, em que basta um passo errado para desencadear brigas explosivas. A ausência de um meio-termo forte deixa um espaço vazio, complicando os esforços para conectar pessoas com ideias tão diversas. Isso faz com que as conversas sobre política fiquem mais intensas e menos frutíferas, pois a polarização cria um círculo vicioso de divisão e falta de compreensão. É o império da cegueira, onde todos acreditam desfrutar da verdadeira luz.

Politicamente, sou o que se pode chamar de centro-direita, alguém que valoriza o Estado liberal, a economia de mercado e a conservação dos valores tradicionais. Em 2022, porém, descobri-me rotulado como "progressista" e "comunista". Recebi uma mensagem no Instagram acusando-me de "destruir a Igreja de Cristo" por causa do meu "veneno progressista". Além disso, soube que uma igreja rejeitou meu nome para um evento porque, segundo os organizadores, eu era "comunista". Como pode alguém que acredita na propriedade privada, no livre mercado e trabalha no setor financeiro ser considerado comunista? Na mentalidade polarizada, isso é possível.

Embora nunca tenha atuado na vida pública, observei de perto o nascimento da Nova Direita brasileira. Acompanhei a ascensão dos novos direitistas em meados de 2008, quando ainda era estudante de jornalismo. Em meu trabalho de conclusão de curso, tive a oportunidade de conversar longamente com o professor Ricardo Vélez Rodríguez, colombiano que se tornaria o primeiro ministro da Educação do governo Bolsonaro (2019–2022). Também conheci pessoalmente outros indivíduos que, uma década depois, assumiriam cargos de segundo escalão no governo.

Em 2009, tive o primeiro contato com os libertários, uma corrente da direita que defende uma economia radicalmente livre de qualquer influência estatal. Naquele ano, participei da conferência Cato University, promovida pelo Cato Institute, em San Diego, Califórnia. Ali, vi o famoso escritor libertário norte-americano David Boaz andando pelo hotel com uma camiseta estampada, em inglês, "[Barack] Obama é socialista". Lembro-me de que achei um exagero. Mas, no geral, foi uma experiência rica conhecer libertários da Europa, América Latina e dos Estados Unidos. Eu não sabia, mas aquele tipo de conferência ajudou a construir aos poucos a primeira internacionalização da direita — algo que os comunistas e socialistas já faziam há décadas.

Em 2010, cheguei a participar de uma das reuniões que deram forma ao Partido Novo. Nela, estava Ricardo Salles, futuro ministro do Meio Ambiente do governo Bolsonaro, mas que na época era um advogado e líder do Movimento Endireita Brasil (MEB). O sonho de uma direita viável politicamente parecia distante. Havia até uma discussão sobre a mexicanização do Brasil, o medo de que o domínio do Partido dos Trabalhadores (PT) se estendesse por décadas — assim como o

Partido Revolucionário Institucional (PRI) dominou o México de 1929 até 2000.

Naquela época, conservadores, reacionários e liberais estávamos todos unidos na oposição ao presidente Lula, então no auge de sua popularidade ao final do segundo mandato. Éramos uma minoria manifesta, insatisfeita com a relativização da democracia na política externa, a crescente destruição dos marcos fiscais e a falta de republicanismo nas relações com o Congresso Nacional.

A economia crescia, mas não me esqueço de uma conversa que tive em 2010, como parte das entrevistas que fiz para o TCC, com o ex-ministro Maílson da Nóbrega sobre os riscos envolvidos na parte fiscal do governo — a crise manifestada na preocupação do ex-ministro veio e chegou exatamente como ele me descreveu. Sempre me lembro da "profecia".

Havia também pouca literatura conservadora. Na imprensa, apenas alguns poucos intelectuais conservadores de peso se destacavam, como o filósofo Luiz Felipe Pondé e o cientista político João Pereira Coutinho, ambos colunistas do jornal *Folha de S. Paulo*. O *Estado de S. Paulo*, comumente considerado o jornal mais conservador do país, contava com o filósofo gaúcho Denis Lerrer Rosenfield e o jornalista Carlos Alberto Di Franco. Nas prateleiras das livrarias, quase nada. Na primeira década dos anos 2000, livros importantes do pensamento conservador ainda não tinham sido traduzidos para o português. Finalmente, a partir de 2010 começaram a chegar aos leitores brasileiros as obras de autores como os britânicos Edmund Burke, Michael Oakeshott, Roger Scruton, Theodore Dalrymple, John Gray e Douglas Murray, e os norte-americanos Russell Kirk e Jonah Goldberg.

O nascimento da direita militante

Entre 2013 e 2016, ocorreram grandes manifestações contra o governo da presidente Dilma Rousseff (2011–2016). Participei de três delas, demonstrando meu engajamento na oposição como cidadão. Cheguei até a enviar e-mails para parlamentares indecisos sobre o processo de impeachment da presidente. Em 17 de abril de 2016, um domingo, acompanhei com grande interesse pela televisão a votação na Câmara dos Deputados pela abertura do processo de impeachment de Dilma Rousseff. Durante o governo Dilma, o Brasil enfrentou a pior recessão de sua história, com o PIB caindo 6,8% em dois anos — um declínio típico de períodos de guerra ou pandemias. Além disso, o Brasil vivia o auge da Operação Lava Jato.

Então veio o governo de Michel Temer (2016–2018). Por um breve momento, parecia que o país respiraria aliviado, sinalizando o fim da polarização. Ledo engano. Em maio de 2017, ocorreu o episódio conhecido como "Joesley Day", com acusações de corrupção contra o então presidente Temer reacendendo discussões sobre a possibilidade de dissolução do governo — possibilidade essa que não avançou. Em maio de 2018, a greve dos caminhoneiros paralisou o Brasil literalmente. Um mês antes, em 7 de abril de 2018, o ex-presidente Lula foi preso após ser condenado por corrupção no âmbito da Operação Lava Jato. Além disso, durante o governo Temer, o Brasil implementou reformas econômicas necessárias, porém impopulares, sob a liderança de um presidente com baixa popularidade e carisma limitado. O cenário político estava mais tumultuado do que nunca.

"Olavismo cultural"

Mais ninguém exerceu influência tão marcante sobre a direita brasileira, em especial a extrema-direita, quanto o pensador e filósofo Olavo de Carvalho. Não foram apenas seus escritos, mas principalmente seus vídeos e aulas que moldaram a mentalidade de inúmeros jovens universitários, sobretudo homens. Reconheço que o espaço aqui é limitado e que não é meu objetivo analisar em profundidade o que poderíamos chamar de "filosofia olavista" — se é que podemos falar em algo sistematizado a esse ponto. Além disso, não sou da área de filosofia, o que me restringe de qualquer avaliação mais crítica da obra em si.

Quero, no entanto, ressaltar a figura que se construiu nas redes sociais: Olavo de Carvalho era celebrado por muitos de seus seguidores como um gênio incompreendido, inerrante e infalível, cuja visão o colocava à frente do nosso tempo. Em suma, um "guru iluminado". Obviamente, hoje muitos negam ter enxergado nele um mestre infalível, mas o clima de seita que cercava os grupos olavistas na internet era notável e inegável. O bordão "Olavo tem razão" se espalhou nos grupos de direita, e, entre alguns alunos que conheci, era perceptível a dificuldade de reconhecer qualquer problema no pensamento e nas opiniões do filósofo.

Essa atitude de reverência extrema ajudou a forjar a reputação de Olavo de Carvalho como um oráculo político e intelectual, consolidando seu papel de influenciador dentro de uma parcela considerável da direita. Exemplo disso é que, no discurso de vitória de Bolsonaro em 2018, havia ao lado do presidente eleito uma Bíblia e o livro *O mínimo que você precisa saber para não ser um idiota* (São Paulo: Record, 2013), um best--seller composto por textos e artigos de Olavo de Carvalho compilados pelo jornalista Felipe Moura Brasil. E é justamente essa aura quase messiânica que ainda reverbera em muitos círculos, mesmo após todas as polêmicas que envolveram — e ainda envolvem — o legado olavista.

Nasceu, então, o que poderíamos chamar de "olavismo cultural". Conceitos antes estranhos à cartilha evangélica, como "globalismo" e "marxismo cultural", passaram a frequentar até mesmo as aulas de escolas dominicais. Nos últimos anos, inúmeras igrejas evangélicas organizaram seminários acerca desses temas, cujas abordagens, em muitos casos, tangenciavam teorias conspiratórias e se apoiavam em elementos de desinformação, boatos e meias-verdades.

Nesse ambiente, Olavo de Carvalho — católico tradicionalista com passagem pelo esoterismo e islamismo — acabou se tornando uma inusitada referência intelectual para alguns apologistas evangélicos, que adotaram parte de sua retórica no esforço de combater inimigos percebidos, ainda que pouco definidos, como o "comunismo" e a "agenda progressista", além de figuras públicas como o odiado bilionário financista George Soros.

A Nova Direita Evangélica

Ouvi falar pela primeira vez de Jair Bolsonaro através do livro *Guia politicamente incorreto da história do Brasil*, de Leandro Narloch (São Paulo: Leya, 2009). Nessa obra, Narloch apresentou uma pesquisa na qual confrontava os deputados federais com inúmeras frases de Benito Mussolini, questionando se concordavam com elas. Eram 20 afirmações do ditador fascista italiano, e Bolsonaro concordou com 12, ficando atrás apenas do ex-deputado Oziel Oliveira (PDT-BA), que concordou com 14.

Curiosamente, Oliveira era, na época, filiado a um partido de esquerda; hoje, 2025, é filiado ao PSD, partido de centro.

Posteriormente, em meados de 2011, assisti às participações de Bolsonaro no então jornal humorístico *CQC* e não gostei do que vi. Ele se mostrava um entusiasta da Ditadura Militar e agia como um deputado representante do "sindicalismo" militar, além de emitir várias declarações com um viés autoritário. Sendo eu um liberal na economia e conservador na política, desagradava-me a ideia de apoiar alguém associado ao corporativismo e à relativização da democracia representativa.

Então veio 2018. Bolsonaro venceu. Inicialmente, cheguei a pensar que ele optaria por uma postura mais moderada, o que não era uma esperança totalmente infundada. Vários candidatos com discursos radicais em campanhas anteriores moderaram suas posturas ao assumir o governo, incluindo Lula, que antes de sua primeira vitória em 2002 prometia reverter o Plano Real e as privatizações e não honrar a dívida brasileira — além de mostrar entusiasmo por uma "democracia direta" em contraponto à democracia representativa. No entanto, em 2003, não apenas se absteve de tais medidas como também nomeou Henrique Meirelles, um banqueiro, ex-presidente do BankBoston e deputado eleito pelo PSDB, seu maior adversário político, para um cargo de destaque como presidente do Banco Central.

Bolsonaro, contudo, manteve-se em modo de campanha permanente, chegando a demitir generais que não concordavam com sua constante radicalização. Na epidemia da Covid-19, abraçou um discurso negacionista e, depois, sem provas, investiu tempo e recursos na tese de urnas fraudadas. Seu discurso era recheado de conspiração, medo e a constante ativação de fantasmas (comunismo, por exemplo).

Com Bolsonaro, mesmo não sendo ele próprio evangélico, surgiu a Direita Evangélica brasileira — uma réplica exata do fenômeno já observado nos Estados Unidos desde a década de 1980. Fiquei realmente assustado com o quanto a igreja evangélica se politizou nesse período. Bolsonaro foi tratado como um verdadeiro messias, o salvador da igreja brasileira. Sem ele, dizia-se que a igreja fecharia as portas. Sem ele, afirmava-se que crianças seriam obrigadas a abraçar a homossexualidade nas escolas; sem ele, até a pregação do evangelho estaria em risco. O clima de medo tomou conta dos grupos de WhatsApp e das redes sociais.

Alguns amigos, antes próximos, se distanciaram porque comecei a criticar os excessos do bolsonarismo, mesmo sem abandonar meu pensamento de centro-direita. Como já dito, passei a ser visto em certos círculos como "esquerdista", "progressista infiltrado", "inimigo da fé" e "teólogo liberal", entre outros rótulos. No entanto, em relação ao que sofreram outros amigos, praticamente passei ileso. Alguns chegaram a perder o ministério por fazerem oposição firme ao bolsonarismo.

Hora de refletir novamente

Meu primeiro livro publicado pela Mundo Cristão chama-se *Quem tem medo dos evangélicos? Religião e democracia no Brasil de hoje* (2022). Nele, busco demonstrar que não há razões para temer o crescimento evangélico. A ameaça autoritária no Brasil não surgiu com os evangélicos; ela sempre existiu, difusa, em discursos radicais, mas sem espaço nos meios de comunicação — situação que mudou com o advento das redes sociais. Contudo, alertei que a politização excessiva destrói a igreja. Este é o tema do meu segundo livro pela Mundo Cristão.

A polarização é a ruína da igreja. Polarização é sinônimo de sectarismo. O sectarismo transforma a igreja em seita, o organismo em tribo e a comunhão em militância.

Sou conservador, repito, mas não me sinto representado pelo crescente reacionarismo da política brasileira. Também não consigo ignorar as inúmeras teses descabidas da esquerda atual. Porém, apesar de perceber apenas decadência tanto na extrema-direita quanto nas esquerdas "despertadas", não abraço o conceito de guerra cultural. Esse conceito não tem fundamento bíblico e, pior, é contrário à Bíblia. A chamada guerra cultural está destruindo a fé de muitos que, antes, eram apaixonados por Jesus. Agora, a paixão se limita à política. Jesus foi reduzido a um simples instrumento simbólico para ganhos políticos, um produto do marketing partidário. No afã de guerrear, as pessoas trocam o relacionamento com Jesus pela militância em nome de Jesus. E o que era fé se torna fanatismo, amor se torna ódio, e a mensagem do evangelho da paz se transforma em um grito de guerra.

Como cristão, não posso aceitar a transformação de Jesus em um ídolo qualquer. Jesus é o Rei dos reis. Ele não serve a uma causa partidária ou política. Ele é o Alfa e o Ômega, o princípio e o fim de todas as coisas. Na política, autoridades e governos têm seu início e fim nele. Ninguém vem antes dele. E ninguém virá depois.

Como ler este livro

Os capítulos são independentes e podem ser lidos fora de ordem, embora eu recomende a leitura na sequência. Os capítulos 2, 3 e 4 tratam dos problemas enfrentados pelos conservadores, enquanto os capítulos 6 e 7 dedicam-se às questões dos progressistas. Já os capítulos 5 e 8 apresentam abordagens mais gerais, aplicáveis a ambos os grupos.

Note-se que o capítulo 4, intitulado "O fascínio evangélico por teorias conspiratórias", apresenta uma linguagem mais formal, uma vez que o publiquei originalmente em uma revista acadêmica denominada *Unus Mundus*. Agradeço ao professor Roberto Covolan, presidente da Associação Brasileira de Cristãos na Ciência (ABC[2]), por ter cedido os direitos do referido artigo para inclusão neste livro. Com a exceção desse capítulo, todos os demais são inéditos.

O livro contém muitas notas de rodapé, incluindo referências a materiais acadêmicos, com dois objetivos principais. Primeiro, demonstrar que minha escrita não surge do vácuo; como qualquer autor, dependo de diversas leituras e conversas, e também busco transparência quanto às fontes utilizadas. Segundo, oferecer material de apoio para quem desejar aprofundar a pesquisa. É importante ressaltar que as referências não implicam adesão ideológica ou teológica integral aos autores mencionados.

As referências bíblicas citadas estão na Nova Versão Transformadora (NVT), salvo indicação contrária. O texto bíblico grego do Novo Testamento, quando citado, baseia-se no texto crítico (Nestle-Aland, 28ª edição, ou UBS5). O texto grego é sempre transliterado segundo padrões acadêmicos amplamente aceitos, utilizando o sistema SBL (Society of Biblical Literature) ou equivalente, garantindo precisão e uniformidade.

Agradecimentos

Agradeço ao sempre competente editor Daniel Faria, assim como a toda a equipe da Mundo Cristão. Expresso também minha gratidão à minha amada esposa, Eduarda Monithelle, pela paciência e pelo apoio ao suportar as longas horas que dediquei à escrita deste livro, enquanto permanecia imerso entre livros e o computador. Agradeço, em especial, a Deus pelo privilégio de conceder-me o dom de servir à igreja por meio do ministério da escrita.

São Paulo, verão de 2025

1
O QUE É GUERRA CULTURAL?

"A primeira vítima da guerra é a verdade", disse o dramaturgo Ésquilo, da Grécia antiga. Sempre me lembro dessa frase quando ouço a expressão "guerra cultural". Guerras são travadas para serem vencidas, e, para vencer, sacrifica-se muito, inclusive a verdade, a moral e a própria vida. A vitória é sempre o objetivo principal. Ao se discutir guerra cultural, o conceito vai além de simplesmente categorizar seculares, progressistas, libertinos e ateus como "inimigos"; implica também a determinação de vencer a batalha a todo custo.

Mas a vitória a todo custo é um objetivo da fé cristã? A resposta é um sonoro não. O cristão deve ter limites éticos e morais pautados pelas Sagradas Escrituras. Limites freiam, delimitam. Não estou autorizado a mentir em nome da verdade, a matar em nome da vida, a desviar-me em nome do caminho certo e, ainda menos, a odiar em nome do amor. A fé cristã nos convoca a uma batalha muito diferente daquelas travadas pelos poderes terrenos: uma batalha interior contra nossas fraquezas e tentações, na qual a verdadeira vitória é a transformação pessoal e a conquista da paz interior. "É melhor ter paciência do que ser herói de guerra; o que domina o seu espírito é melhor do que o que conquista uma cidade" (Provérbios 16.32, NAA).

Um pressuposto básico da guerra é a imposição. Mas nada está mais distante do evangelho do que a imposição. O evangelho é um testemunho. Testemunhar não é impor, mas sim proferir de forma solene. Mensagens solenes não precisam da imposição do mensageiro, pois elas próprias já se impõem. O mensageiro não é maior do que a mensagem. Os maiores evangelistas foram mártires, não cruzados; foram presos, não algozes; foram perseguidos, não perseguidores. Os arautos do evangelho não fizeram da Palavra arma de imposição, mas, sim, de libertação. Os verdadeiros proclamadores vivenciaram a Palavra de forma tão autêntica que sua própria existência se tornou um testemunho vivo da liberdade e da esperança que pregavam. "Este mundo não era digno deles" (Hebreus 11.38).

Na guerra, não há meio-termo: a batalha é pela própria existência. Ou meu inimigo morre, ou eu morro; ele acaba, ou eu acabo. Essa é a lógica cruel. Na guerra, atiro para evitar ser atingido. A guerra cultural segue lógica semelhante: ou o ateísmo ou o cristianismo prevalecerá; ou os homossexuais ou os heterossexuais; ou as feministas ou o conceito tradicional de família. Trata-se de um jogo de soma zero, no qual todos perdem. Minha existência está constantemente em jogo. Na visão bíblica, porém, como lembra Makoto Fujimura, "a cultura não é um território a ser conquistada ou perdido, mas um recurso que somos chamados a administrar com cuidado. A cultura é um jardim a ser cultivado".[1]

Jesus não compartilhava dessa ansiedade. Ele disse: "Sobre esta pedra edificarei minha igreja, e as portas do inferno não prevalecerão contra ela" (Mateus 16.18, NAA). Os evangélicos estão ansiosos, e a ansiedade gera medo; o medo, pavor; o pavor leva ao refúgio da cerca ou à defesa de maneira agressiva.

---

[1] Makoto Fujimura, *Cuidado cultural: Buscando a beleza para a vida em comum* (Rio de Janeiro: Thomas Nelson Brasil, 2024), p. 52.

Definição de guerra cultural

Tecnicamente, a guerra cultural é simplesmente definida como um embate entre conjuntos de valores culturais divergentes. O sociólogo James Davison Hunter foi quem cunhou esse termo, ao argumentar que existe uma clara polarização nos Estados Unidos em torno de temas controversos como o aborto, políticas sobre armas, a separação entre igreja e Estado, privacidade, o uso recreativo de drogas, a homossexualidade e as questões de censura. No sentido não descritivo, mas positivo e militante, a noção de uma "guerra cultural" foi popularizada por figuras públicas como Pat Buchanan, que discursou sobre o tema na Convenção Nacional Republicana de 1992.[2] O medo alimenta a necessidade de defesa e a guerra cultural soa como uma causa boa a motivar lutas.

Mas conflitos ideológicos sempre existiram. A diferença é que, na guerra cultural, esse conflito representa uma verdadeira batalha pelo *significado* e pela *identidade*. Não é apenas uma discussão sobre a legitimidade das elites dirigentes, mas a legitimidade de quem realmente é o "verdadeiro povo".[3]

---

[2] James Davison Hunter, *Culture Wars: The Struggle to Define America* (Nova York: Basic Books, 1991). Hunter argumenta que a polarização nos Estados Unidos é marcada pela divisão entre dois conjuntos de valores opostos: o tradicionalismo, que enfatiza a autoridade religiosa e moral, e o progressismo, que defende a autonomia individual e a mudança social. Buchanan, em seu discurso na Convenção Nacional Republicana de 1992, não apenas popularizou o termo "guerra cultural", mas também o usou para mobilizar apoio conservador contra o que ele via como uma erosão dos valores tradicionais americanos, abordando temas como aborto, políticas sobre armas, separação entre igreja e estado, privacidade, uso recreativo de drogas, homossexualidade e censura. Esse discurso é frequentemente citado como um ponto de inflexão na política americana, sinalizando uma intensificação das disputas culturais na arena pública.

[3] Camilla M. Restorff, *Culture War: Affective Cultural Politics, Tepid Nationalism and Art Activism* (Bristol: Intellect Books, 2017), p. 68.

A expressão nasce como uma descrição sociológica, mas boa parte dos evangélicos a tomou como um lema a ser cultivado. Porém, guerra cultural como um modo de fé é "morte na panela". A guerra cultural tem matado a fé de muitos, porque não é possível cultivar a tensão política o tempo todo sem arriscar a alma. Não é possível viver a fé cristã em constante raiva. O ódio, a raiva e a ira devem ser sempre transitórias, não um modo de ser: "Não se ire facilmente, pois a raiva é a marca dos tolos" (Eclesiastes 7.9).

Religião do medo

Em outros conflitos, em que se tem claro aonde se quer chegar — como na Guerra da Ucrânia, na qual fica evidente a intenção russa de ampliar sua influência e território —, uma guerra propriamente dita costuma trazer objetivos bastante definidos. Você sabe contra quem e por que está lutando, seja a causa justa ou não. Já na guerra cultural, muitas vezes falta esse entendimento básico: não se sabe exatamente contra quem, por qual motivo ou com que finalidade se está combatendo. Trata-se de um conflito pautado pela emoção, em que o elemento central permanece nebuloso. E, no cerne de toda essa névoa, reside sobretudo o medo.

Infelizmente, o evangelicalismo é hoje uma religião do medo. Embora estejam caminhando para se tornar o grupo religioso majoritário no Brasil, com influência crescente na política, os evangélicos alimentam constantemente a ideia de perseguição. Parecem presos ao passado, ao início do século 20, quando padres perseguiam pastores e estes eram recebidos com hostilidade em vilarejos e povoados densamente católicos. O *éthos* de perseguição está na alma evangélica como um traço de identidade.

A paranoia não é uma virtude cristã

Só que existe algo ainda mais sério em tudo isso: a guerra cultural se alimenta de paranoia. Esse estado mental faz a gente desconfiar intensamente dos outros, mesmo quando não há nenhum motivo sólido para isso. É uma desconfiança que ganha contornos exagerados, um medo constante de ser perseguido ou ameaçado, mesmo sem qualquer evidência real. Quando a pessoa se deixa levar por esse sentimento, acaba se isolando socialmente, enfrentando dificuldades nos relacionamentos e, em casos extremos, tomando atitudes radicais contra quem enxerga como inimigo.

O grande problema da paranoia é que ela soa racional. "Na paranoia, o sistema delirante é bem sistematizado e lógico."[4] Como observa o psicólogo Peter A. Magaro: "Uma razão para classificar a paranoia como uma psicose separada é que, embora os paranoicos distorçam a realidade como o esquizofrênico, há pouca perturbação no pensamento racional".[5] Como pontua Luigi Zoya, a paranoia como modo de pensamento político é acompanhada de três características: (1) uma *suspeita central* de um complô oculto, (2) um *pensamento rígido e inflexível* que rejeita outras perspectivas, e (3) uma *comunicação alusiva e indireta* que insinua ameaças sem provas concretas. Zoya conclui:

> Primeiramente, a centralidade da suspeita. A crença na existência de um complô oculto. Que, por estar oculto, nunca é demonstrável. Mas o fato de ser oculto o torna ainda mais perigoso. Uma vez que sua existência é aceita por causa de sua própria

---

[4] Luigi Zoya, *Paranoia: The Madness that Makes History* (Nova York: Routledge, 2017), p. 10.
[5] Peter Magaro, *Cognition in Schizophrenia and Paranoia: The Integration of Cognitive Processes* (Nova York: Routledge, 1980), p. 133.

indemonstrabilidade, ela justifica circularmente o restante do argumento e legitima a punição preventiva que deve ser infligida. Assim, encontramos uma falta de flexibilidade. Em seguida, a obsessão em reafirmar sua própria convicção. A certeza inabalável de estar certo. A constante alusividade, que oscila entre a verdade, a exageração instrumental e a fantasia. Por um lado, o estilo persecutório espera que suas insinuações ameaçadoras sejam mais assustadoras; por outro lado, vive com medo constante de revelar demais: atribui intenções ocultas aos outros, mas esconde as suas próprias.[6]

A paranoia é, também, uma forma de identidade, ou melhor, de reafirmação da própria identidade. É um mecanismo psicológico para manter a distinção entre o "eu" e o "outro"; é uma divisão clara entre o indivíduo (o "eu") e o mundo externo (o "não eu").[7] Na mentalidade paranoica, a figura do inimigo desempenha um papel crucial na definição do que é real e do que não é. O inimigo personifica a ameaça e a desconfiança, e sua presença constante reforça a crença na existência de um perigo iminente. Essa percepção distorcida da realidade, em que o mundo é dividido em "nós" *versus* "eles", alimenta e justifica a paranoia. É, por assim dizer, um verdadeiro círculo vicioso.

Um exemplo clássico de paranoia na Bíblia é o caso de Saul, o primeiro rei de Israel. Ele começou seu reinado com grande potencial, mas a desconfiança e o medo irracional o dominaram. As vitórias de Davi fizeram com que Saul o visse como

---

[6] Zoya, *Paranoia*, p. 271.
[7] "Na paranoia, a função primária do inimigo é fornecer uma definição do real que torna a paranoia necessária. Devemos, portanto, começar a suspeitar da própria estrutura paranoica como um dispositivo pelo qual a consciência mantém a polaridade do eu e do não eu, preservando assim o conceito de identidade". Leo Bersani, "Pynchon, Paranoia, and Literature", *Representations*, nº 25, p. 99-118, inverno de 1989.

uma ameaça ao seu trono (1Samuel 18.8-9), e ele tentou matar Davi várias vezes, apesar da lealdade e do bom serviço do jovem (1Samuel 19.10). Saul se tornou obcecado por perseguir Davi, o que afastou seus seguidores e desestabilizou seu reinado.

A paranoia também é fértil para a criação de teorias conspiratórias. Quando alguém está sob a influência da paranoia, é comum construir narrativas complexas e infundadas que explicam eventos e comportamentos de forma que justifiquem seu medo e desconfiança. Saul acreditava que todos ao seu redor, incluindo seus próprios servos, estavam conspirando com Davi para derrubá-lo (1Samuel 22.7-8). Essa crença errônea levou a ações malignas, como a ordem para matar os sacerdotes de Nobe, que ele achava que estavam ajudando Davi (1Samuel 22.16-19).

Somos embaixadores do reino de Deus neste mundo, não espiões (2Coríntios 5.20). São espiões que, numa terra hostil, precisam desconfiar de tudo e de todos. Pelo contrário, como embaixadores, carregamos uma missão totalmente oposta: não estamos aqui para nos ocultar, temer ou nos proteger, mas para representar, com integridade e ousadia, os valores do reino ao qual pertencemos. O apóstolo Paulo, em Filipenses 4.8, nos lembra de manter o foco mental e afetivo naquilo que é verdadeiro, nobre, justo, puro, amável e admirável. Esse é o remédio cristão contra a paranoia: viver enraizados na verdade e no amor, depositando nossa confiança em Deus em vez de nos deixarmos levar pelos medos e desconfianças que insistem em nos rondar.

O amor lança fora o medo

A Bíblia é clara quando diz: "No amor não existe medo; pelo contrário, o perfeito amor lança fora o medo. Porque o medo envolve castigo, e quem teme não é aperfeiçoado no amor" (1João 4.18, NAA). O amor perfeito é aquele que provém de Deus e se manifesta plenamente em Cristo. Esse amor é caracterizado pela ausência de medo, pois está fundamentado na confiança e na segurança da relação com Deus. O medo, no contexto da epístola, está associado ao medo do castigo, isto é, ao medo do juízo final e à falta de confiança no amor de Deus. O temor refere-se à antecipação do juízo ou punição devido à consciência de pecado. João nos ensina que a vida cristã deve ser caracterizada por uma confiança serena e uma liberdade do medo do juízo, resultado de uma relação íntima e segura com Deus através de Cristo.

É curioso como os legalistas sempre usam o medo do juízo como meio de controle. É justamente esse tipo de medo que João está aqui condenando. A religião do medo hoje fala menos do inferno, mas fala bastante das possibilidades de "infernos" na sociedade em que vivemos — uma sociedade que sempre pode ser dominada pelos "inimigos do evangelho". João enfatiza que o perfeito amor lança fora todo medo, especialmente o medo que paralisa e controla. Esse amor perfeito, que vem de Deus, nos liberta para viver com confiança e paz, sem sermos manipulados pelo medo do castigo ou das forças malignas. O medo em si, com efeito, já é o juízo experimentado. "O medo envolve não apenas a ausência de amor, mas também a presença da punição que ele antecipa. Ao se afastar do amor, que envolve a presença de Deus, o medo está antecipando a punição final, que consiste na ausência de Deus."[8]

[8] Raymond E. Brown, *The Epistles of John: Translated, with Introduction, Notes, and Commentary*, vol. 30, Anchor Yale Bible (New Haven: Yale University Press, 2008), p. 531.

Eu diria ainda que o excesso de medo no meio evangélico é a prova de que parte da nossa religião hoje é meramente um ateísmo prático. A epístola de João coloca o amor como a antítese do medo. "O amor implica atração, o medo repulsão; portanto, o medo não existe no amor. [...] O amor perfeito excluirá absolutamente o medo, tão certamente quanto a união perfeita exclui toda separação. É o amor interesseiro que teme; o amor puro e altruísta não tem medo. No entanto, nada além do amor perfeito deve ser permitido para expulsar o medo."[9] O medo, em contrapartida, é associado ao tormento interior e à falta de maturidade espiritual. Aqueles que vivem com medo ainda não foram "aperfeiçoados no amor" — um estado incompleto de compreensão e experiência da graça divina. Como observa Joseph Ratzinger: "Quem ama a Deus sabe que só existe uma ameaça real para o homem: o perigo de perder a Deus".[10]

É por isso que a guerra cultural precisa do medo e da desconfiança. Porque o amor se expande em direção aos outros, buscando o bem-estar coletivo; o medo, por sua vez, se retrai dos outros, buscando a segurança individual. O amor se doa aos outros, visando o florescimento de todos; o medo se afasta dos outros, visando a sobrevivência individual. O amor transcende o ego, abraçando a coletividade; o medo se prende ao ego, protegendo a individualidade. O amor constrói pontes para os outros, buscando a conexão; o medo ergue muros para si mesmo, buscando a proteção. O amor é a canção que se eleva

---

[9] "1 John 4:18", Pulpit Commentary, <https://biblehub.com/commentaries/pulpit/1_john/4.htm>. Acesso em: 28 de maio de 2024.
[10] Joseph Ratzinger, *Olhar para Cristo: Exercícios de fé, esperança e caridade* (São Paulo: Editora Quadrante, 2019) p. 90-91.

ao céu, unindo corações em harmonia; o medo é o silêncio que se esconde na sombra, aprisionando a alma em solidão. O amor é a força que nos impulsiona para além de nós mesmos, em direção à comunhão e ao compartilhamento; o medo é a sombra que nos aprisiona em nossos próprios limites, isolando-nos em um mundo de egoísmo e desconfiança. "Pois vocês não receberam um espírito que os torne, de novo, escravos medrosos, mas sim o Espírito de Deus, que os adotou como seus próprios filhos. Agora nós o chamamos 'Aba, Pai'" (Romanos 8.15).

O texto bíblico não está condenando todo tipo de medo. Por exemplo, o medo de andar de madrugada em uma rua desconhecida é prudente, assim como o medo de pegar um vírus nos leva a buscar vacinas e outros meios de prevenção. Mas há um tipo de medo que é incompatível com a crença no amor de Deus: é o medo do castigo; é o medo do juízo; é, também, o medo do maligno. Quem confia no amor de Deus não fica preso numa paranoia de medo do maligno, pois, conforme escreveu o apóstolo Paulo: "E estou convencido de que nem morte nem vida, nem anjos nem demônios, nem o que existe hoje nem o que virá no futuro, nem poderes, nem altura nem profundidade, nada, em toda a criação, jamais poderá nos separar do amor de Deus revelado em Cristo Jesus, nosso Senhor" (Romanos 8.38-39). O apóstolo João ainda diz: "Filhinhos, vocês pertencem a Deus e já venceram os falsos profetas, pois o Espírito que está em vocês é maior que o espírito que está no mundo" (1João 4.4).

Como vencer o medo? O apóstolo Paulo nos diz: "Porque Deus não nos deu espírito de covardia, mas de poder, de amor e de moderação" (2Timóteo 1.7, NAA). É o poder que vem do Espírito Santo, manifestado no amor e na moderação, que são gomos do fruto do Espírito, que nos permite caminhar sem covardia e temor. Não é a força bruta ou o resgate de uma identidade que exalta as próprias virtudes; pelo contrário, passa por uma vida de sacrifício, abnegação e autocontrole.

Gosto de uma linda definição de Philip Yancey sobre a fé: uma "paranoia ao contrário". Diz Yancey: "Uma pessoa verdadeiramente paranoica organiza sua vida em torno de uma perspectiva comum de medo. Qualquer coisa que aconteça alimenta esse medo. A fé funciona ao contrário. Uma pessoa crente organiza sua vida em torno de uma perspectiva comum de confiança, não medo. Apesar do aparente caos do momento presente, Deus reina. Independentemente de como eu possa me sentir, eu realmente importo para um Deus de amor".[11]

A verdadeira guerra travada pelo cristão
(Efésios 6.10-20)

É muito interessante como o Antigo Testamento, ou Bíblia Hebraica, apresenta o diabo. Satanás é, antes de tudo, um ser angelical que faz parte da corte divina cujo papel principal é acusar. Ele acusa Jó de servir a Deus por interesse (Jó 1.6-12). Ele aponta os pecados do sacerdote Josué (Zacarias 3.1-2).

No Novo Testamento, especialmente nos Evangelhos, a natureza do diabo e dos demônios é delineada com mais clareza (Mateus 4.1-11; Marcos 5.1-20; Lucas 4.33-35; João 8.44). Já os termos empregados pelo apóstolo Paulo são mais genéricos e fornecem poucas informações detalhadas sobre essas entidades. Por exemplo, ele utiliza expressões como "principados" (*archai*), em Colossenses 1.16; "governantes" (*archōn*), "autoridades" (*exousiai*), "poderes" (*kyriotētes*), em Efésios 6.12 e

---

[11] Philip Yancey, "Paranoia in reverse", *Our Daily Bread*, 11 de julho de 2014, <https://odb.org/2014/07/11/paranoia-in-reverse>.

Colossenses 2.15; e faz referência às "coisas que estão em cima, coisas que estão na terra, coisas que estão embaixo", em Filipenses 2.10 (tradução livre).[12]

As origens dos demônios, embora obscuras nas Escrituras, são claras no que diz respeito a serem anjos rebeldes, hierarquizados e pessoais, exercendo grande influência nas dinâmicas humanas (Judas 1.6; Efésios 6.12; 2Pedro 2.4; Apocalipse 12.9). Por isso, Paulo afirma que a verdadeira guerra travada pelo cristão é espiritual. O diabo e seus demônios são os verdadeiros inimigos. Satanás tem estratégias contra a nossa vida e comunidade (Efésios 6.11). Diferentemente da teologia moderna, que psicologiza o diabo como um mero arquétipo, o apóstolo Paulo acreditava em um submundo povoado de demônios que tentam e batalham contra a igreja. E, por isso, devemos estar preparados.

A batalha espiritual, contudo, não é contra seres humanos. "Pois não lutamos contra inimigos de carne e sangue, mas contra governantes e autoridades do mundo invisível, contra grandes poderes neste mundo de trevas e contra espíritos malignos nas esferas celestiais" (Efésios 6.12). A batalha é espiritual, não uma guerra cultural e carnal. Paulo combina duas imagens em Efésios 6: o soldado e o atleta, destacando a vestimenta da batalha de um soldado romano e a luta corpo a corpo que fazia alusão às lutas esportivas. Embora use linguagem militar, Paulo enfatiza fortemente a ideia de paz em toda a epístola (Efésios 2.14-16; 4.3; 6.15). "Paulo não fala de uma 'Guerra Santa' de Deus e, em Efésios, ele não sugere que os santos devam ser vistos como cruzados. Ele provavelmente queria evitar apoiar uma atitude dualista, mitológica e chauvinista", observa Markus Barth, em

---

[12] Leland Ryken et al., *Dictionary of Biblical Imagery* (Downers Grove: InterVarsity Press, 2000), p. 202.

seu renomado comentário de Efésios. Barth continua: "O efeito da escolha de Paulo é um antídoto contra uma visão de mundo trágico-dualista. A vida não é por definição uma batalha, a guerra não é a mãe de todas as coisas".[13]

Barth destaca que a visão de Paulo vai além da mera guerra. A escolha da metáfora militar serve como antídoto contra uma visão de mundo passiva e resignada. A vida cristã exige engajamento e luta, mas não de forma violenta ou cruel. É uma batalha travada com fé, amor e esperança. A metáfora da guerra não serve para alimentar o nacionalismo ou a superioridade de um grupo sobre outro. A luta de Paulo é universal, buscando libertar toda a humanidade das forças do mal. A armadura de Deus (Efésios 6.10-18) não é para subjugar os outros, mas para nos proteger e nos fortalecer na batalha interior.

Chama a atenção a linguagem usada por Paulo para falar da armadura. As armas são, acima de tudo, defensivas. "A armadura é para proteger contra esse ataque, não para ir à ofensiva. O autor deixa claro no v. 12 que os verdadeiros inimigos do cristão não são seres humanos ou instituições humanas, mas essas forças espirituais das trevas espalhadas na atmosfera."[14] Lembro-me de quando certa vez li na extinta revista *Resposta Fiel* (CPAD) um texto que dizia: "apologética é defesa; nunca ataque". Esse é o ponto.

Certa vez, conversando com um brasileiro naturalizado norte-americano, na Flórida, ele me atualizava sobre suas posições políticas contra o Partido Democrata. Em um momento

---

[13] Markus Barth, *Ephesians: Introduction, Translation, and Commentary on Chapters 4-6*, vol. 34A, Anchor Yale Bible (New Haven; Londres: Yale University Press, 2008), p. 764.

[14] Aila Luiza Pinheiro de Andrade, *Lendo a Carta de Efésios* (São Paulo: Paulus, 2023), p. 83.

da conversa ele disse que a deputada Nancy Pelosi, então presidente da Câmara dos Representantes, e forte opositora do Donald Trump, era "um verdadeiro demônio". "Aquela mulher, irmão Gutierres, é um demônio, um verdadeiro demônio." Alguns dias depois, vi uma reportagem sobre um homem que invadiu a casa da deputada e atacou o seu esposo. Foi inevitável lembrar da conversa. Certamente o fanático que invadiu a casa da deputada concordava que Pelosi era um "demônio".

A polarização nos faz ver o outro como demônio. O inferno é sempre o outro, para usar o clichê. A demonização do outro é o que Paulo quer evitar ao nos lembrar de que a natureza da nossa luta é essencialmente espiritual. Embora as pessoas possam ter fortes discordâncias políticas, todos os seres humanos merecem ser tratados com dignidade e respeito. Qual é a coerência de servir a um Cristo que morreu por todos, amando-os até o fim, enquanto enxergamos o outro como um verme? Se Cristo desceu ao abismo da condição humana para elevá-la — na dinâmica entre encarnação e ascensão —, qualificar o outro como indigno inverte a lógica do evangelho. Enxergar os oponentes como malignos ou desumanos é um passo perigoso que normaliza a violência verbal e física e ainda corrói o tecido da sociedade. No próximo capítulo, ao tratar sobre sectarismo, voltaremos ao problema aqui apontado.

O fruto do Espírito é incompatível com a guerra cultural

Por fim, o conceito de guerra cultural é puro suco de "obra da carne". Os pecados que Paulo aponta nas obras da carne são essencialmente derivações do sectarismo e do egoísmo humano. Em Gálatas 5.19-21, o apóstolo enumera várias atitudes e comportamentos comuns na militância raivosa da guerra cultural: hostilidade, discórdias, ciúmes, acessos de raiva, ambições egoístas, dissensões, divisões, inveja. Todos esses pecados têm raízes no desejo de dividir, excluir e se elevar acima dos outros.

Observe que, na lista paulina — que podemos dividir em três blocos: "pecados de impulsividade", "pecados de relacionamento" e "pecados de culto" —, os pecados de relacionamento ganham maior destaque.

Categoria	Termo em português (NVT)	Alternativa na tradução	Termo grego
Pecados de impulsividade	Imoralidade sexual	Fornicação	πορνεία (*porneia*)
	Impureza	Imundícia	ἀκαθαρσία (*akatharsia*)
	Sensualidade	Libertinagem	ἀσέλγεια (*aselgeia*)
	Bebedeiras	Embriaguez	μέθαι (*methai*)
	Festanças desregradas	Orgias	κῶμοι (*kōmoi*)
Pecados de relacionamento	Hostilidade	Antagonismo	ἔχθραι (*echthrai*)
	Discórdias	Brigas	ἔρις (*eris*)
	Ciúmes	Fanatismo[15]	ζῆλος (*zēlos*)

[15] O termo "*zēlos*" originalmente tinha uma ambiguidade: podia significar tanto um zelo positivo, como a dedicação intensa a uma causa, quanto um zelo destrutivo, que se manifesta em rivalidade, inveja ou ciúme excessivo. Quando Paulo usa "*zēlos*" em sua lista de "obras da carne", ele está se referindo a essa segunda conotação, que pode ser entendida como

36 IGREJA POLARIZADA

	Acessos de raiva	Fúria	θυμοί (*thymoi*)
	Ambições egoístas	Contendas por interesse	ἐριθεῖαι (*eritheiai*)
	Dissensões	Separações	διχοστασίαι (*dichostasiai*)
	Divisões	Facções	αἱρέσεις (*haireseis*)
	Inveja	Ressentimento	φθόνοι (*phthonoi*)
Pecados de culto	Idolatria	Culto a ídolos	εἰδωλολατρία (*eidōlolatria*)
	Feitiçaria	Bruxaria	φαρμακεία (*pharmakeia*)

A lista que Paulo apresenta em Gálatas ecoa de maneira perturbadora as táticas e atitudes que frequentemente vemos nas guerras culturais contemporâneas.[16]

um fanatismo que leva à divisão e à hostilidade, em vez de promover a unidade e o bem comum.

[16] O sectarismo nacionalista na igreja da Galácia estava relacionado ao conflito entre cristãos judeus e gentios sobre a observância da Lei mosaica. A epístola aos Gálatas revela uma forte tensão na comunidade, causada pela insistência de certos judeus cristãos (conhecidos como "judaizantes") de que os gentios convertidos ao cristianismo deveriam seguir práticas da Lei judaica, como a circuncisão (Gálatas 2.11-14; 5.2-4). Esse conflito refletia um problema de identidade teológica e cultural, em que alguns membros da igreja queriam impor os costumes e as tradições judaicas como requisitos necessários para a plena participação no povo de Deus. Isso gerou divisões e alimentou um espírito sectário na comunidade. Paulo confronta diretamente essa postura, afirmando que em Cristo "não há judeu nem grego" (Gálatas 3.28), e que a justificação é pela fé e não pela observância da Lei (Gálatas 2.16). Ele argumenta que a imposição de práticas da Lei

A hostilidade (*echthrai*) se revela no prazer pelas disputas. As discórdias (*eris*) são deliberadamente fomentadas, seja por meio de desinformação ou de narrativas polarizadoras, que acentuam as diferenças em vez de buscar pontos de contato. O ciúme e a inveja (*zēlos* e *phthonoi*) se refletem na constante comparação e competição entre grupos, alimentando ressentimentos e uma mentalidade de "soma zero", em que o ganho de um grupo é percebido como a perda de outro. A raiva (*thymoi*) se manifesta nas retóricas inflamadas e nas reações desproporcionais aos desacordos, exacerbadas pelas redes sociais. A busca por ambições egoístas (*eritheiai*) transparece na tentativa de ganhar poder e influência, muitas vezes disfarçada de defesa de valores morais ou "valores familiares". As dissensões e divisões (*dichostasiai* e *haireseis*) são a fragmentação da sociedade em grupos cada vez menores e mais hostis entre si.[17]

Ao condenar essas atitudes, Paulo desafia a lógica mundana que sustenta as guerras culturais. Precisamos entender a natureza dessa guerra: a carnalidade do coração. Ganhar disputas pode ser apenas mais uma vaidade. O grito do "mitar" ou "lacrar" pode esconder o desejo inconsciente de redenção moral, como se vencer debates fosse um meio de purificação. Até porque atacar os "vícios alheios" distrai da necessidade de

---

sobre os gentios equivalia a uma distorção do evangelho e uma rejeição da liberdade em Cristo (Gálatas 5.1-6).

[17] A leitura proposta aqui não implica uma equiparação direta entre o contexto do primeiro século e o contemporâneo, mas uma aplicação hermenêutica que identifica padrões recorrentes de comportamento humano que Paulo visa corrigir em seu ensino ético. Para trabalho de ética paulina, veja Richard B. Hays, *The Moral Vision of the New Testament: A Contemporary Introduction to New Testament Ethics* (San Francisco: HarperOne, 1996), p. 201-206.

confrontar nossos próprios vazios. Lutamos contra fantasmas externos para não enfrentar os demônios íntimos.

É até irônico que nós, como evangélicos, que enfatizamos tanto a conversão, não paremos para refletir que a conversão demanda a troca de lógicas, inclusive a troca da lógica do ódio pela lógica do amor. Conversão não é meramente deixar de beber ou vestir roupas sensuais, mas é, acima de tudo, mudar o coração para o outro. Deus é aquele que converte o coração dos pais aos filhos (Malaquias 4.6); é um Deus de reconciliação. Devemos refletir isso.

A alternativa à carnalidade que acaba com relacionamentos é o fruto do Espírito: amor, alegria, paz, paciência, bondade, fidelidade, mansidão e domínio próprio (Gálatas 5.22-23). É impossível seguir o fruto do Espírito e ser guerreiro cultural. É possível ser político, ativista, reformador social, mas guerreiro cultural é impossível.

O amor (*agape*) nos chama a buscar o bem do outro, mesmo daqueles com quem discordamos. No amor, diz N. T. Wright, "o principal é admirar, respeitar e celebrar o ser amado, deliciar-se nele, deixá-lo ser ele mesmo, querer que ele seja, gloriosa e livremente, ele mesmo. Não é apanhá-lo, controlá-lo ou forçá-lo a assumir outra forma. Isso é luxúria".[18] A paciência (*makrothymia*) nos capacita a ouvir e considerar outras perspectivas sem reagir com hostilidade. A bondade (*chrestotes*) e a mansidão (*prautes*) nos orientam a lidar com os conflitos de forma gentil e humilde, reconhecendo nossas próprias falhas e a humanidade compartilhada com nossos "oponentes". A fidelidade (*pistis*) nos convoca a manter nossas convicções. Já o domínio próprio (*enkrateia*) nos ajuda a controlar nossas

[18] N. T. Wright, *Surpreendido pelas Escrituras* (Viçosa: Ultimato, 2015), p. 156.

reações impulsivas, resistindo à tentação de responder à hostilidade com mais hostilidade.

Certa vez, ouvi de um pastor: "Nunca vi irmãs de profunda piedade e oração se envolvendo em lutas de guerra cultural". Na hora, pensei que também não conheço nenhuma. Não porque sejam pessoas alienadas, mas, pelo contrário, porque a lucidez das senhoras de oração é tão grande que sabem onde está o foco da verdadeira batalha espiritual. A lucidez não cala, mas escolhe *como* falar: não com o barulho da ira, mas com a autoridade de quem carrega Cristo no coração.

2
CONSERVADOR, NÃO REACIONÁRIO

A primeira vez que me reconheci como conservador foi no primeiro ano da faculdade, em 2007. Todos os meus professores que manifestavam opiniões políticas simpatizavam ou militavam na esquerda. Na época, estávamos na ressaca do escândalo do Mensalão e no segundo governo de Luiz Inácio Lula da Silva. Lembro que dois dos meus professores eram membros do Partido Comunista do Brasil (PCdoB). Não havia perseguição nem falta de respeito, mas recordo de um professor que ficou indignado quando mencionei que, naquela época, minha referência intelectual era Francis Schaeffer, considerado por muitos o pai da "direita cristã".[1]

Muita coisa mudou desde aquela época, inclusive Francis Schaeffer deixou de ser uma referência intelectual para mim. No entanto, minha veia conservadora permaneceu. Eu acreditava que essa veia havia surgido devido à minha tendência quase infantil de ser "do contra", ou seja, se todos eram de esquerda, eu iria na direção oposta. Contudo, de acordo com estudos mais recentes de psicologia, tanto a minha inclinação política, no meu caso à direita, quanto a sua, caro

---

[1] Francis Schaeffer é amplamente reconhecido como uma figura-chave na formação da direita cristã, especialmente nos Estados Unidos, por meio de sua crítica à secularização da cultura ocidental e sua defesa de uma visão de mundo cristã abrangente. Para uma análise detalhada de sua influência no movimento, veja Barry Hankins, *Francis Schaeffer and the Shaping of Evangelical America* (Grand Rapids: Eerdmans, 2008).

leitor, são mais do que uma decisão racionalizada ou um ato de vontade.

Um "gene" conservador?

Parece que não somos tão racionais quanto pensamos ao escolher entre ser conservador ou progressista. Na verdade, pode ser que já venhamos ao mundo com uma espécie de "bússola política" embutida em nosso cérebro. Assim como nascemos com predisposições para sermos extrovertidos ou introvertidos, também nascemos com uma inclinação natural para ideias mais à direita ou à esquerda. A natureza humana nos dá um "empurrãozinho" em uma direção política antes mesmo de termos idade para votar.

Estudos na área da psicologia política têm demonstrado que essas orientações estão relacionadas a diferenças em traços de personalidade e em processos cognitivos. Um exemplo disso é um estudo publicado na revista *Current Biology*, em 2011, que revelou diferenças na estrutura cerebral entre conservadores e progressistas: os conservadores tendem a ter uma amígdala maior, uma área cerebral associada ao processamento do medo, enquanto os progressistas apresentam mais massa cinzenta no córtex cingulado anterior, região ligada à capacidade de lidar com incertezas e conflitos.[2]

Essas diferenças também se manifestam em traços de personalidade. Meta-análises, como a conduzida por Chris Sibley e outros cientistas em 2012 no *Journal of Personality and Social Psychology*, indicam que conservadores pontuam mais

---

[2] R. Kanai et al., "Political orientations are correlated with brain structure in young adults", *Current Biology* 21 (8), 2011, p. 677-680.

alto em características como consciensiosidade e necessidade de ordem, enquanto progressistas tendem a ser mais abertos a novas experiências.[3] Além disso, a forma como respondemos a estímulos negativos parece ter um papel importante: pesquisas de Douglas R. Oxley e outros psicológicos, publicadas na *Science* em 2008, sugerem que conservadores têm reações fisiológicas mais fortes a estímulos que evocam ameaça.[4]

Fatores genéticos também entram em cena. Um estudo de gêmeos realizado por John Alford, Carolyn L. Funk e John R. Hibbing em 2005 estimou que até 43% da variação nas atitudes políticas pode ser atribuída a influências genéticas.[5] E essas predisposições podem se manifestar cedo na vida: estudos longitudinais, como o de Jack Block e Jeanne Block em 2006, indicam que traços de personalidade observados na infância podem ser preditores das orientações políticas na vida adulta.[6]

Parece, portanto, que ser conservador ou progressista não se resume a uma escolha consciente ou circunstancial.[7] Nossas

---

[3] C. G. Sibley, D. Osborne e J. Duckitt, "Personality and political orientation: Meta-analysis and test of a Threat-Constraint Model", *Journal of Personality and Social Psychology* 103 (3), 2012, p. 666-688.

[4] D. R. Oxley et al., "Political attitudes vary with physiological traits", *Science* 321 (5896), 2008, p. 1667-1670.

[5] J. R. Alford, C. L. Funk e K. R. Hibbing, "Are political orientations genetically transmitted?", *American Political Science Review* 99 (2), 2005, p. 153-167.

[6] J. Block e J. H. Block, "Nursery school personality and political orientation two decades later", *Journal of Research in Personality* 40 (5), 2006, p. 734-749.

[7] Os estudos de psicologia política, como ocorre em toda ciência, não são conclusivos e estão sujeitos a contestações. Por exemplo, pesquisas sobre neuroplasticidade, como as de Bryan Kolb e Robbin Gibb, sugerem que o cérebro é altamente adaptável. Isso pode indicar que as diferenças observadas nas estruturas cerebrais sejam resultado, e não causa, das

inclinações podem ser influenciadas por fatores biológicos, genéticos e psicológicos que moldam como vemos e reagimos ao mundo. Mas, felizmente, não estamos totalmente presos a um "manual de instruções" do DNA. Nossas experiências, educação e ambiente social também têm um papel importante na formação das nossas crenças. A natureza humana é um equilíbrio entre o que herdamos e o que construímos, e nossa capacidade de pensar criticamente e aprender nos dá a chance de, quem sabe, fugir um pouco do óbvio.

Se eu já nasci com um, digamos, "gene" conservador, não sei dizer, mas o que inicialmente me atraiu ao conservadorismo é, hoje, justamente o que me afasta dos representantes conservadores que temos no Brasil. Desde cedo, compreendi que ser conservador significa conservar instituições, mas isso não implica ser contrário a qualquer tipo de progresso. Pelo contrário, há espaço para o progresso no conservadorismo, inclusive em questões morais, ainda que sem renunciar aos valores da tradição e sem romper violentamente com o passado.[8]

---

orientações políticas. Veja B. Kolb e R. Gibb, "Brain plasticity and behaviour in the developing brain", *Journal of the Canadian Academy of Child and Adolescent Psychiatry* 20 (4), 2011, p. 265-276.

[8] Isso não quer dizer que o progresso seja um conceito sem problemas. Pelo contrário, a ideia de progresso está frequentemente associada a uma visão otimista e linear da história, que ignora os riscos de rupturas bruscas com tradições, instituições e valores consolidados. Além, é claro, da arrogância inerente à ideia de que cada geração deve "superar" a anterior, como se a sabedoria acumulada por séculos fosse irrelevante. Para uma crítica não reacionária e teológica à ideologia do progresso, veja N. T. Wright, *Surpreendido pela esperança* (Viçosa: Ultimato, 2009), p. 95-107. Veja também Gutierres Fernandes Siqueira, *Quem tem medo dos evangélicos?* (São Paulo: Mundo Cristão, 2022), p. 49-53. Para uma crítica secular e filosófica, veja John Gray, *O silêncio dos animais* (Rio de Janeiro: Record, 2019).

"Volte para o Lar"

Se o conservadorismo fosse, basicamente, a ideia de bloquear todo e qualquer avanço moral e histórico, então um "verdadeiro" conservador deveria defender a escravidão como algo necessário — o que é um absurdo completo. Ou ainda, o conservador cristão só pode ser católico, uma vez que se trata da tradição mais antiga e estável. É por isso que alguns evangélicos que veem o conservadorismo como uma ideologia meramente reacionária enfrentam uma contradição histórica dentro do próprio protestantismo. Afinal, a Reforma Protestante, em diversos momentos, representou rompimentos com tradições estabelecidas e ajudou a promover mudanças sociais bem significativas, incluindo o início da modernidade.

O reacionário católico argumentará que todos os "males" que ele identifica no Ocidente contemporâneo (esquerdismo, feminismo, ideologia de gênero, revolução sexual) têm sua gênese histórica em Martinho Lutero, por ter relativizado a autoridade papal.[9] Segundo essa teoria, ao questionar a autoridade

---

[9] Para visões contrarrevolucionárias que atribuem à Reforma a origem de inúmeros "males" modernos, veja, por exemplo Joseph de Maistre, *Considerações sobre a França* (São Luís: Resistência Cultural, 2022). No ensaio "Réflexions sur le Protestantisme", Joseph de Maistre faz uma crítica bem dura ao protestantismo. Ele vê o protestantismo como uma ameaça tanto para a autoridade religiosa quanto para a política. O ponto principal dele é que o "livre exame", que é algo central na Reforma Protestante, acabou gerando fragmentação religiosa, individualismo e questionamentos sobre quem manda. Isso, segundo ele, criou muita instabilidade social e política. Maistre também relaciona o protestantismo com o espírito revolucionário que levou à Revolução Francesa. Para ele, o protestantismo não é só uma heresia religiosa, mas também uma heresia política. Ele contrasta isso com o catolicismo, que tem uma estrutura

central da Igreja Católica e propor o livre exame da Bíblia, Lutero teria dado início a uma série de fragmentações na autoridade religiosa, abrindo caminho para que as pessoas passassem a questionar qualquer forma de autoridade tradicional — e, consequentemente, levando à tal "decadência moral" do mundo moderno.

Não é sem motivo que muitos seguidores evangélicos do filósofo Olavo de Carvalho, uma das principais referências do pensamento conservador reacionário no Brasil, acabaram abraçando o catolicismo, especialmente sua vertente tradicionalista que se opõe veementemente ao Concílio Vaticano II. Esse movimento revela uma busca por uma tradição religiosa que pareça mais "pura" e resistente a mudanças doutrinárias e litúrgicas.

O catolicismo tradicionalista, sobretudo na sua versão mais radical (contrária ao Vaticano II), oferece uma narrativa de continuidade histórica e de forte oposição à modernidade, o que atrai quem procura segurança em estruturas religiosas que pareçam mais firmes e inalteradas. Quando esses evangélicos trocam o protestantismo pelo catolicismo tradicionalista, acabam elevando ainda mais a busca por autoridade e tradição, chegando a um ponto que supera o protestantismo histórico, que traz, em seu próprio "jeito de ser" teológico, aquele espírito de ruptura e reforma.

---

hierárquica e centralizada, promovendo unidade e estabilidade. Já o protestantismo, ao rejeitar autoridade e tradição, acaba favorecendo a anarquia. Para Maistre, o protestantismo não é exatamente uma religião, mas sim uma negação de tudo. Veja Joseph de Maistre, *Réflexions sur le Protestantisme dans ses rapports avec la souveraineté*, Turin, 1798, disponível em: <https://lafrancechretienne.wordpress.com/2016/12/28/sur-le-protestantisme/>.

Mas, afinal, o que é ser conservador?

Ser conservador é equilibrar o desejo pelo futuro com a solidez do passado.[10] É, como escreveu, Michael Oakeshott, "preferir o familiar ao estranho, preferir o que já foi tentado a experimentar, o fato ao mistério, o concreto ao possível, o limitado ao infinito, o que está perto ao distante, o suficiente ao abundante, o conveniente ao perfeito, a risada momentânea à felicidade eterna".[11] Observe que Oakeshott fala em "preferir", ou seja, não se trata de uma rejeição completa ao novo, mas de uma *postura prudente* que valoriza a continuidade, reconhece os limites da natureza humana e respeita a sabedoria acumulada ao longo do tempo. Como o próprio Oakeshott comenta: "Ser conservador não é meramente ter aversão à mudança; também é uma maneira de nos acomodarmos a mudanças".[12]

Conservadores não acreditam em revoluções, mas acreditam em reformas contínuas. Para o conservador, o tecido social não deve ser dilacerado em prol de ideais utópicos; ao invés disso, é pela manutenção cuidadosa do que já se provou eficaz que se permite ao futuro florescer sem sacrificar o que é essencial. Mas é importante repetir: estabilidade não diz respeito a resistir acriticamente a tudo que é novo. "Instituições, tradições e lealdades sobrevivem adaptando-se, e não permanecendo para sempre na condição em que um líder político as pode herdar", pontua Roger Scruton.[13] Trata-se sobretudo de ter cuidado com mudanças muito rápidas que podem acabar com valores importantes.

---

[10] Para entender o desenvolvimento histórico do conservadorismo enquanto filosofia cultural e política, veja Roger Scruton, *Conservadorismo: Um convite à grande tradição* (Rio de Janeiro: Record, 2019).
[11] Michael Oakeshott, *Conservadorismo* (Belo Horizonte: Âyiné, 2016), p. 137.
[12] Ibid., p. 140.
[13] Roger Scruton, *Contra a corrente* (Coimbra: Edições 70, 2022), p. 71.

O conservadorismo não visa mudar a natureza humana, mas busca cultivar instituições que possam controlar e moderar seus impulsos mais primitivos. Russell Kirk argumenta: "Os radicais acreditam que a educação, a legislação positiva e a alteração do ambiente podem produzir homens semelhantes a deuses; negam que a humanidade tenha uma inclinação natural à violência e ao pecado".[14] Já "o negócio do conservadorismo", diz Roger Scruton, "não é corrigir a natureza humana ou moldá-la de acordo com alguma concepção ideal de um ser racional que faz escolhas. O conservadorismo tenta compreender como as sociedades funcionam e criar o espaço necessário para que sejam bem-sucedidas ao funcionar".[15]

Como cristão, essa perspectiva me atrai profundamente ao conservadorismo, pois reconheço, à luz das Escrituras, que somente a ação transformadora do Espírito Santo é capaz de fazer do ser humano uma nova criatura (2Coríntios 5.17). Utopias políticas ou projetos sociais bem-intencionados não são suficientes para gerar, aqui e agora, o reino de Deus na terra. A fé cristã enfatiza que a renovação interior — o "nascer de novo" (João 3.3-5) — procede de uma obra divina, e não meramente de reformas institucionais ou programas políticos. A "nova criação" não se limita à mudança de hábitos, mas implica uma transformação profunda do coração, algo que nenhuma ideologia puramente terrena pode realizar.[16]

---

[14] Russell Kirk, *A mentalidade conservadora: De Edmund Burke a T. S. Eliot* (São Paulo: É Realizações, 2020), p. 87.

[15] Roger Scruton, *Como ser um conservador* (Rio de Janeiro: Record, 2015), p. 181.

[16] Como veremos adiante, os reacionários também acreditam que podem transformar a natureza humana através de ideias.

O conservadorismo, no fundo, não consiste em tão somente defender o que já foi, mas em agir com responsabilidade para o futuro. O progresso deve acontecer de forma natural, respeitando como as coisas funcionam e o que aprendemos com o tempo.

Como escreveu João Pereira Coutinho:

> A reforma não só não exclui a tradição como *exige* uma tradição, entendida como ponto de partida para qualquer ação reformista. Reformamos o que existe e, mais importante ainda, reformamos *porque algo existe* e *porque algo chegou até nós*. Tal como defende Karl Popper, as tradições são a base de qualquer atuação política porque elas oferecem ao agente "algo sobre o qual podemos operar" e "algo que podemos criticar e mudar".[17]

Ou seja, tradição é o ponto de partida para qualquer crítica ou mudança. Tradição e reforma não se opõem; elas se complementam.

E os reacionários?

É comum a confusão entre conservador e reacionário. Embora pareçam pertencer ao mesmo tronco ideológico, o reacionarismo é radicalmente diferente do conservadorismo, tanto em conteúdo como em forma. Mark Lilla escreve:

> Os reacionários não são conservadores. É a primeira coisa que se deve entender a seu respeito. À sua maneira, são tão radicais quanto os revolucionários e não menos firmemente presos nas garras da imaginação histórica. As expectativas milenaristas de

---

[17] João Pereira Coutinho, *As ideias conservadoras: Explicadas a revolucionários e reacionários* (São Paulo: Três Estrelas, 2014), p. 72. Grifos do autor.

uma nova ordem social redentora e de seres humanos rejuvenescidos inspiram os revolucionários; os reacionários são obcecados pelo medo apocalíptico de entrar numa nova era de escuridão.[18]

O reacionarismo acredita que o presente é pior do que o passado, enquanto os progressistas tendem a ver os dias de hoje como parte de um progresso contínuo. Ambas as visões são ilusórias. Os reacionários olham para o passado com nostalgia, idealizando uma "Idade de Ouro" em que a religião, moralidade, cultura e sociedade teriam sido perfeitas.

Além de idealizar o passado, o reacionário quer recuperar esse passado. Esse passado é descrito como um tempo de harmonia e respeito, mas na verdade nunca existiu — nem mesmo em histórias infantis. Sua nostalgia é seletiva, ignorando os conflitos, egoísmos e pecados que sempre fizeram parte da humanidade. É um remendo ilustrado em uma memória cheia de furos.[19] No fundo, o reacionário é um idealista que tenta voltar no tempo, sendo parecido com o revolucionário, mas em sentido oposto: enquanto um quer avançar a qualquer custo, o outro quer retornar.

Nas aulas de Escola Dominical, eu costumava lembrar a meus alunos mais velhos: "Nós estamos acostumados a pensar que o mundo hoje é mais imoral, e talvez ele seja em muitas coisas. Mas, em décadas passadas, antes de o divórcio ser legalizado, por exemplo, o adultério entre os homens era tão comum que até era esperado. Ter uma amante era algo normal,

---

[18] Mark Lilla, *A mente naufragada: Sobre o espírito reacionário* (Rio de Janeiro: Record, 2018.), p. 8.
[19] Anne Applebaum, *O crepúsculo da democracia: Como o autoritarismo seduz e as amizades são desfeitas em nome da política* (Rio de Janeiro: Record, 2021), p. 65.

fazia parte da paisagem". Os mais velhos sempre concordavam. Um tipo de comportamento imoral que hoje não é mais tão facilmente aceito pelas mulheres, e com muita razão. O próprio "empoderamento" feminino permitiu um maior controle sobre o descontrole pecaminoso do masculino. O valor mais importante no casamento passou de "tolerância" ("Eu, mulher, aguento as 'escapadas' do meu marido para manter o casamento") para "fidelidade" ("Eu, mulher, quero um homem que seja fiel a mim, assim como sou a ele").[20]

Não estou, com isso, celebrando a lei do divórcio, mas utilizo esse episódio como exemplo de que a inclinação do ser humano para o mal não pode ser contida por uma lei ou pela ausência dela. Se até a lei revelada não era capaz de transformar os corações (Romanos 7.7-13; Gálatas 3.19-24), o que se pode dizer das leis humanas imperfeitas? Elas têm sua importância — são verdadeiros pedagogos (Gálatas 3.24) que inibem a completa anarquia —, mas são incapazes de transformar mortos espirituais em novas criaturas (Efésios 2.1-5; 2Coríntios 5.17).

É verdade que o código civil anterior mantinha mais casamentos, mas, muitas vezes, sob a capa do adultério, da violência doméstica e de diversos abusos. Uma lei que proíbe o divórcio pode ser canalizada pelo coração corrompido como uma oportunidade para manifestar o mal em outras áreas. A "comporta" das leis humanas detém o mal, mas apenas até certo ponto, isto é, a corrupção do coração sempre acha um "escape". Somente a transformação genuína do coração, operada

---

[20] Laura Capriglione, "Alta infidelidade: homens e mulheres concordam: fidelidade é o que faz um casamento feliz; traição, o que mais prejudica", *Folha de S. Paulo*, 7 de outubro de 2007, <https://www1.folha.uol.com.br/fsp/cotidian/revistafamilia/rv0710200720.htm>.

pela graça divina, pode produzir mudanças duradouras. A lei pode regular comportamentos, mas apenas o evangelho pode renovar a natureza humana caída.

O reacionário erra ao pensar que os problemas morais, sociais e políticos são exclusivos do presente. Na verdade, eles sempre existiram e sempre vão existir, só mudam de forma conforme o tempo e o contexto. Se hoje lidamos com as falhas do coração humano, o passado também enfrentou essas mesmas dificuldades, e o futuro não será diferente. Cada época tem seus males.

É fácil perceber isso empiricamente. Sempre há melhoria e piora caminhando lado a lado. E, paradoxalmente, a piora causa melhora e a melhora causa piora. Antes da internet, era difícil consumir pornografia.[21] O consumo de pornografia aumentou consideravelmente nas últimas décadas, o que, nesse sentido, indica uma piora trágica. Ao mesmo tempo, os adolescentes de hoje consomem menos bebidas alcoólicas, cigarros e até mesmo têm menos relações sexuais do que as gerações passadas. Os jovens de hoje estão mais "santos"? Não, é justamente o acesso excessivo de internet que provoca essa "moralidade" involuntária.[22]

---

[21] Um estudo da Common Sense Media revelou que 73% dos adolescentes norte-americanos entre 13 e 17 anos já foram expostos à pornografia, sendo que 54% tiveram esse contato aos 13 anos ou menos. Além disso, 15% relataram ter tido acesso antes dos 11 anos. No Brasil, uma pesquisa indicou que 22 milhões de pessoas assumem consumir pornografia, sendo 76% homens e 24% mulheres, com a maior parcela desse público sendo jovem (58% têm entre 18 e 34 anos). Veja Júlia Possa, "Com internet, jovens acessam pornografia cada vez mais cedo, alerta relatório", Giz, 12 de janeiro de 2023: <https://gizmodo.uol.com.br/com-internet-jovens-acessam-pornografia-cada-vez-mais-cedo-alerta-relatorio/>.

[22] Davi Caldas, "Por que as novas gerações estão fazendo cada vez menos sexo?", *Jornal da USP*, 1º de novembro de 2024, <https://jornal.usp.br/radio-usp/por-que-as-novas-geracoes-estao-fazendo-cada-vez-menos-sexo/>.

Acreditar que as pessoas do passado eram mais virtuosas é uma ilusão. Os "homens de valor" de outras épocas frequentemente são retratados de forma romântica, mas eram tão pecadores quanto todos nós, igualmente sujeitos a vaidades, violências, disputas de poder e mesquinharias. Essa idealização contraria a antropologia bíblica, que afirma, como Paulo escreveu: "todos pecaram" (Romanos 3.23). Isso inclui tanto os homens do passado quanto os de hoje. As obras da carne não tiveram início na década de 1960.[23]

Não à toa, cresce hoje o número de páginas que buscam resgatar uma masculinidade e feminilidade perdidas — normalmente baseadas em uma suposta aura superior da cultura norte-americana dos anos 1950. Até mesmo as referências estéticas remetem àquelas famílias de classe média que viviam nos subúrbios ricos dos Estados Unidos.

O reacionário costuma enfocar demasiadamente a ideia de que a sociedade está em decadência. Mas falar em decadência sugere que houve um auge, um tipo de paraíso perdido — algo difícil de definir, já que isso varia de acordo com a época e o ponto de vista. É verdade que algumas épocas enfrentaram mais crises que outras, mas nunca existiu um tempo sem problemas. A decadência sempre andou lado a lado com o progresso, e o progresso com a decadência.

[23] Brinco com a data porque, em muitas obras reacionárias, a "revolução sexual da década de 1960" é vista como o marco de um mundo que estava bem e, então, entrou em decadência. Mas isso não faz sentido. Basta lembrar que a década de 1910 viveu a Primeira Guerra Mundial, em escala global, além de uma terrível pandemia, a gripe espanhola. Já as décadas de 1920 e 1930 enfrentaram a pior crise financeira da história moderna, e a década de 1940 foi marcada pela Segunda Guerra Mundial, a mais devastadora de todas. Em termos de violência, os anos 1960 foram até, digamos, "civilizados", excetuando, é claro, a carnificina da Guerra do Vietnã.

Se hoje sentimos falta de laços comunitários mais fortes, também podemos celebrar que práticas horríveis, como a escravidão, não são mais aceitas. O mundo funciona como um pêndulo, ora se inclinando para o bem, ora para o mal; ora para a generosidade, ora para a mesquinhez; ora para o altruísmo, ora para o egoísmo. Essa oscilação não significa que estamos presos a um destino inevitável, mas revela que progresso e decadência sempre caminham juntos ao longo da história.

Cético ou cínico?

No conto "A igreja do diabo", Machado de Assis nos apresenta o demônio como "o espírito que nega".[24] Não nega algumas coisas, nem questiona pontualmente — ele nega *tudo*. É uma negação que não constrói, apenas desfaz. E aqui está o ponto: o cinismo é justamente essa negação elevada à categoria de filosofia de vida. O cínico não aponta falhas para corrigi-las, mas para sabotar qualquer tentativa de conserto.

O negacionismo, por sua vez, é filho legítimo desse cinismo, porém com menos elegância e mais preguiça intelectual. Enquanto o cético olha para a ponte e pergunta se ela vai aguentar o peso, o cínico afirma que ela *nunca* aguentaria, e o negacionista simplesmente diz que a ponte nem sequer existe. Como certa vez afirmou o escritor Eric Hoffer: "É surpreendente perceber quanta descrença é necessária para tornar a crença possível. O que conhecemos como fé cega é sustentado por inúmeras descrenças".[25]

---

[24] Machado de Assis, *50 contos de Machado de Assis*, selecionados por John Gledson (São Paulo: Companhia das Letras, 2019), p. 185.
[25] Eric Hoffer, *The True Believer* (Nova York: Time, 1963), p. 83, citado por Leonidas Donskis, *Troubled Identity and the Modern World* (Nova York: Palgrave Macmillan, 2009), p. 144.

Essa é outra diferença essencial entre conservadores e reacionários: o modo como encaram o ceticismo. O conservador, por princípio, é cético em relação a governos, projetos políticos grandiosos e propostas revolucionárias que prometem reorganizar toda a sociedade — como já vimos. Esse ceticismo nasce de uma compreensão realista da natureza humana, com suas virtudes e limitações.

Já o reacionário oscila entre um otimismo quase utópico em relação a um passado idealizado (*"precisamos restaurar a ordem!"*) e um cinismo corrosivo diante do presente. O fim de toda utopia — por causa do seu vazio — é o cinismo. Como logo percebe que o retorno à Era de Ouro é impossível — afinal, ela nunca existiu de fato —, ele cai no marasmo do ressentimento e na descrença absoluta.

E, sejamos honestos, não se constrói nada sobre o desprezo do cinismo. Esse sentimento

> consiste em uma série de emoções e cognições negativas interligadas, como melancolia, pessimismo, desespero latente, ironia, autopiedade, desesperança, ceticismo, sarcasmo, gargalhada, zombaria, aplausos, indiferença, desconfiança, comportamento calculista, misantropia, relativismo blasé, má-fé, fatalismo, niilismo, descontentamento, indignação, ressentimento, resignação, amoralismo e impotência.[26]

Nem é necessário dizer que o cinismo é profundamente antibíblico. O cinismo é, com efeito, uma característica de Satanás, cuja natureza se alimenta da desconfiança, da distorção da verdade e do desprezo pela esperança. Enquanto

---

[26] Kostas Gouliamos, Antonis Theocharous e Bruce Newman (orgs.), *Political Marketing: Strategic Campaign Culture* (Nova York: Routledge, 2013), p. 17.

as Escrituras exaltam a fé como "convicção de coisas que não vemos" (Hebreus 11.1), o cinismo corrói a confiança em Deus e no próximo, semeando divisão e desesperança — estratégias clássicas do "pai da mentira" (João 8.44), que busca destruir a comunhão.

O cinismo destrói a confiança entre as pessoas, mina instituições e transforma qualquer diálogo em um duelo de suspeitas. Para o cínico, toda boa ação esconde uma agenda oculta, toda autoridade é necessariamente corrupta, toda esperança não passa de ingenuidade disfarçada. No final, sobra apenas o vazio de quem acredita ser mais inteligente do que todos por não acreditar em mais nada. Negar tudo é um ato diabólico porque destrói qualquer possibilidade de diálogo, esperança ou redenção — por isso, nas mãos de Machado de Assis, assim era o diabo.

Individualismo e leitura rasa das Escrituras: a "essência" fatal da espiritualidade evangélica conservadora

O famoso crítico literário norte-americano Harold Bloom (1930–2019) escreveu em *The American Religion* uma crítica contundente aos evangélicos mais conservadores — representados sobretudo pela Convenção Batista do Sul.[27] É uma crítica — vinda de fora — de alguém que discerne dois problemas essenciais do conservadorismo evangélico: o individualismo e a leitura rasa das Escrituras. Compartilho essa crítica no livro porque, embora seja uma crítica "externa", ela sintetiza muito

---

[27] Harold Bloom, *The American Religion: The Emergence of the Post-Christian Nation* (Nova York: Simon & Schuster, 1992), p. 203-258.

bem o problema que outros pensadores, inclusive cristãos, vêm apontando sobre o evangelicalismo conservador.[28]

O evangélico é radicalmente individualista

Uma das constatações de Bloom é a de que o evangélico coloca a experiência pessoal de Deus num lugar central, o que gera um forte individualismo. Ele descreve essa experiência como a crença de que Deus intervém "de fora" para construir uma realidade adequada ao meu "eu" — quase como se o crente se tornasse o centro do mundo, físico ou mesmo cósmico. Um exemplo claro desse individualismo é a forma como muitos leem a promessa de Deus a Abraão em Gênesis 12: ao invés de olhar para Cristo como o grande cumprimento daquela promessa, o evangélico interpreta o texto como se fosse uma benção exclusiva para si.[29] Desse modo, a prosperidade material

---

[28] Alguns exemplos de crítica ao individualismo evangélico podem ser observados aqui: James K. A. Smith, *Desejando o Reino: Culto, cosmovisão e formação cristã* (São Paulo: Vida Nova, 2018); Richard J. Mouw, *The Challenges of Cultural Discipleship: Essays in the Line of Abraham Kuyper* (Grand Rapids: Eerdmans, 2011); Stanley Hauerwas e William H. Willimon, *Resident Aliens: Life in the Christian Colony* (Nashville: Abingdon Press, 2014). Para críticas ao anti-intelectualismo e biblicismo ingênuo, veja Mark Noll, *The Scandal of the Evangelical Mind* (Grand Rapids: Eerdmans, 1995); N. T. Wright, *Surpreendido pelas Escrituras: Questões atuais desafiadoras* (Viçosa: Ultimato, 2015); Scot McKnight, *The Blue Parakeet: Rethinking How You Read the Bible* (Grand Rapids: Zondervan, 2010).

[29] A Bíblia é muito mais do que um simples registro de experiências espirituais. Reduzi-la ao esquema simplista de "espiritualizar, alegorizar e devocionalizar" não apenas falha em capturar a riqueza do texto, mas também pode distorcer profundamente seu significado original. Cada passagem bíblica exige uma interpretação cuidadosa e responsável, que leve em consideração o contexto imediato, a estrutura gramatical, o período histórico, o gênero literário, o pano de fundo cultural e as tradições interpretativas ao longo dos séculos. Somente assim podemos honrar a

do antigo patriarca e as promessas específicas dirigidas a Israel são transferidas para a vida individual do crente moderno.

O psiquiatra cristão Dan Blazer, ao comentar o ponto levantado por Bloom, chama atenção para como esse individualismo acaba por desprezar o valor de comunidade tão presente nas Escrituras. Segundo Blazer:

> A religião americana não incentiva a vida em comunidade ou a confissão, porque o individualismo da sociedade americana direciona sua religião para a solidão interior. Os evangélicos enfatizam o Jesus ressurreto em vez do Jesus crucificado e, portanto, anteveem um eu revitalizado em vez do eu sofredor. [...] A salvação para o evangélico não vem através da comunidade ou da confissão congregacional, mas através de um relacionamento pessoal e íntimo com Jesus. [...] Muitos dos pacientes de quem tratei, vindos de tradições de fé evangélicas, tendem a flutuar de uma congregação a outra [....]. A fé para um judeu significa ligação à comunidade, a Israel, através de uma longa e sofrida história. [...] Contudo, para os evangélicos problemáticos, isolar-se de alguma tradição religiosa ou da comunidade é uma experiência muito comum.[30]

Esse forte individualismo evangélico se reflete em vários fenômenos: o culto congregacional substituído pelo "show", a comunhão de pequenos grupos trocada pelos grandes auditórios, a música de espetáculo no lugar do canto comunitário e, como Blazer bem aponta, o *trânsito religioso* constante. No Brasil, Paulo Romeiro também nota esse "ir e vir" de fiéis que não

---

profundidade do texto sagrado e evitar leituras superficiais ou equivocadas que comprometem sua mensagem essencial.
[30]Dan Blazer, *Freud versus Deus: Como a psiquiatria perdeu a alma e o cristianismo perdeu a cabeça* (Viçosa: Ultimato, 2002), p. 171-172.

criam raízes em igreja alguma, resistem a relacionamentos duradouros e se esquivam de compromissos que naturalmente surgem da vida em comunidade.[31]

Essa dinâmica é preocupante porque despreza a própria ideia da igreja como "corpo", realçando o individualismo em detrimento da catolicidade — isto é, da universalidade e unidade do povo de Deus. A igreja não pode ser reduzida a uma coleção de indivíduos desconectados. Ela é, antes, um conjunto de partes que se complementam. Se por um lado não diluímos as individualidades, por outro não as erigimos em "reinado de egos". Quando a igreja renuncia a sua catolicidade, ela se torna palco de conflitos e divisões infinitas.

A crença na inerrância bíblica não se reflete na qualidade de leitura do evangélico

Outro ponto que Bloom destaca é a aparente contradição entre a crença na inerrância bíblica e a forma descuidada com que muitos evangélicos leem (ou deixam de ler) a Bíblia. Em suas palavras, "a maior verdade que podemos descobrir sobre o grito de guerra fundamentalista pela 'inerrância bíblica' é que ele não tem quase nada a ver com a experiência real de leitura da Bíblia".[32] Em outras palavras, a convicção de que a Bíblia é a Palavra de Deus, sem erros, não leva necessariamente a um manuseio atencioso ou profundo do texto.

---

[31] "Existe hoje no Brasil um contingente significativo de evangélicos, principalmente nos grandes centros urbanos, que estão sempre circulando de igreja em igreja. Não criam raízes, não conseguem cultivar relacionamentos e são avessos aos compromissos que normalmente surgem do relacionamento entre o fiel e a igreja." Paulo Romeiro, *Decepcionados com a graça* (São Paulo: Mundo Cristão, 2005), p. 159.

[32] Bloom, *The American Religion*, p. 219.

O que se percebe é um uso superficial das Escrituras, visível nos sermões dominicais em que o texto bíblico se torna mais um "ponto de partida" para as ideias do pregador do que uma mensagem extraída do próprio texto. Bloom cita a estudiosa Ellen M. Rosenberg, que observa como o mundo evangélico sustenta suas crenças por meio de generalidades e ambiguidades, transformando a Bíblia em um artifício de reafirmação pessoal ou em mero talismã. Lê-se um versículo aqui, outro ali, e, desse modo, a autoridade da Bíblia passa a ser usada apenas para legitimar pensamentos pré-concebidos.

Há, ainda, o contraste que Bloom faz com o fundamentalismo atual. Ele menciona John Gresham Machen — a quem considera uma "mente extraordinária" — como exemplo de um conservador que defendia os "fundamentos" da fé sem, contudo, ignorar as complexidades e ambiguidades históricas e linguísticas do texto sagrado. Em oposição a esse modelo, muitos evangélicos contemporâneos contentam-se com uma "infalibilidade" que, na prática, significa "texto não lido". Assim, a Bíblia é idolatrada como "livro perfeito", porém não se vê esforço em compreender o que ela de fato diz. Infelizmente, isso resulta num analfabetismo funcional que compromete a própria credibilidade do discurso evangélico.

Individualidade não é sinônimo de coletivismo

É importante enfatizar que a crítica ao individualismo radical não é uma defesa de algum tipo de coletivismo aniquilador do indivíduo. A fé cristã, conforme apresentada no Novo Testamento, requer indivíduos conscientes, responsáveis e dotados de liberdade. Todavia, essas características pessoais só encontram sentido pleno quando vivenciadas em comunhão, pois a vida cristã foi desenhada para ocorrer em um "corpo", não em ilhas isoladas.

De modo semelhante, a coletividade não pode se tornar uma massa uniforme que apaga identidades. A comunhão bíblica é plural: diferentes pessoas, com diferentes dons e personalidades, unidas na mesma fé. Isso é muito distinto da uniformidade, e, ao mesmo tempo, é justamente o oposto do hiperindividualismo que ignora a vida comunitária.

Quando críticos externos à fé cristã (como Harold Bloom) ou até irmãos de outras tradições (como Dan Blazer) levantam esses pontos, é preciso abrir os ouvidos. Afinal, como dizem as Escrituras,, "as próprias pedras clamarão" quando se tenta ignorar a verdade. Não podemos fechar os olhos ao fato de que o individualismo e a superficialidade na leitura das Escrituras são problemas reais em nosso meio. A urgência de superá-los salta aos olhos.

A mensagem cristã ganha profundidade quando, em vez de jogar fora a ideia de igreja ou prender-se a um biblicismo raso, passamos a integrar intimidade pessoal com Deus, compromisso histórico e comunitário, e exegese criteriosa das Escrituras. Só assim a teologia evangélica, seja nos Estados Unidos, seja no Brasil, poderá sustentar sua confissão de inerrância bíblica sem cair nas armadilhas do individualismo e da superficialidade.

3
OS REACIONÁRIOS E AS ESCRITURAS

Engana-se quem pensa que os reacionários não têm uma filosofia. Ela não só existe, mas também é bem articulada e faz sucesso porque faz algum sentido. Podemos chamá-la de Tradicionalismo, ou melhor, de Escola Tradicionalista (ou Perenialista), associada a pensadores como René Guénon (1886–1951), Frithjof Schuon (1907–1998) e Ananda Coomaraswamy (1877–1947).

O Tradicionalismo sustenta que há um conjunto de princípios metafísicos, simbólicos e rituais que atravessam as grandes religiões e civilizações. Esses princípios constituem a *Tradição Primordial* ou *Sophia Perennis* (sabedoria perene), que serviria de fundamento legítimo para a organização social, política e espiritual.

De maneira geral, os tradicionalistas veem a modernidade como uma ruptura profunda com a ordem sagrada. Conceitos iluministas como igualdade irrestrita, racionalismo científico e secularismo são criticados por supostamente fragmentarem as bases espirituais que sustentavam as sociedades anteriores.

A hierarquia social e espiritual é vista como reflexo de uma ordem cósmica. Consequentemente, rejeitam a "horizontalização" radical de valores, defendendo uma ordem que mantenha a "verticalidade" do sagrado.[1]

---

[1] Os pensadores da Escola Tradicionalista frequentemente recorrem a conceitos como a *ciclicidade histórica*, presente em muitas tradições religiosas

O pai do reacionarismo contemporâneo é o filósofo francês René Guénon. Ele se tornou a principal referência da chamada Escola Tradicionalista ou Escola Perenialista. Nascido em Blois, na França, Guénon teve uma formação em matemática e filosofia, interessando-se precocemente pelo esoterismo ocidental. Passou a estudar sistemas de pensamento orientais, como o hinduísmo, o islamismo (particularmente o sufismo) e algumas correntes do budismo, buscando neles uma sabedoria intemporal que chamou de *Tradição*. Em 1930, mudou-se para o Egito, onde viveu até o fim da vida e se tornou muçulmano, adotando o nome Abdel Wahed Yahya.

Embora Guénon não tenha constituído uma teoria política sistemática, suas reflexões sobre a degeneração ocidental foram instrumentalizadas por movimentos de direita radical, notadamente por Julius Evola. Entretanto, boa parte da pesquisa acadêmica atual distingue a postura eminentemente metafísica de Guénon do uso político-ideológico que terceiros fazem de suas ideias.[2]

e mitológicas, para justificar sua visão de decadência da modernidade. Inspirados em fontes como as doutrinas hinduístas dos *yugas* (eras cósmicas) e o mito grego das idades do homem, argumentam que a modernidade corresponde a uma fase de degradação espiritual, caracterizada pela preponderância do materialismo e pela desconexão com o transcendente. Veja René Guénon, *O reino da quantidade e os sinais dos tempos* (Lisboa: Publicações Dom Quixote, 1989), p. 257-260.

[2] René Guénon é amplamente reconhecido como uma figura central do tradicionalismo esotérico, mas sua abordagem filosófica é frequentemente mal compreendida pelos seus seguidores políticos. Enquanto Guénon enfatizava a busca por uma sabedoria intemporal e universal — a "Tradição Primordial" —, sua crítica à modernidade tinha como foco uma degradação espiritual e metafísica, não necessariamente uma pauta política. Autores como Mark Sedgwick destacam que Guénon tinha reservas quanto ao engajamento político direto, preferindo uma perspectiva contemplativa

Mesmo que os atuais pensadores e ativistas políticos que se dizem seguidores ou admiradores da Escola Tradicionalista (ou Perenialista) possam, por vezes, não interpretar perfeitamente as ideias originais de René Guénon, é possível notar que eles têm se unido em torno de algumas crenças e princípios fundamentais. Entre esses pilares, estão a crítica ao mundo moderno secular, a crença em uma "sabedoria primordial" ou conhecimento metafísico que estaria presente em diversas religiões e culturas, e a defesa de hierarquias que, segundo eles, seriam um reflexo de uma ordem superior do universo.

Para esses grupos e pessoas, o pensamento de Guénon permite compreender a crise do mundo atual: eles apontam o que consideram um declínio espiritual no Ocidente e defendem a necessidade de recuperar valores tradicionais. Em alguns casos, essa visão ganha contornos políticos mais claros, levando ao apoio a projetos que buscam resgatar uma sociedade organizada e alinhada com esses princípios metafísicos e tradicionais.

É interessante notar que ideias parecidas com as de Guénon aparecem em figuras que, à primeira vista, parecem bem distintas, mas que têm em comum a crítica à modernidade e a defesa de valores tradicionais. Entre elas, podemos citar Olavo de Carvalho, muitas vezes chamado de "guru" do

(*Contra o mundo moderno: O Tradicionalismo e a história intelectual secreta do século XX* [Belo Horizonte: Âyiné, 2020], p. 147). Sua influência na política contemporânea, especialmente em figuras como Julius Evola, ocorreu por meio da apropriação de suas ideias metafísicas e adaptação a ideologias políticas. Umberto Eco mostra que esse apelo a nomes como o de Guénon é parte do "culto à tradição"; veja *O fascismo eterno* (Rio de Janeiro: Record, 2018), p. 43-45.

bolsonarismo no Brasil; Steve Bannon, conhecido como estrategista do trumpismo nos Estados Unidos;[3] e Aleksandr Dugin, considerado influente no círculo de Vladimir Putin na Rússia. Apesar de atuarem em cenários políticos e culturais bem diferentes, todos eles concordam com a ideia de uma suposta ordem tradicional que poderia substituir o mundo atual, que eles veem como decadente.[4]

Abaixo reproduzo um resumo das principais crenças ou princípios do tradicionalismo:

Crença/princípio	Descrição
Tradição Primordial (*Sophia Perennis*)	Crença em uma sabedoria perene e universal, presente em diversas religiões e culturas, que reflete princípios metafísicos e espirituais eternos.
Hierarquia social e espiritual	Defesa de uma ordem hierárquica que reflete uma ordem cósmica superior, rejeitando a "horizontalização" dos valores modernos.

[3] Para entender a direita populista e a ligação entre Guénon, Olavo de Carvalho e Steven Banon, veja Benjamin R. Teitelbaum, *Guerra pela eternidade: O retorno do Tradicionalismo e a ascensão da direita populista* (Campinas: Editora Unicamp, 2020).

[4] A aproximação de figuras como Olavo de Carvalho, Steve Bannon e Aleksandr Dugin ao pensamento tradicionalista pode ser compreendida dentro do fenômeno mais amplo do ressurgimento de ideologias que buscam uma justificativa metafísica para a política contemporânea. Dugin, por exemplo, é fortemente influenciado pelo Eurasianismo, que combina ideias geopolíticas e espirituais, enquanto Bannon demonstrou interesse pelas obras de Julius Evola, outro expoente do Tradicionalismo, em seu papel de estrategista político. Veja James D. Heiser, *"O Império Americano deve ser destruído": Aleksandr Dugin e a ameaça da escatologia imanentizada* (Campinas: Vide Editorial, 2024), p. 69-100.

Crítica à modernidade	Visão de que a modernidade é uma ruptura com a ordem sagrada, marcada por secularismo, materialismo e racionalismo, que fragmentam as bases espirituais da sociedade.
Sacro vs. profano	Defesa de uma distinção clara entre o sagrado e o profano, com ênfase na centralidade do sagrado na organização social e espiritual.
Declínio espiritual do Ocidente	Crítica à degeneração espiritual no Ocidente, vista como consequência do abandono dos valores tradicionais e da Tradição.
Crítica ao igualitarismo	Rejeição à igualdade irrestrita, defendendo que as diferenças de classe, cultura e espiritualidade têm fundamento em princípios metafísicos e naturais.
Valorização do simbolismo e dos rituais	Importância atribuída aos símbolos e rituais como formas de conexão com o transcendente e a ordem superior.
Universalidade das religiões	As grandes religiões são vistas como expressões diferentes da mesma verdade metafísica universal.
Retorno à ordem tradicional	Proposta de uma reorganização social, política e espiritual alinhada com os princípios da Tradição primordial, como alternativa ao mundo moderno.
Apoio a projetos políticos conservadores	Em alguns casos, alinhamento com movimentos políticos que defendem valores tradicionais e hierárquicos como resposta ao declínio moderno.

Declínio do mundo moderno?
Ou um mundo em constante desordem?

Quem defende o retorno ao passado não quer reviver, de fato, a vida sem antibióticos, a mortalidade infantil alta ou a ausência de direitos civis. O que buscam é um simulacro de ordem. A ironia é que o "declínio" criticado é, muitas vezes, justamente o resultado do sucesso de revoluções tecnológicas e éticas que o próprio conservadorismo inicialmente rejeitou e depois abraçou — como a democracia moderna ou a emancipação científica da igreja.

No capítulo anterior já vimos que a característica central do reacionarismo é a nostalgia e, também, abordamos a sua natureza ilógica e ilusória. Neste capítulo, quero mostrar a sua natureza antibíblica.

Em primeiro lugar, devemos lembrar que mesmo em épocas aparentemente boas, os profetas estavam lá, de prontidão, nos lembrando que prosperidade material ou estabilidade política não significam, necessariamente, o fim do pecado e da injustiça. Na história de Israel, a paz e a abundância, muitas vezes, caminhavam lado a lado com a decadência espiritual e moral. Os templos estavam lotados, os sacerdotes eram influentes, os cânticos ecoavam por toda parte, mas um vazio espiritual pairava no ar. Profetas como Isaías, Amós e Jeremias denunciavam os pecados escondidos sob a superfície de uma vida aparentemente correta, como a opressão aos pobres, a idolatria e a falsa religiosidade.

Amós, por exemplo, atuando em um período de relativa prosperidade no Reino do Norte, foi direto ao ponto ao expor a hipocrisia de um povo que mantinha os rituais religiosos, mas ignorava a justiça e a retidão: "Odeiem o mal e amem o bem, estabeleçam a justiça em seus tribunais. Talvez o Senhor, o Deus dos Exércitos, ainda tenha compaixão do remanescente de seu povo" (Amós 5.15). Isaías, da mesma forma, alertava contra a confiança equivocada em alianças políticas e riquezas materiais, lembrando ao povo que Deus exige fidelidade e santidade: "Que aflição espera os que chamam o mal de bem e o bem de mal, a escuridão de luz e a luz de escuridão, o amargo de doce e o doce de amargo!" (Isaías 5.20). O pecado, portanto, não desaparece com as condições externas, sejam elas positivas ou negativas, mas apenas pela transformação que o Espírito de Deus opera no coração humano.

Teologicamente, o evangélico reacionário parece esquecer que a Queda foi um evento único e permanente, com ramificações em toda a experiência humana. Ela não apenas introduziu o pecado na criação, mas estabeleceu uma condição contínua de alienação de Deus, marcada por uma corrupção moral, espiritual e relacional que afeta todas as esferas da existência humana. Conforme Paulo escreve em Romanos 5.12: "Quando Adão pecou, o pecado entrou no mundo, e com ele a morte, que se estendeu a todos, porque todos pecaram".

Por outro lado, a Queda não é o único "evento único e permanente" no plano redentor de Deus. A encarnação, morte e ressurreição de Cristo também são eventos definitivos e universais que inauguraram a restauração da humanidade e da criação (nova criatura, nova criação, novos céus e nova terra). Em Cristo, há a promessa de que, embora vivamos em um mundo marcado pelo pecado, a graça de Deus está em ação, transformando vidas e oferecendo redenção a cada geração. Como Paulo declara em Romanos 5.20: "Onde abundou o pecado, superabundou a graça" (ARC).

Isto posto, as Escrituras nos desafiam a evitar tanto o pessimismo absoluto quanto a nostalgia ingênua. A história humana é um campo de tensão entre a Queda e a redenção. À luz das Escrituras, a ideia de declínio especificamente na era moderna perde um pouco do sentido. Seja na Antiguidade, na Idade Média, ou mesmo no mundo contemporâneo, a marca principal do mundo pós-pecado é o caos.[5]

O caos é uma imagem bíblica bastante importante, presente desde o "sem forma e vazio" de Gênesis 1.2, até as águas turbulentas movimentadas pelo Leviatã (Jó 41.1-34; Salmos 74.14; Isaías 27.1). Esse cenário de luta contra o caos é vencido escatologicamente em Apocalipse, em que, na Nova Jerusalém, "já não há mar" (21.1), indicando a superação definitiva das forças caóticas e a instauração plena da ordem divina. A história humana não é uma oscilação entre ordem e declínio, mas uma constante tensão entre o reino de Deus, que já irrompe, e as forças do caos, que só serão plenamente vencidas na consumação final.

A fé cristã é memorial, não nostálgica

O filósofo e teólogo francês Blaise Pascal (1623–1662) já dizia que o homem, em seu vazio existencial, não consegue viver o presente. Ele está sempre olhando para o passado com saudade, acreditando ter vivido o melhor momento, ou para o

---

[5] A imagem bíblica do caos (*tohu wa-bohu* em Gênesis 1.2) é explorada por Jon D. Levenson, *Creation and the Persistence of Evil* (Nova York: HarperOne, 2013), que mostra como o mito da luta cósmica contra as forças do caos (como o Leviatã) reflete a contínua batalha divina pela ordem, não como restauração de um passado ideal, mas como novidade escatológica. Para uma abordagem evangélica sobre o caos nas Escrituras, veja Sidney Greidanus, *Do caos ao cosmo: Da criação à nova criação* (São Paulo: Vida Nova, 2022).

futuro, ansioso para alcançar o melhor momento. Trata-se de um ciclo de eterna insatisfação. Isso ocorre porque, segundo Pascal, o "presente nos fere".[6] Em outras palavras, o presente expõe nossa vulnerabilidade, enquanto o passado pode ser romantizado e o futuro, idealizado. É mais fácil viver em ilusões temporais do que enfrentar a concretude do agora.

A experiência prática parece confirmar a intuição reacionária de que o passado é sempre melhor do que o presente. Os romanos do primeiro século lamentavam a "corrupção dos costumes" em comparação com a República antiga. Porém, o livro de Eclesiastes, especificamente o versículo 7.10, mostra a falta de sabedoria na pergunta nostálgica: "Não diga: 'Por que os dias do passado foram melhores que os de hoje?' Pois não é sábio fazer tais perguntas" (Eclesiastes 7.10, NVI).

Como lembrado pelo autor Thomas Krüger, o livro de Eclesiastes mostra que mudanças limitadas de melhor para pior são tão possíveis quanto aquelas de pior para melhor (1.9-10; 3.15; 6.10).[7] O autor de Eclesiastes (*Qohelet*[8]) não nega a possibilidade de progresso ou retrocesso, mas rejeita a noção de que qualquer época é intrinsecamente superior, pois todas compartilham a "vaidade" (*hevel*) da condição humana pós-Queda.

O hebraísta Choon-Leong Seow salienta que o público de Qohelet enfrentava o desafio de que as contradições da vida revelavam que algumas tradições de sabedoria do passado

---

[6] Blaise Pascal, *Pensamentos* (São Paulo: Martins Fontes, 2005), p. 17.
[7] Thomas Krüger, *Qoheleth: A Commentary* (Minneapolis: Fortress Press, 2004), p. 135.
[8] *Qohelet* é uma palavra hebraica que significa "o que reúne" ou "o que convoca" e é usada para se referir ao autor do livro bíblico de Eclesiastes.

já não eram suficientes para compreender a realidade atual.[9] Aparentemente, a sabedoria hebraica já enfrentava reacionários naquela época.

Embora a nostalgia seja um sentimento leve e, por vezes, até confortador, ela não pode ser o fundamento da nossa visão de mundo como cristãos. Olhar para o passado com saudade de um "tempo ideal" é uma tentação comum, especialmente em um mundo que parece cada vez mais instável. No entanto, a nostalgia distorce o que foi a realidade do passado tornando-se uma forma de idolatria do ontem, enquanto mina o foco da nossa esperança.

Em seu comentário devocional, o pastor puritano Matthew Henry (1662-1714) resumiu de forma precisa a futilidade do reacionarismo ao analisar Eclesiastes 7.10:

> É uma tolice elevar a bondade dos tempos passados, com o intuito de diminuir a misericórdia de Deus em nossos dias atuais. Como se as gerações passadas não tivessem as mesmas reclamações que nós temos hoje, ou talvez, em alguns aspectos, não tivessem. Isso implica a ideia de que Deus foi injusto e pouco bondoso ao nos colocar em uma era de ferro, comparada com as eras de ouro que vieram antes. Essa ideia surge apenas a partir da inquietação e descontentamento, e uma propensão a discutir com Deus. Não devemos acreditar que há uma decadência universal na natureza ou degeneração na moral. Deus sempre foi bom e os homens sempre foram ruins; e se, em alguns aspectos, as coisas estão piores agora, talvez em outros aspectos estejam melhores.[10]

---

[9] Choon-Leong Seow, *Ecclesiastes: A New Translation with Introduction and Commentary* (New Haven: Yale University Press, 1997), p. 249.
[10] Matthew Henry, "Ecclesiastes 7.10", Matthew Henry's Commentary, BibleGateway, disponível em: <https://www.biblegateway.com/resources/matthew-henry/Eccl.7.7-Eccl.7.10>.

O sábio reconhece que o presente não é necessariamente melhor ou pior do que o passado.[11] O Qohelet compreende a natureza cíclica da vida e percebe que as mudanças são inevitáveis. Ele entende que é importante se adaptar às novas circunstâncias e não se aferrar ao passado. O sábio sabe que as coisas boas e ruins podem existir tanto no passado quanto no presente e no futuro, e não julga o passado ou o presente como sendo absolutamente melhor ou pior, mas sim como uma diferente etapa da vida. Além disso, o sábio compreende que a comparação constante entre o passado e o presente pode levar a sentimentos de nostalgia ou insatisfação, e evita essa tendência. Em vez disso, ele se concentra no presente e no futuro e agradece a Deus pelo que tem agora. Ele entende que a vida é uma jornada e que cada etapa tem suas próprias benesses e desafios, e aprende a valorizar cada uma delas.

A diferença entre nostalgia e memória é que a primeira despreza o presente e idealiza o passado. O respeitado historiador norte-americano Christopher Lasch pontua a diferença entre ambos de maneira magistral:

> [...] precisamos distinguir entre nostalgia e a memória reconfortante de tempos felizes, que serve para conectar o presente ao passado e fornecer um senso de continuidade. O apelo emocional das boas lembranças não depende do desprezo ao presente, marca registrada da atitude nostálgica. A nostalgia apela ao sentimento de que o passado oferecia prazeres que não podem mais ser obtidos. Representações nostálgicas do passado evocam um tempo irremediavelmente perdido e, por isso, atemporal e imutável. Estritamente falando, a nostalgia não implica o exercício

---

[11] Kathleen Farmer, *Who Knows What is Good? A Commentary on the Books of Proverbs and Ecclesiastes* (Grand Rapids: Eerdmans, 1991), p. 175.

da memória, já que o passado que ela idealiza está fora do tempo, congelado em uma perfeição imutável. A memória também pode idealizar o passado, mas não para condenar o presente. Ela extrai esperança e conforto do passado para enriquecer o presente e encarar o que vem com alegria. Ela vê passado, presente e futuro como uma continuidade. Não está tão preocupada com perdas quanto com nossa dívida contínua com um passado cuja influência formativa vive em nossos padrões de fala, nossos gestos, nossos padrões de honra, nossas expectativas, nossa disposição básica em relação ao mundo ao nosso redor.[12]

A fé cristã tem memória e a incentiva, como demonstram inúmeros textos bíblicos. Em Êxodo 12.14, Deus institui a Páscoa como um memorial perpétuo, para que Israel sempre se lembrasse da libertação do Egito. No Novo Testamento, Jesus ordena a seus discípulos: "Façam isto em memória de mim" (Lucas 22.19; 1Coríntios 11.24-25), apontando para a importância de relembrar seu sacrifício redentor.

Como cristão evangélico, não posso abdicar da esperança, pois ela é um dos pilares da nossa fé (1Coríntios 13.13). A esperança não é um mero otimismo humano, mas uma confiança ativa nas promessas de Deus, que estão fundamentadas na ressurreição de Cristo e na certeza de sua segunda vinda. Diferentemente da nostalgia, que se resigna ao que foi perdido, a esperança cristã nos impulsiona a agir no presente com os olhos fixos no futuro glorioso que Deus preparou. É essa esperança que nos permite enfrentar os desafios do presente com coragem, sabendo que "a nossa leve e momentânea tribulação produz para nós um peso eterno

---

[12] Christopher Lasch, *The True and Only Heaven: Progress and its Critics* (Nova York: W. W. Norton, 1991), p. 82-83.

de glória" (2Coríntios 4.17, ARA). Assim, enquanto o mundo cultiva a saudade paralisante, somos chamados a proclamar a esperança transformadora do evangelho.

Na história de Israel, um exemplo clássico do perigo da nostalgia é encontrado no relato do êxodo, quando o povo, mesmo após a libertação milagrosa da escravidão no Egito, murmurava contra Moisés e Deus, desejando as "panelas de carne" e "as cebolas do Egito" (Êxodo 16.3; Números 11.5). Essa lembrança distorcida ignorava os horrores da opressão egípcia e idealizava o passado como se ele fosse melhor do que a liberdade que estavam experimentando sob a orientação divina. A nostalgia, nesse caso, obscureceu a realidade e impediu muitos de enxergar as promessas e provisões de Deus no presente. Por outro lado, o profeta Jeremias nos oferece uma visão redentora sobre a memória. Em Lamentações 3.21-23, em meio ao sofrimento e à destruição de Jerusalém, ele afirma: "Quero trazer à memória o que pode me dar esperança. As misericórdias do SENHOR são a causa de não sermos consumidos, porque as suas misericórdias não têm fim; renovam-se cada manhã. Grande é a tua fidelidade" (NAA). Aqui, a memória não é usada para idealizar o passado ou lamentar o presente, mas para trazer à tona a fidelidade de Deus, que renova a esperança e fortalece a fé para enfrentar os desafios do futuro.

A memória, quando unida à fé, desempenha um papel fundamental na construção e sustentação da esperança. Ao recordar as obras de Deus no passado, fortalecemos nossa confiança em suas promessas futuras. Esse tema da recordação das ações divinas surge de forma recorrente nos Salmos e em outros livros poéticos das Escrituras (Salmos 77.11-12; 78; 105; 106; 136; Jó 5.9; 9.10).

Uma visão com *telos*

A cosmovisão bíblica é teleológica. Já explico. Por visão teleológica quero dizer que a história humana e o cosmos estão direcionados a um *fim último* (em grego: *telos*), revelado na ação soberana de Deus. Essa perspectiva não é mera especulação filosófica, mas está enraizada na narrativa bíblica, que estrutura a realidade como um drama redentor em quatro atos: Criação, Queda, Redenção e Consumação.

A teleologia cristã começa com o propósito original da criação: o homem e a mulher, imagem e semelhança de Deus (Gênesis 1.26-28), chamados a governar a Terra em comunhão com o Criador. A Queda (Gênesis 3), porém, introduz o pecado e a ruptura, mas não anula o *telos* divino. O pecado distorce o projeto, mas não apaga o chamado. A promessa protoevangélica de Gênesis 3.15 — a semente da mulher esmagando a serpente — estabelece um horizonte de esperança: a história caminha para um clímax de restauração.

A eleição de Abraão não é um fim em si mesma, mas um meio para abençoar "todas as famílias da terra" (Gênesis 12.3). A promessa de uma descendência, uma terra e uma bênção universal aponta para Cristo (Gálatas 3.16), em quem as alianças mosaica e davídica encontram cumprimento (Jeremias 31.31-34; 2Samuel 7.12-16). O texto de Hebreus 11 reforça que os patriarcas viviam como "peregrinos", vislumbrando uma "pátria celestial" (Hebreus 11.13-16), o que sublinha a natureza teleológica da fé.

Os profetas do Antigo Testamento, como Isaías, Jeremias e Ezequiel, não apenas denunciam o pecado, mas anunciam um futuro de renovação cósmica. Isaías 65.17-25 descreve "novos céus e nova terra", onde não há choro nem dor — uma antecipação do Apocalipse (21.1-4). Essa tensão entre o "já" e o "ainda não" (escatologia inaugurada, mas não consumada) é central na teologia paulina. Em Romanos 8.18-25, Paulo descreve a criação "gemendo" em dores de parto, aguardando a manifestação dos filhos de Deus.

Jesus não é apenas o ápice da revelação, mas a concretização das promessas. Em sua pessoa, morte e ressurreição, o reino de Deus irrompe na história (Marcos 1.15). Paulo, em Colossenses 1.15-20, revela Cristo como o primogênito de toda a criação, por meio de quem todas as coisas são reconciliadas. A teologia joanina vai além: o Verbo encarnado (João 1.14) é a luz que guia a história rumo ao dia em que "Deus será tudo em todos" (1Coríntios 15.28).

O livro de Apocalipse não é um manual de catástrofes, mas uma liturgia cósmica que revela o triunfo do Cordeiro. A Nova Jerusalém (Apocalipse 21—22) não é uma fuga da história, mas sua transfiguração: o Éden restaurado, a cidade santa onde Deus habita com a humanidade. Como escreve Michael J. Gorman, a liturgia do Apocalipse "é a antítese da religião que idolatra poderes seculares".[13]

Uma visão que limita

A verdade é que, se o ideário reacionário sempre prevalecesse, o cristianismo jamais poderia ter existido, assim como os avivamentos, a mística cristã, a Reforma Protestante, o diálogo da fé cristã com o platonismo na Escolástica, o metodismo, o

---

[13] Michael J. Gorman, *Lendo o Apocalipse com responsabilidade: Testemunho e adoração incivil: Seguindo o Cordeiro rumo à Nova Criação* (Rio de Janeiro: Thomas Nelson Brasil, 2022), p. 16.

pentecostalismo, o pietismo, entre outros. Todos esses movimentos, de alguma forma, representaram reformas, mudanças e, sim, avanços — até mesmo progressos. Houve rupturas significativas, mas também reconciliações com o passado, tanto imediato quanto distante. Não por acaso, para muitos filósofos reacionários, a decadência do Ocidente começou com Lutero. E você, evangélico, está disposto a aceitar essa acusação? Note a ironia: muitos grupos hoje conservadores descendem de movimentos outrora considerados radicais.

O mercado de "autoajuda" conservadora

Os conservadores acreditam no mercado e não perdem tempo em ganhar dinheiro — o que é bom —, mas também gostam de vender fantasias como todo bom capitalista. Por exemplo, no mercado de cursos "conservadores", o casamento é apresentado como um ideal de felicidade. Calma lá! A Bíblia em momento algum vende a fantasia de que o casamento é um mar de felicidade e que casar virgem e/ou cedo signifique sucesso absoluto no matrimônio. Onde os conservadores cristãos estão lendo essa fantasia na Bíblia? Seria essa fantasia uma espécie de autoajuda conservadora?[14]

---

[14] A crítica à idealização do casamento como garantia de felicidade na retórica conservadora contemporânea encontra respaldo em análises acadêmicas que contrastam essas narrativas com o tratamento bíblico do tema. Na Bíblia, o casamento é retratado como uma aliança complexa, marcada por desafios (Efésios 5.21-33 enfatiza mutualidade e sacrifício, não felicidade perene) e até desencorajado em contextos de crise escatológica (1Coríntios 7.25-35). A noção de "sucesso matrimonial" vinculada à virgindade ou idade precoce é uma construção cultural moderna, não um princípio teológico explícito. Acadêmicos como Sarah Ruden, em *Paul Among the People: The Apostle Reinterpreted and Reimagined in His Own Time*

O casamento, é claro, deve ser valorizado, mas sem vender a falsa ideia de que se casar nos moldes conservadores seja garantia de felicidade. Viver na promiscuidade não é opção para o cristão, mas a castidade não o fará mais radiante ou protegido de todos os males — como se fosse um talismã. Castidade é como matar um leão por dia. Se a "mortificação da carne" (veja Romanos 8.13) fosse algo romântico não teria esse nome.

Há muitos "cidadãos de bem" no inferno!

Há ainda uma variante bem comum no conservadorismo popular: o "moralismo do cidadão de bem". É aquele discurso que diz: "Pago meus impostos, não roubo, não mato, cuido da minha família; portanto, sou um bom cristão". Essa mentalidade confunde uma moralidade socialmente aprovada com justificação espiritual, como se Deus avaliasse apenas as aparências (1Samuel 16.7).

Sem dúvida, a sociedade precisa de cidadãos honestos; contudo, ser um "cidadão exemplar" não confere automaticamente um status de retidão diante de Deus. O problema surge quando se presume que cumprir deveres cívicos e manter boa reputação perante os homens seja suficiente para legitimar a própria salvação. Nesse ponto, o "cidadão de bem" corre o mesmo risco do fariseu que orava de si para si mesmo, vangloriando-se de não ser como os demais pecadores (Lucas 18.9-14).

(Nova York: Image Books, 2010), argumentam que as cartas paulinas foram historicamente interpretadas de forma seletiva para reforçar normas sociais, ignorando seu contexto original de resistência aos excessos hedonistas romanos. Numa perspectiva evangelical, a crítica à "idealização do casamento" pode ser encontrada no primeiro capítulo de Timothy Keller e Kathy Keller, *O significado do casamento* (São Paulo: Vida Nova, 2017).

Afinal, todos pecaram e carecem da glória de Deus (Romanos 3.23), não havendo, portanto, distinção entre os que se consideram "bons" e aqueles que reconhecem sua falência moral.

O moralismo precisa ser analisado com extremo cuidado, sobretudo porque a moral é, de fato, uma exigência para quem se diz cristão (1Pedro 1.15-16). Não existe verdadeiro cristão que seja imoral ou amoral — a própria fé bíblica pressupõe princípios éticos (Romanos 12.1-2). Por isso, negar a relevância da moral seria uma contradição com aquilo que professamos. No entanto, o moralismo se torna pernicioso quando é adotado como a causa ou o caminho da salvação, ainda que isso ocorra de modo inconsciente.

Por que isso é tão sério? Porque o moralismo, em última instância, desvia o foco do que Cristo fez na cruz e deposita confiança nas "virtudes" e "boas obras" humanas. Assim, o homem passa a crer ser autossuficiente para a tarefa da autossalvação, presumindo que um comportamento impecável lhe garante a redenção. Lamentavelmente, há um número considerável de cristãos conservadores que se apoiam justamente nessa ideia. O *moralismo salvífico* é o inverso do cristianismo protestante, mas, ainda assim, uma parcela significativa do evangelicalismo popular está presa nesse universo ilusório, onde se confunde "vida reta" com "justificação diante de Deus".

A moral como sinal, não como caminho

Não estou pregando contra a moral. Longe de mim dizer que o pecado não é sério (Romanos 6.1-2)! O ponto crucial é que a moralidade deve ser tratada como consequência de uma fé genuína, jamais como recurso para "comprar" o favor de Deus. Em outras palavras, viver de modo piedoso deve ser fruto de um coração regenerado, não um artifício de barganha com o Altíssimo. A salvação, conforme ensina o cristianismo bíblico, é única e exclusivamente pela graça divina, mediada pela obra consumada de Cristo na cruz e confirmada em sua ressurreição (Efésios 2.8-9).

Deus não pode ser "comprado" por presentes, boas ações ou comportamentos exemplares (Atos 8.18-20). O moralista salvífico — aquele que presume chegar à graça pelas próprias virtudes — age como se pudesse subornar o Criador: "Fiz isto, deixei de fazer aquilo; logo, mereço tua bênção". Que engano terrível! A salvação é a única conquista na vida que não se obtém por mérito humano. Como costumo dizer, a salvação até é meritória, porém seus méritos são exclusivamente de Cristo (2Coríntios 5.21).

Ao refletir sobre o moralismo vazio, lembro-me da célebre frase de John Owen, renomado teólogo puritano do século 17 que escreveu: "Aquele que troca a soberba pelo mundanismo, a sensualidade pelo farisaísmo, a vaidade pelo desprezo do próximo, não pense que mortificou e abandonou o pecado. Mudou de dono, mas continua escravo".[15] Owen evidencia que o moralismo tende a aproximar-se muito da religiosidade vazia. Há uma troca superficial de vícios, mas o coração continua distante de Deus.

---

[15] John Owen, *A mortificação do pecado* (São Paulo: Vida, 2005), p. 73.

4
O FASCÍNIO EVANGÉLICO POR TEORIAS CONSPIRATÓRIAS

O fascínio evangélico por teorias conspiratórias não é um fenômeno recente, tampouco exclusivo de um grupo. Ainda assim, sua presença no meio evangélico brasileiro tem ganhado destaque, especialmente nas últimas décadas. Embora seja incorreto rotular essa atração por teorias conspiratórias como uma característica intrínseca da fé evangélica, é inegável que muitos crentes abraçam, sem reservas, narrativas que distorcem a realidade e criam explicações fantasiosas para os eventos ao seu redor. Isso não apenas compromete o testemunho cristão, mas também fragiliza a capacidade de discernimento crítico da comunidade.[1]

Teorias conspiratórias exercem fascínio em diversos grupos, transcendendo fronteiras de classe social, afiliação política e religião.[2] Entre os evangélicos, essa inclinação encontra terreno fértil em contextos teológicos específicos, como a escatologia dispensacionalista e o medo de uma perseguição iminente. A questão que se coloca é: por que essas narrativas

---

[1] Este capítulo foi originalmente publicado na revista *Unus Mundus* (Belo Horizonte), nº 4, jul./dez. de 2024, sob o título "O fascínio evangélico por teorias conspiratórias". Agradeço à Academia ABC² por ceder os direitos de publicação para inclusão neste livro.

[2] Para uma leitura complementar ao tema, veja Gutierres Fernandes Siqueira, *Quem tem medo dos evangélicos? Religião e democracia no Brasil de hoje* (São Paulo: Mundo Cristão, 2022), cap. 4, "O novo gnosticismo", p. 83-97.

conspiratórias encontram tanta aceitação no meio evangélico? E, mais importante: que implicações isso traz para a formação da identidade e do pensamento crítico evangélico?

A erudição contemporânea tem investigado as origens das crenças conspiratórias sob diferentes perspectivas, identificando uma série de fatores psicológicos, culturais e biológicos que ajudam a explicar por que essas crenças encontram tanto apelo em contextos variados.

Do ponto de vista psicológico, algumas características emocionais e cognitivas influenciam significativamente a predisposição de um indivíduo para acreditar em teorias conspiratórias. Um dos fatores mais evidentes é a necessidade de controle. Em momentos de crise ou incerteza, o ser humano busca desesperadamente por respostas que tragam ordem ao caos, e as teorias da conspiração, com suas explicações simplificadas, oferecem um senso de segurança e clareza. O pensamento intuitivo, em oposição ao pensamento mais analítico, também é uma porta de entrada para essas crenças. Pessoas que preferem tomar decisões rápidas com base em sentimentos, em vez de processos racionais, tendem a ser mais suscetíveis a essas narrativas. Outra característica psicológica relevante é a baixa autoestima: acreditar em conspirações pode oferecer uma sensação de superioridade, de estar "no controle" de informações privilegiadas.[3]

No campo cultural, crenças conspiratórias estão profundamente enraizadas nas tradições e contextos históricos de uma sociedade. Em culturas com uma história de abuso de

---

[3] Jan-Willem van Prooijen e Karen M. Douglas, "Conspiracy theories as part of history: The role of societal crisis situations", *Memory Studies* 10 (3), julho de 2017, p. 323-333, <https://doi.org/10.1177/1750698017701615>.

poder ou corrupção institucional, a desconfiança em figuras de poder se torna um traço quase inato. Além disso, vivemos em tempos de polarização política extrema, e essa fragmentação social cria um ambiente fértil para que teorias conspiratórias ganhem força. As redes sociais, com seus algoritmos de filtragem, expõem os indivíduos apenas a conteúdos que confirmam suas crenças, alimentando o viés de confirmação e tornando essas teorias mais difíceis de serem refutadas.[4]

Embora menos explorada, a dimensão biológica tem ganhado atenção. Pesquisas sugerem que certas diferenças neuropsicológicas podem estar associadas à maneira como as pessoas processam informações relacionadas à incerteza e à percepção de ameaças. Estruturas e funções cerebrais que regulam o medo e a ansiedade podem influenciar a tendência de um indivíduo em enxergar conspirações em eventos aleatórios. Entretanto, esse é um campo em desenvolvimento e tem sido objeto de crítica pela inconsistência dos resultados científicos.[5]

Esses fatores, somados à educação e ao nível socioeconômico, moldam a maneira como os indivíduos interagem com a realidade e com o fluxo de informações que recebem. O fenômeno das crenças conspiratórias, portanto, não pode ser reduzido a uma única causa. Ele emerge da interseção entre o psicológico, o cultural e, em parte, o biológico, refletindo a complexidade da mente humana e das sociedades em que estamos inseridos.[6]

---

[4] Ted Goertzel, "Belief in Conspiracy Theories", *Political Psychology* 15 (4), dezembro de 1994, p. 731-742, <https://doi.org/10.2307/3791630>.
[5] Charles Antaki e Susan Condor (orgs.), *Rhetoric, Ideology and Social Psychology: Essays in Honour of Michael Billig* (Nova York: Routledge, 2014), p. 87.
[6] Para um estudo completo e atualizado sobre fatores contribuintes, veja Dolores Albarracin, Julia Albarracin, Man-pui Sally Chan e Kathleen Hall

O fator evangélico

Mas existe algum fator teológico que se soma a outros fatores? Lendas urbanas como mensagens subliminares em rótulos da Coca-Cola ou nos discos da Xuxa ressoaram por anos em púlpitos evangélicos. No final dos anos 1990, vídeos do missionário Josué Yrion alegavam que desenhos da Disney continham mensagens secretas para promover a depravação sexual de crianças e adolescentes. Essas teorias conspiratórias têm origem estritamente evangélica. Quais são as causas prováveis?

Uma pista para entender a popularidade das teorias entre evangélicos está na escatologia dispensacionalista,[7] que incentiva a busca constante de sinais do fim. Nesse contexto, é comum enxergar padrões em eventos aleatórios, um fenômeno conhecido como apofenia — a tendência de perceber conexões e significados em dados sem relação entre si. Isso cria um ciclo

---

Jamieson, *Creating Conspiracy Beliefs: How Our Thoughts Are Shaped* (Cambridge: Cambridge University Press, 2021), p. 11-32.

[7] O dispensacionalismo é uma escola de interpretação teológica que divide a história em diferentes "dispensações" ou períodos nos quais Deus se relaciona com a humanidade de formas distintas. Popularizado no século 19 por teólogos como John Nelson Darby, o dispensacionalismo influenciou fortemente movimentos evangélicos nos Estados Unidos, especialmente aqueles com uma ênfase escatológica. Uma das principais características dessa visão é a crença em um arrebatamento pré-tribulacionista e em um futuro de grande tribulação antes do retorno de Cristo, o que fomenta uma perspectiva pessimista em relação ao futuro da sociedade. Para uma análise crítica e detalhada do dispensacionalismo e sua influência no pensamento escatológico contemporâneo, veja Timothy Weber, *Living in the Shadow of the Second Coming: American Premillennialism, 1875–1982* (University of Chicago Press, 1987). Veja também Daniel G. Hummel, *The Rise and Fall of Dispensationalism: How the Evangelical Battle over the End Times Shaped a Nation* (Grand Rapids: Eerdmans, 2023).

de reforço, em que cada evento é reinterpretado como confirmação de uma narrativa escatológica maior, fortalecendo a adesão a teorias conspiratórias.

O conceito de apofenia foi formalmente introduzido pelo neurocientista e psiquiatra alemão Klaus Conrad, em 1958. Em seus estudos sobre esquizofrenia, Conrad observou que indivíduos com essa condição frequentemente percebiam padrões e conexões significativas entre eventos sem relação real. Ele descreveu a apofenia como uma "experiência de revelação", em que o indivíduo acredita encontrar significados profundos em eventos aleatórios.[8] Com o passar do tempo, o conceito foi ampliado para além da psicopatologia, sendo usado para descrever uma tendência natural de encontrar padrões e significados em dados desconexos, mesmo em pessoas sem distúrbios mentais.[9]

A própria visão de mundo dispensacionalista é altamente negativa. Para seus adeptos, o mundo caminha inevitavelmente para o caos e a decadência. Essa perspectiva reforça a ideia de que eventos globais — como guerras e crises — são sinais do fim dos tempos. O resultado é uma expectativa de que o mundo está condenado a "ir de mal a pior", sem possibilidade real de redenção antes do retorno de Cristo. Nesse contexto, não há espaço para a crença no progresso social ou político; ao contrário, o pessimismo catastrófico torna-se uma constante.

[8] Klaus Conrad, *Die beginnende Schizophrenie: Versuch einer Gestaltanalyse des Wahns* (Stuttgart: Thieme, 1958).
[9] O conceito de apofenia, originalmente restrito à psicopatologia, foi posteriormente expandido para descrever um fenômeno comum a indivíduos neurotípicos, abrangendo áreas como psicologia cognitiva e antropologia. Veja Darshani Jai Kumareswaran, "The Psychopathological Foundations of Conspiracy Theorists", tese de doutorado em Filosofia em Psicologia, Victoria University of Wellington, 2014, p. 51-60.

Essa visão pessimista, somada à insegurança gerada pela percepção de um colapso iminente, perturba muitos crentes, que passam a interpretar os acontecimentos cotidianos como parte de uma vasta conspiração para enganar e destruir o povo de Deus. Assim, o ambiente é propício para a propagação de teorias conspiratórias, que oferecem explicações simplistas e dramáticas para um mundo em aparente declínio moral e espiritual.

Justamente por possuírem uma visão excessivamente pessimista, os dispensacionalistas tendem a enxergar as autoridades constituídas como agentes do mal ou como figuras messiânicas. Elas são vistas ou como salvadores, vítimas de uma conspiração do *establishment*, ou como parte desse *establishment* corrompido. No entanto, à luz das Escrituras, considerar seres humanos como estritamente demoníacos ou angelicais demonstra ingenuidade diante da complexidade da natureza humana, que reflete simultaneamente a imagem de Deus (Gênesis 1.27) e a inclinação para as obras da carne (Gálatas 5.19-21).

Se o fim é apenas uma expectativa de destruição, juízo e prevalência do mal, a única conclusão racional é que não há motivos para confiar em qualquer sistema humano ou no tecido social. Dessa forma, o único posicionamento racional possível é o cinismo político. O mal está sempre presente, oculto, pronto para me atacar, portanto, posso ver indícios dele em tudo. O problema é que esta não é a visão bíblica da realidade. Embora o mal esteja sempre presente (Jó 1.7; 1 Pedro 5.8) e o pecado afete todos os aspectos da realidade humana (Romanos 3.23), o mundo criado é bom (Gênesis 1.31), e a terra que habitamos pertence a Deus (Salmo 24.1). Além disso, a mensagem do Apocalipse não é a vitória do caos sobre a realidade; pelo contrário, é o domínio e a destruição definitiva do caos

(Apocalipse 21.1-4). Os dispensacionalistas muitas vezes esquecem que o reino de Deus já está presente entre nós, embora ainda não tenha se manifestado plenamente (Lucas 17.20-21; Mateus 12.28). Como lembram os teólogos evangélicos (e carismáticos) Michael L. Brown e Craig S. Keener, se o pessimismo excessivo do dispensacionalismo estivesse correto, o "fazer discípulos" da Grande Comissão não faria sentido.[10]

Contudo, o problema central do dispensacionalismo não é apenas o excesso de pessimismo e desconfiança, mas a crença de que os sinais do fim devem ser buscados como segredos ocultos, trancados em um baú fechado. A Bíblia condena repetidamente essa postura, exortando os crentes a não se fixarem em especulações sobre os tempos e estações (Atos 1.7; Mateus 24.36), mas a viverem de forma vigilante e obediente diante da revelação clara de Deus.

Quem busca sinais escatológicos freneticamente encontrará padrões irreais. Jesus advertiu sobre esses sinais ao dizer: "Se, então, alguém lhes disser: 'Vejam, aqui está o Cristo!' ou: 'Ali está ele!', não acreditem. Pois aparecerão falsos cristos e falsos profetas, que realizarão grandes sinais e maravilhas para, se possível, enganar até os eleitos" (Mateus 24.23-24, NVI). Não é à toa que todo movimento sectário e autoritário que convence pessoas a aderirem a agendas incontestáveis apela a um forte senso escatológico especulativo, em que tudo aponta para aquele grupo como o único remanescente fiel. Os falsos profetas de antigamente e de hoje são especialistas nesse tipo de discurso.

Em nenhum momento as Escrituras nos incentivam a buscar sinais secretos da atuação do anticristo no mundo, como

---

[10] Michael Brown e Craig S. Keener, *Sem medo do anticristo* (São Paulo: Themelios, 2019), p. 199.

se o nosso papel fosse ser detetives da atuação do mal. Pelo contrário, o que a Bíblia nos pede é uma vida sóbria, ancorada na vivência do evangelho, seja em tempos de paz ou de perseguição (1Tessalonicenses 5.6-8; Filipenses 1.27-29). Quem vive nessa busca, mais cedo ou mais tarde, cairá nos vieses da apofenia — encontrando padrões onde eles não existem (Mateus 24.23-24; 2 Timóteo 4.3-4).

5
POLARIZAÇÃO É SECTARISMO

Qual foi o último debate em que você se envolveu nas redes sociais, incluindo, talvez, o grupo de WhatsApp de sua família? É perceptível como hoje em dia absolutamente tudo entra no campo de batalha ideológico. Não há mais espaço para neutralidade ou para questões puramente técnicas — cada aspecto da vida, por mais trivial que seja, se tornou terreno fértil para disputas, brigas e debates sem fim.

Uma influenciadora digital não pode mais simplesmente interagir com seu bebê em seu Instagram sem que isso gere intensos debates nas redes sociais sobre educação infantil, exposição indevida, os limites das brincadeiras entre mães e filhos etc. Uma tragédia ambiental não é vista primariamente como um desastre que exige socorro imediato, mas como oportunidade para disputas sobre as motivações políticas de quem ajuda ou deixa de ajudar. Ou pior: em quem a vítima da tragédia ambiental votou na última eleição? Até mesmo as eleições municipais de cidades distantes se transformam em campos de batalha ideológica para pessoas que sequer conhecem a realidade local.

É cansativo, mas nada escapa à polarização. É o buraco negro que suga toda a luz da tranquilidade, harmonia e simplicidade.

A democracia não é polarizada "por natureza". Na democracia, existem conflitos e competição de ideias, valores e cosmovisões, mas a polarização vai além. Nela, há um apego exacerbado ao grupo de pertencimento e uma antipatia exagerada ao grupo adversário. A polarização não diz respeito à competição natural das democracias, mas ao jogo de identidades cada vez mais arraigadas.[1] Como diz David Brooks, o melhor colunista da imprensa norte-americana (na minha opinião, é claro), na polarização "a política já não diz respeito principalmente a discordar em questões. Trata-se de estar em conversas totalmente separadas".[2]

A democracia demanda encontros e consensos entre aqueles que pensam de forma diferente; na polarização, isso se torna impossível. Como escreve a cientista política Sara Wallace Goodman: "A democracia é baseada no desacordo, mas só sobrevive quando sustentada por avenidas transversais que reduzem as consequências do desacordo".[3] A polarização transforma o desacordo em aversão. Goodman ainda diz: "A democracia permite — e até prospera — com o desacordo, mas não com o acampamento vitriólico de indivíduos em vários grupos altamente antagônicos".[4]

---

[1] Para uma análise mais detalhada sobre os efeitos da polarização no ambiente democrático e seu impacto nas relações sociais, veja L. Mason, *Uncivil Agreement: How Politics Became Our Identity* (Chicago: University of Chicago Press, 2018), especialmente o capítulo 3, em que a autora discute como a fusão entre identidade política e social intensifica conflitos. Além disso, veja C. R. Sunstein, *Why Societies Need Dissent* (Cambridge: Harvard University Press, 2003), que explora como a competição saudável em democracias pode ser corroída pela polarização exacerbada.

[2] David Brooks, "The retrenchment election", *The New York Times*, 1º de novembro de 2018, <https://www.nytimes.com/2018/11/01/opinion/2018-midterms-realignment-partisanship.html>.

[3] Sara Wallace Goodman, *Citizenship in Hard Times: How Ordinary People Respond to Democratic Threat.* (Cambridge: Cambridge University Press, 2022), p. 116.

[4] Ibid., p. 117.

Porém, é bom enfatizar, a politização excessiva do cotidiano não representa um aumento do interesse genuíno pela política, mas sim uma deformação da consciência política. O debate público deixou de ser um meio para buscar soluções e se transformou em um fim em si mesmo — uma arena onde o importante não é resolver problemas, mas marcar posição e antagonizar o "outro lado". O foco não é o debate que produz consenso; é a vitória a todo custo. De país do futebol, o Brasil vem se transformando no país da "treta".

O resultado é um empobrecimento da própria capacidade de discernimento. Quando tudo é político, nada é verdadeiramente político. Quando qualquer tema se converte em motivo para militância partidária, perde-se a capacidade de distinguir entre questões realmente importantes e debates artificiais criados apenas para alimentar a máquina da indignação permanente.

Não podemos esquecer que a política não é a atividade mais importante da vida cristã. Como escreveu Tish Harrison Warren: "Votar não pode ser o auge ou a totalidade da missão política dos cristãos. Provavelmente nem é a coisa mais importante que você fará em dias de eleição. A primeira tarefa social da igreja, como o teólogo Stanley Hauerwas frequentemente nos lembra, é ser a igreja — é ser uma comunidade alternativa formada por Jesus que encarna um tipo diferente de reino".[5]

Nem toda opinião precisa ser externada, nem toda discordância precisa virar guerra. Há questões que merecem nossa

---

[5] Tish Harrison Warren, "É preciso paciência para reparar os estragos da polarização", *Christianity Today*, 20 de janeiro de 2025, <https://pt.christianitytoday.com/2025/01/politica-mundo-polarizacao-queda-reparacao-eleicao-pt/>.

energia e indignação — mas há também muito barulho vazio que serve apenas para alimentar a polarização pela polarização.

A polarização política em que vivemos atualmente é mais que um fenômeno social ou ideológico — é uma manifestação do velho pecado do sectarismo em nova roupagem. Assim como ocorre no ambiente religioso, o sectarismo político divide pessoas, destrói relacionamentos e mina a capacidade de diálogo em sociedade.[6] O mais preocupante é que essa divisão tem se tornado cada vez mais profunda e estrutural, afetando não apenas as discussões públicas em debates polêmicos, mas penetrando nas relações familiares, nas amizades, nos ambientes profissionais e até mesmo na igreja.[7]

A identidade é o antagonismo

O sectário político, como todo sectário, vive essencialmente de antagonismos. Sua identidade não se define tanto pelo que defende, mas sobretudo pelo que (e por quem) rejeita.[8] É uma identidade negativa, sustentada pela demonização do outro

---

[6] Para uma abordagem ampla do sectarismo como pecado, veja Gutierres Fernandes Siqueira, *Reino dividido: Como o pecado do sectarismo sabota a vontade de Deus para a igreja* (Rio de Janeiro: GodBooks, 2021).

[7] Uma ilustração de como a polarização afeta até as relações familiares é a pergunta tradicionalmente feita nos EUA e que, agora, também é realizada por institutos de pesquisa no Brasil: "Como você reagiria se seu filho(a) casasse-se com alguém do partido oposto ao seu?". Entre os eleitores de Lula, por exemplo, 26% se sentiriam infelizes ou muito infelizes; entre os eleitores de Bolsonaro, esse número seria de 28%. Felipe Nunes e Thomas Traumann, *Biografia do abismo: Como a polarização divide famílias, desafia empresas e compromete o futuro do Brasil* (Rio de Janeiro: HarperCollins, 2023), p. 167.

[8] Adrienne LaFrance, "American Fury", *The Atlantic*, 23 de julho de 2024, <https://www.theatlantic.com/magazine/archive/2024/09/trump-butler-assassination-attempt-pa-rally/679153/>.

e pela crença de que apenas o seu grupo detém a verdade e a virtude. Esse mecanismo psicológico é particularmente nocivo porque cria um círculo vicioso: quanto mais o sectário se afirmar pela oposição, mais precisará intensificar essa oposição para sustentar sua própria identidade. O resultado é uma escalada constante de antagonismo que se retroalimenta.

Nas redes sociais, esse processo se acelera, pois os algoritmos tendem a formar bolhas que reforçam preconceitos e ampliam as vozes mais radicais. Esse aspecto é amplamente explorado no documentário *O dilema das redes* (EUA, 2020), disponível na Netflix. O sectário político encontra sempre novos motivos para odiar seus adversários, alimentando uma espiral de ressentimento e indignação que cresce sem cessar.

Na Bíblia, esse tipo de comportamento é exemplificado de forma contundente em diversas passagens dos Evangelhos. Por exemplo, Jesus critica os fariseus por construírem sua identidade em oposição aos "pecadores" e publicanos, enquanto se vangloriavam de seu próprio status religioso (Lucas 18.9-14). O fariseu da parábola não expressa compaixão ou entendimento pelo outro, mas sim desprezo, achando-se superior e definindo-se sobretudo pela rejeição daquele que considerava indigno.

A respiração cíclica de ódio que caracteriza o sectarismo político é incompatível com o chamado cristão para ser "sal da terra e luz do mundo" (Mateus 5.13-14). O cristão é chamado a ser agente de reconciliação, não de divisão. Paulo nos lembra que recebemos "o ministério da reconciliação" (2Coríntios 5.18, NVI). Como podemos exercer esse ministério se estamos constantemente alimentando antagonismos e cultivando ressentimentos? Como afirma Timothy

Dalrymple, a igreja deve ser, não a comunidade dos "ódios comuns", mas a do "amor comum".[9]

A negação do outro

Outra forma clara de perceber o sectarismo político é quando os oponentes são desumanizados. Hitler não chegou às câmaras de gás de repente. Primeiro, a propaganda do Terceiro Reich transformou judeus em "parasitas", "ratos" e "vírus". Essa animalização criou uma lógica sanitária: exterminar não era crime, mas "higiene racial". O mesmo mecanismo serviu para ciganos, homossexuais e dissidentes — todos reduzidos a "sub-humanos". Stálin, da mesma forma, cunhou o termo "inimigo do povo" para descrever qualquer dissidente. Não havia debate, apenas eliminação: se você é "inimigo", não pertence à humanidade compartilhada. Os *gulags* foram povoados por fantasmas que já haviam morrido nas palavras do Partido.[10]

Na guerra cultural, o outro lado não é composto por pessoas com opiniões diferentes, mas sim por inimigos que precisam ser eliminados. Desumanizar o adversário não é um acidente retórico — é um ritual de poder. Os motivos do "inimigo" são sempre interpretados da pior forma, suas intenções, sempre as mais desprezíveis. Quem é sectário na política não consegue admitir que alguém possa ter convicções diferentes das suas

---

[9] Timothy Dalrymple, "A fragmentação da alma evangélica", in: Marisa Lopes (org.), *O evangelho da paz e o discurso de ódio* (Rio de Janeiro: GodBooks / Thomas Nelson Brasil, 2021), p. 179.

[10] "Um inimigo do povo é não apenas quem comete sabotagem, mas também quem duvida da justeza das determinações do Partido", dizia Stálin. Veja Anne Applebaum, *Gulag: Uma história dos campos de prisioneiros soviéticos* (Rio de Janeiro: Ediouro, 2003), p. 107.

com sinceridade — a explicação só pode ser desonestidade, ignorância ou interesses ocultos. "Ele é comprado." "Ela quer destruir a nossa sociedade." O sectário não consegue conceber que alguém possa, genuinamente, defender ideias diferentes sem ser do mal.

Para quem é sectário e se identifica com a direita, qualquer proposta da esquerda é, por definição, ruim e precisa ser combatida. Para quem é sectário e se identifica com a esquerda, qualquer iniciativa da direita é, intrinsecamente, má e deve ser rejeitada. Não existe meio-termo. Há uma frase atribuída a G. K. Chesterton que diz: "Fanático é o homem que acredita que o outro está errado em tudo por estar errado em alguma coisa".

Biblicamente falando, ao negar a humanidade e a dignidade do nosso irmão, estamos negando a própria imagem e semelhança de Deus, conforme nos ensina Gênesis 1.27. Isso é ser um radical iconoclasta; é negar o próprio Deus, pois Jesus nos disse em Mateus 25.40 que o que fazemos ao menor dos nossos irmãos, a ele o fazemos. É por isso que o teólogo Adrien Candiard chama o fanatismo de "ateísmo dos religiosos": "O fanatismo é uma proscrição de Deus, quase um ateísmo, um piedoso ateísmo, um ateísmo de religiosos — um ateísmo que não cessa de falar de Deus, mas que, na realidade, sabe muito bem viver sem ele".[11]

O orgulho de pertencer

É muito bom viver em grupo. Imagine a física dependendo exclusivamente de Albert Einstein, a despeito de seu brilhantismo,

---

[11] Adrien Candiard, *Do Fanatismo: Quando a religião está doente* (Lisboa: Paulus, 2022), p. 36.

sem a colaboração de físicos de diversos países que contribuíram para o avanço da ciência antes, durante e após sua época. Mas, como tudo na vida, o sentimento grupal também pode ser prejudicial. O psicólogo social Roy F. Baumeiste observa:

> Quando as pessoas se organizam em grupos, tornam-se extremamente hostis em relação aos de fora, menos dispostas a comprometer-se ou a encontrar soluções mutuamente benéficas. Os membros do grupo tendem a fazer menos esforço, deixando as tarefas mais difíceis para os outros. Comissões, por vezes, tomam decisões estúpidas, autodestrutivas, irracionais e prejudiciais. Em guerras, genocídios, opressões e situações semelhantes, os grupos causam danos muito maiores do que indivíduos agindo sozinhos.[12]

Um dos malefícios de ser grupal é o "orgulho do pertencimento". Há algum tempo, assisti a uma entrevista no YouTube com terraplanistas. Duas coisas ficaram claras: eles encontraram no terraplanismo uma causa a ser defendida e sentiam orgulho disso. Além disso, cada crítica ou piada que recebiam apenas reforçava a ideia de que aquele "conhecimento" era tão elevado que, como pessoas à frente de seu tempo, seriam naturalmente incompreendidos. Não é à toa que, em tempos de polarização, surgem defensores das ideias mais absurdas.

O sectário normalmente se vangloria de pertencer ao seu grupo político como se isso, por si só, o tornasse moralmente superior. Sua identidade passa a ser definida primariamente por sua filiação ideológica. Toda sua visão de mundo é filtrada por essa lente sectária.

---

[12] Roy F. Baumeister, *The Self Explained: Why and How We Become Who We Are* (Nova York: Guilford Publications, 2023.), p. 95.

Essa tendência é especialmente preocupante porque ela cria um tipo de "tribo" política na qual a fidelidade ao grupo é mais importante do que qualquer outra coisa, até mesmo ética, moral ou lógica. O membro dessa "tribo" desenvolve uma crença quase religiosa em sua ideologia, se fechando para qualquer evidência que vá contra ela. Mesmo que seu político favorito faça algo violento, como agredir uma senhora indefesa, ele vai dar um jeito de colocar a culpa na vítima. Diante de fatos que não podem ser negados e que colocam suas crenças em xeque, ele vai preferir distorcer o que aconteceu a repensar o que acredita.

O "orgulho da pertença" também serve como mecanismo de compensação psicológica — ao se sentir parte de um grupo "iluminado" ou "virtuoso", o sectário encontra uma forma fácil de elevar sua autoestima sem necessidade de real desenvolvimento pessoal. Além disso, o orgulho de pertencer justifica qualquer atrocidade do próprio grupo, alimentando o pior dos extremos. Como Cass R. Sunstein comenta, quando pessoas veem suas opiniões confirmadas por outros, tornam-se mais confiantes e extremas. A validação mútua amplifica as crenças iniciais. Ele ainda observa: "quando as pessoas se encontram em grupos de indivíduos com ideias semelhantes, elas têm uma probabilidade especialmente alta de se moverem em direção a extremos".[13]

E o fulano?

O sectarismo político também se manifesta na incapacidade de reconhecer erros do próprio campo. Para o sectário, seu

---

[13] Cass R. Sunstein, *Going to Extremes: How Like Minds Unite and Divide* (Oxford: Oxford University Press, 2009), p. 2.

grupo está sempre certo e o outro, sempre errado. Quando confrontado com falhas óbvias de seus aliados políticos, recorre ao *tu quoque*[14] ou "mas e o outro lado?". O *tu quoque* se torna a principal — e frequentemente única — estratégia de defesa. Em vez de enfrentar as críticas diretamente, o sectário sempre desvia a conversa para supostos erros do outro lado. É uma forma de relativismo moral seletivo na qual os erros do próprio grupo são sempre justificáveis porque "o outro lado também faz" ou "já fez pior". Não há autocrítica possível.

Casos de corrupção se transformam em "perseguição política", declarações indefensáveis viram "mal-entendidos" (ou o famoso "quem me conhece, sabe"), e políticas públicas desastrosas são sempre culpa de "sabotagem da oposição". A ginástica mental para defender o indefensável não tem limites. O sectário chega ao ponto de abandonar princípios que antes defendia ardorosamente, desde que isso seja necessário para manter a narrativa de infalibilidade de seu campo.

Essa cegueira seletiva é ainda mais evidente quando comparamos como o sectário julga ações idênticas dependendo de quem as pratica. O mesmo comportamento que é duramente condenado quando vem do campo oposto é minimizado ou até elogiado quando parte de seus aliados. Essa hipocrisia não é vista como problemática pelo sectário — pelo contrário, ele

---

[14] A expressão *tu quoque* (em latim, "você também") é usada em lógica e retórica para descrever um tipo de falácia informal conhecida como *ad hominem tu quoque*. Essa falácia ocorre quando alguém tenta desacreditar um argumento apontando uma suposta incoerência ou hipocrisia na pessoa que o apresenta, em vez de abordar diretamente o mérito do argumento. É, portanto, a figura usada "quando retrucamos contra outra pessoa a mesma insinuação ou acusação que ela fez contra nós". Ethelbert William Bullinger, *Figures of Speech Used in the Bible* (Londres / Nova York: Eyre & Spottiswoode / E. & J. B. Young & Co., 1898), p. 966.

desenvolve complexos sistemas de racionalização para justificar seu duplo padrão de julgamento.

A recusa à autocrítica tem ainda outro efeito perverso: impede o aperfeiçoamento das próprias ideias e propostas. Um movimento político que se recusa a reconhecer erros e aprender com eles está condenado à estagnação intelectual. O sectarismo transforma o debate político em um exercício de reafirmação dogmática em que novas ideias são vistas com suspeita e qualquer sugestão de mudança é tratada como traição.

O orgulho sectário mata

A guerra — seja de armas ou de retórica — é sempre um teatro de sombras onde dançam os demônios mais antigos. Um desses demônios é o sectarismo. Tiago desnuda a farsa: não há heroísmo na disputa, apenas sede. Sede de poder que se disfarça de justiça, inveja que se traveste de ideologia, orgulho que se inflama como fogo em papelão. Quando ele pergunta "De onde vêm as discussões e brigas em seu meio?" (Tiago 4.1), a resposta é um espelho. Olhamos para ele e vemos não exércitos ou bandeiras, mas o abismo dentro de cada um — aquele lugar onde desejos podres fermentam, onde queremos tomar em vez de criar, destruir em vez de compreender.

A guerra cultural não é exceção; é a mesma gangrena com roupagem moderna. Como lembra Johan Goldberg: "Guerras muito frequentemente são subproduto de orgulho, honra e desejo por status".[15] Nas redes sociais, nos tribunais da opinião,

---

[15] Johan Goldberg, *O suicídio do Ocidente: Como o tribalismo, o populismo, o nacionalismo e a política identitária estão destruindo a democracia* (Rio de Janeiro: Record, 2020), p. 40.

nas trincheiras do politicamente correto ou do reacionarismo, o que move os discursos inflamados? A ânsia de ter razão, de aniquilar o outro com um meme ou um decreto legislativo, de erguer a própria bandeira sobre os escombros do diálogo. É a honra — essa palavra esquecida que carrega o peso da ambição desmedida — disfarçada de virtude. Matamos reputações, incineramos pontes, e chamamos isso de "luta por um mundo melhor" ou "luta pela família".

A guerra cultural é um jogo de espelhos quebrados: cada fragmento reflete um pedaço da verdade, mas ninguém se dispõe a juntá-los. Preferimos a embriaguez da indignação ao silêncio humilde de quem reconhece: "Talvez eu também seja parte do problema".

A saída? Tiago a sugere entre linhas: antes de mudar o mundo, é preciso encarar os mortos-vivos que habitam nosso próprio coração. Guerra começa quando a alma desiste de buscar algo maior que si mesma. Tiago pergunta e ficamos em silêncio: As guerras físicas, guerras culturais, disputas e brigas "acaso não procedem dos prazeres que guerreiam dentro de vocês?" (Tg 4.1b). Tiago também cita Provérbios e diz: "Deus se opõe aos orgulhosos, mas concede graça aos humildes" (4.6).

Superando o sectarismo

Como superar este quadro? O primeiro passo é reconhecer o sectarismo como o que ele é: uma deformação do pensamento e dos afetos que empobrece o debate público, mina a convivência democrática e destrói qualquer possibilidade de comunhão — o que é diabólico.

O combate ao sectarismo político começa com um exercício de honestidade intelectual. Precisamos admitir que muitas vezes nos deixamos levar por preconceitos e estereótipos em nossas avaliações políticas. Sim, o pecado contamina tudo, inclusive a nossa forma de olhar. É necessário fazer um exame sincero de nossas próprias motivações — parafraseando Paulo, que cada crente "examine-se, pois, a si mesmo" (1Coríntios 11.28) — e reconhecer quando estamos julgando pessoas e ideias não por seu mérito intrínseco, mas por sua origem ideológica. Quantas vezes julgamos ideias não por seu valor, mas por quem as defende?

É fundamental também cultivar a humildade intelectual. Ninguém tem o monopólio da verdade ou da virtude em política. Todas as ideologias têm pontos cegos, e todas as correntes políticas já cometeram erros históricos. Reconhecer isso não significa abandonar suas convicções, mas sim mantê-las com a devida dose de autocrítica. A realidade é sempre mais rica que qualquer teoria. Que tal ouvir com atenção antes de rebater? Até um argumento equivocado pode esconder uma preocupação legítima que merece ser considerada.

Outro ponto é se comprometer com os fatos, mesmo quando contrariam nossas crenças, porque é um antídoto contra o fanatismo. Se um dado desmonta nossa narrativa, melhor ajustar o raciocínio que ignorar a evidência. Debates produtivos nascem desse respeito mútuo pela realidade.

Nem toda divergência precisa se transformar em uma batalha campal. É possível discutir políticas públicas com paixão, sem, contudo, transformar o outro em inimigo. Isso vai além de apenas tolerar; é necessário amar. Como pontua Timothy Keller e John Inazu: "Jesus não nos diz que devemos tolerar nossos inimigos; diz que devemos amá-los. E graças a

Deus que Jesus não simplesmente nos tolera — ele nos abraça na diferença e nos acolhe em seus braços".[16]

Por fim, a igreja sectária é uma falsa igreja, pois a natureza da igreja é a universalidade ("gente de toda tribo, língua, povo e nação"). Os sectários são voltados para si mesmos e entronizam a própria imagem, enquanto a igreja de Jesus Cristo está voltada para fora, com a missão de resgatar cada vez mais vidas, agregando-as ao rebanho do Bom Pastor.

---

[16] Timothy Keller e John Inazu, *Mundo plural: Como viver fielmente em um mundo de diferenças* (São Paulo: Vida Nova, 2021), p. 20.

6
OS PROBLEMAS DOS EVANGÉLICOS PROGRESSISTAS

Desde 2010, setores da esquerda têm discutido como se aproximar dos evangélicos, sobretudo por reconhecerem a importância desse grupo no contingente eleitoral brasileiro. Num primeiro momento, a estratégia adotada foi o enfrentamento. Em fevereiro de 2012, o então ministro Gilberto Carvalho, da Secretaria-Geral da Presidência da República no governo Dilma Rousseff (PT), incentivou que a esquerda travasse uma "disputa ideológica" com a liderança evangélica. A declaração foi mal-recebida; o ministro alegou ter sido interpretado indevidamente e chegou a pedir desculpas em reunião com a bancada evangélica.

Após esse episódio, figuras importantes do petismo e da esquerda em geral passaram a enfatizar a necessidade de diálogo, embora aqui e ali ainda escapem declarações de intelectuais do campo progressista sugerindo que os evangélicos representam um entrave ou mesmo um retrocesso social.

Por que, então, o diálogo da esquerda com os evangélicos tende ao fracasso? A razão é histórica. A esquerda, como herdeira direta do iluminismo, costuma ver a religião com os piores adjetivos possíveis. A fé é compreendida como atraso, anticiência, opressão de homens sobre mulheres e um verdadeiro obstáculo a ser superado antes que os afetos sociais possam ser canalizados para a revolução e a superação do Estado burguês e do capitalismo.

Nessa visão, o religioso até pode existir, mas apenas se permanecer no "armário": nada de reivindicar espaço na arena pública. O religioso só deve tratar a religião como um passatempo exótico de fim de semana.

O evangélico, obviamente, não aceita essa exigência. Sua fé é parte essencial da identidade, não apenas um hobby. A igreja é sua família estendida, círculo de amigos, fonte de lazer e o lugar onde se encontra uma mensagem capaz de dar sentido à vida. Confinar tudo isso à clandestinidade em nome de uma laicidade radical é inviável, pois equivaleria a uma completa autonegação.

O entrave entre a esquerda e os evangélicos se revela não apenas na incompatibilidade de cosmovisões, mas também na atitude com que um lado se aproxima do outro. Negociar a partir de um olhar altivo — entendendo-se como o iluminado capaz de, no máximo, tolerar quem insiste em ideias arcaicas — já inviabiliza qualquer aproximação verdadeira.

Os evangélicos, compreensivelmente, não aceitam ser tratados sob esse prisma condescendente, que implicaria negar a legitimidade de sua experiência de fé, de sua identidade comunitária e de sua participação na esfera pública. Sem abandonar o tom de superioridade intelectual e moral, a esquerda dificilmente construirá pontes reais com um segmento que, cada vez mais, reivindica seu lugar no debate social e político como agente autônomo e portador de valores próprios.

E os evangélicos de esquerda?

O objetivo deste livro não é fazer falsa equivalência. A direita e a esquerda apresentam desafios completamente diferentes aos cristãos, ora menos graves, ora mais graves, a depender do contexto e momento histórico em que estamos inseridos. Além disso, a esquerda e a direita se apresentam em formas tão variadas que, em alguns aspectos, é possível confundir um direitista com um esquerdista e vice-versa, especialmente nas faces mais moderadas de cada espectro político. Por exemplo, os direitistas se dividem entre liberais clássicos (na face mais moderada), passando por conservadores, libertários, reacionários e chegando aos fascistas (os mais extremados). A esquerda abrange social-democratas (mais moderados), socialistas democráticos, socialistas revolucionários e comunistas. Estes últimos podem seguir diversas correntes, como luxemburguismo, trotskismo, stalinismo ou maoísmo, entre outras, sendo muitas delas totalitárias, violentas e instrumentos de opressão política brutal. Embora os ideólogos tendam a manter-se fiéis às suas correntes, diversos políticos de esquerda e direita transitam entre elas conforme a conveniência.

Cientistas sociais e políticos geralmente definem a esquerda como um movimento político-ideológico que nasce após a Revolução Francesa, marcado pela luta por igualdade social e econômica. Ou, como diz o filósofo de esquerda Vladimir Safatle, o que define de maneira decisiva o pensamento progressista é a "defesa radical do igualitarismo" e o fato de que a esquerda deve ser "indiferente às diferenças".[1]

Norberto Bobbio, em sua influente obra *Direita e esquerda: Razões e significados de uma distinção política* (1995), segue uma linha semelhante. O filósofo italiano afirma que uma das principais diferenças entre esquerda e direita está na atitude diante da igualdade: enquanto a esquerda considera as desigualdades

---

[1] Vladimir Safatle, *A esquerda que não teme dizer seu nome* (São Paulo: Três Estrelas, 2012), p. 21.

como principalmente sociais e, portanto, elimináveis, a direita as vê como naturais ou inevitáveis. Bobbio diz: "O igualitário parte da convicção de que a maior parte das desigualdades que o indignam, e que gostaria de fazer desaparecer, são sociais e, enquanto tal, elimináveis; o inigualitário, ao contrário, parte da convicção oposta, de que as desigualdades são naturais e, enquanto tal, inelimináveis".[2]

O filósofo conservador Roger Scruton aponta que o conservadorismo é prático, cauteloso com utopias e focado em preservar tradições que já demonstraram funcionar. Em contrapartida, a esquerda tem como guia um objetivo claro: a busca por justiça social. Essa busca funciona como uma bússola moral, direcionando e justificando suas ações políticas. Scruton observa: "A política de esquerda é política com um *objetivo*: seu lugar dentro de tal aliança é julgado em função de até onde se está preparado a ir em nome da 'justiça social'".[3] De fato, é difícil dizer a que lugar os conservadores querem chegar, mas é fácil identificar os sonhos da esquerda.

Embora muitos conservadores tentem desenhar a esquerda como o mal absoluto, há inúmeros pontos de contato na busca por justiça social com a tradição bíblica, especialmente se considerarmos os conceitos de equidade e igualdade.[4] A tradição dos profetas hebreus, por exemplo, é contundente ao condenar a vida de luxo e ostentação, como vemos em Amós 6.1,4: "Ai

---

[2] Noberto Bobbio, *Direita e esquerda: Razões e significados de uma distinção política*, 3ª ed. (São Paulo: Editora Unesp, 1995), p. 105.
[3] Roger Scruton, *Pensadores da Nova Esquerda* (São Paulo: É Realizações, 2014), p. 16. Grifos meus.
[4] Enquanto a igualdade pressupõe dar o mesmo tratamento a todos, a equidade reconhece que pessoas diferentes necessitam de suportes distintos para alcançar resultados semelhantes.

dos que vivem tranquilos em Sião [...]. Vocês se deitam em camas de marfim" (NVI). Denunciava-se severamente a opressão econômica exercida pelos poderosos da época, incluindo os sacerdotes e os profetas da corte que faziam tudo visando algum lucro (Miqueias 3.11), e a própria corte real, cujos "líderes são rebeldes, companheiros de ladrões. Todos eles amam subornos e exigem propinas, mas não defendem a causa dos órfãos nem se preocupam com os direitos das viúvas" (Isaías 1.23).

Os mais pobres enfrentavam diversas formas de opressão, sofrendo com espoliações, como denunciado em Amós 5.11: "Vocês pisam sobre o pobre e cobram dele tributo de trigo". Eram vítimas de roubos, conforme Amós 5.12 registra: "Vocês oprimem os justos, aceitam suborno e impedem que os pobres recebam justiça nos tribunais". O trabalho exaustivo e injusto também era uma realidade, como evidenciado em Jeremias 22.13: "Ai daquele que constrói o seu palácio por meios corruptos, seus aposentos, pela injustiça, fazendo os seus compatriotas trabalharem por nada, sem pagar-lhes o devido salário" (NVI). A tradição profética demonstra claramente que a preocupação com justiça social e econômica está profundamente enraizada nos textos bíblicos, que consistentemente condenam a exploração dos vulneráveis pelos poderosos.

Onde está o problema?

Os problemas da esquerda com as Escrituras se devem à centralidade que a esquerda confere ao conceito de "luta". A Bíblia não promove a luta de classes. No pensamento marxista clássico, a luta de classes é o conflito entre grupos sociais opostos, em que o proletariado se organiza contra a burguesia para superar o capitalismo. Já na nova esquerda, a tensão de classes foi substituída por outros antagonismos, como homem *versus* mulher, brancos *versus* negros, antigas metrópoles *versus* antigas colônias. Esse fenômeno é o que muitos chamam de identitarismo ou "esquerda *woke*".[5]

Enquanto isso, nas Escrituras, a vida é retratada de forma mais complexa, não se limitando a categorias rígidas entre opressores e oprimidos, vítimas e culpados, vencedores e derrotados, fortes e fracos, privilegiados e marginalizados, dominadores e subjugados, exploradores e explorados, agentes e alvos, protagonistas e figurantes.[6]

Como exemplo, podemos aqui citar um ícone do pensamento progressista: como explicar o filósofo francês Michel Foucault, um pensador libertário e homossexual, apoiando um regime repressivo como o representado pelo Aiatolá Khomeini no Irã?[7] Ou ainda, jovens ocidentais progressistas

---

[5] Embora alguns progressistas neguem a existência de uma "esquerda *woke*", o termo nasceu na própria esquerda, especialmente entre movimentos negros e antirracistas.

[6] A filósofa Susan Neiman, ela própria uma mulher de esquerda e autora conhecida por seu trabalho em ética e filosofia política, critica aspectos do que é comumente chamado de "esquerda *woke*" por entender que esse movimento frequentemente se desvia de princípios iluministas fundamentais, como a universalidade dos direitos humanos, a ênfase na razão e a busca pela justiça de forma equitativa. Neiman argumenta que o foco excessivo em questões identitárias fragmenta o tecido social e enfraquece as coalizões necessárias para promover mudanças sociais. Além disso, ela alerta que a postura punitivista e a intolerância a discursos divergentes, muitas vezes tão presente na militância *woke*, corroem os valores democráticos e limitam o espaço para o debate construtivo. Para Neiman, a insistência em narrativas de vitimização perpétua obscurece soluções práticas e transformadoras, promovendo um fatalismo que vai contra o ideal progressista de emancipação. Veja Susan Neiman, *A esquerda não é woke* (Belo Horizonte: Âyiné, 2024).

[7] Mark Lilla sobre Michel Foucault: "Ainda hoje, Foucault é lembrado por seus engajamentos políticos, e, no mundo acadêmico, muitos continuam a

enxergarem no Hamas um ator libertador, mesmo sabendo que este os prenderia por descumprirem a *sharia*? "É sempre espantoso ver um pensador parecer indulgente com um universo que não o toleraria e implacável com aquele que o honra", escreveu Raymond Aron em *O ópio dos intelectuais*. "A defesa do fanatismo pelo não fanático e uma filosofia do engajamento que se limita a interpretar o engajamento dos outros, sem se engajar, deixam uma estranha impressão de dissonância."[8]

É a caixinha ideológica. Ela explica tudo e a tudo dá sentido porque, naturalmente, despreza a complexidade da vida humana. Imbuídas de um ideal absoluto, como liberdade ou igualdade, as ideologias prometem a falsa clareza absoluta.

Não é incomum observar entre evangélicos progressistas um rigor direcionado ao cristianismo (e ao judaísmo) que não se aplica ao islamismo fundamentalista ou a outros projetos igualmente fanáticos. Critica-se o fundamentalismo protestante com ferocidade, mas silencia-se sobre práticas "medievais" provenientes de outras religiões. No X, a plataforma outrora conhecida como Twitter, tive o desprazer de presenciar um jovem pastor progressista celebrando a "resistência ao imperialismo" no mesmo dia em que o Hamas perpetrou

---

enxergar em sua obra um programa político coerente, engajado, progressista e — para empregar um termo que para ele seria ofensivo — humanista. Mas sua vida e seus escritos mostram com clareza que não poderia ser maior o contraste que ocorre quando um pensador essencialmente privado, lutando com seus demônios internos e embriagado pelo exemplo de Nietzsche, projeta-os em uma esfera política pela qual não tem verdadeiro interesse nem aceita real responsabilidade". Mark Lilla, *A mente imprudente: Os intelectuais na atividade política* (Rio de Janeiro: Record, 2017), p. 137.
[8] Raymond Aron, *O ópio dos intelectuais* (São Paulo: Três Estrelas, 2016), p. 138.

um ataque terrorista em Israel. Sobre isso, N. T. Wright e Michael Bird comentam:

> Muitos progressistas políticos veem o cristianismo como o inimigo número um contra o qual estão lutando. Como tal, comunidades cristãs, instituições, influência cultural e visão moral são a escuridão contra a qual sua iluminação pós-religiosa pretende brilhar. A influência do cristianismo só pode ser eliminada realinhando as instituições em direção a uma moralidade secularizada, estreitando os parâmetros da liberdade religiosa, promovendo uma catarse coercitiva da própria religião e desconstruindo elementos fixos, como história, direito constitucional e até mesmo família. No final, a visão política progressista equivale ao que o filósofo político norte-americano Stephen Macedo chama de "totalitarismo cívico", onde o Estado é investido de todo o poder e busca regular o máximo possível da vida pública e privada.[9]

Lembro-me também de um pastor que estudou em uma faculdade cristã de inclinação progressista e que comentou comigo: "De lá, saí com uma lição recorrente: todos os males do mundo são culpa do cristianismo, incluindo o machismo, a homofobia, a xenofobia e toda sorte de outros males". Assim como os identitários seculares, os evangélicos progressistas desprezam tudo que soe ocidental. Como diz a historiadora francesa Elisabeth Roudinesco: "Numa palavra, eles

---

[9] N. T. Wright e Michael F. Bird, *Jesus and the Powers: Christian Political Witness in an Age of Totalitarian Terror and Dysfunctional Democracies* (Grand Rapids: Zondervan, 2024), p. 138-139. Uma análise mais abrangente sobre o "totalitarismo cívico" — expressões progressistas de autoritarismo em contextos seculares — pode ser encontrada em Michael F. Bird, *Liberdade religiosa: O papel do estado laico na ótica cristã* (Rio de Janeiro: Thomas Nelson Brasil, 2023).

encerraram-se, em nome de uma pós-modernidade que envelheceu mal, na crítica radical de tudo aquilo que herdaram".[10]

A experiência humana não é binária

A experiência humana é intrinsecamente complexa e não pode ser reduzida a categorias ou dicotomias absolutas. Nossas decisões são frequentemente moldadas por uma combinação de fatores, incluindo razão e emoção, tradição e inovação.

É evidente que nem todas as formas de opressão são equivalentes. Mais uma vez, não se trata aqui de estabelecer uma falsa equivalência. De fato, existem grupos historicamente mais discriminados e outros que, em diferentes contextos, exercem maior poder de discriminação. Porém, é crucial abordar essas questões com cautela, evitando simplificações que possam obscurecer as nuances das dinâmicas sociais e históricas envolvidas. Cada situação exige análise criteriosa, reconhecendo tanto as especificidades das opressões quanto a complexidade das interações entre grupos.

É muita ingenuidade em relação à história não perceber que o revolucionário de hoje é, não raras vezes, o tirano de amanhã; aquele que quebra paradigmas no presente é o mesmo que, ao consolidar seu poder, preserva o *status quo* no futuro. Ao escrever isso, não consigo deixar de lembrar da saga *Jogos Vorazes*, que ilustra essa dinâmica de forma brilhante. Katniss Everdeen, inicialmente uma jovem símbolo da resistência contra o regime opressor do presidente Coriolanus Snow, descobre, no desenrolar dos eventos, que a líder da revolução, Alma

---

[10] Elisabeth Roudinesco, *O eu soberano: Ensaio sobre as derivas identitárias* (Rio de Janeiro: Zahar, 2022), p. 213.

Coin, ambiciona substituir a tirania de Snow por um regime igualmente autoritário. No filme, a cena da descoberta dos planos tirânicos de Coin é marcada pela sensação de ingenuidade de Everdeen.

Não se pode imputar todo o problema apenas a um grupo social ou a uma classe. Ainda que existam, de fato, estruturas opressoras, todos os seres humanos — independentemente de classe ou identidade — estão sujeitos à corrupção.

Encontramos nas Sagradas Escrituras exemplos de ricos piedosos, como José de Arimateia, "um membro respeitado do conselho dos líderes do povo" que "esperava a chegada do reino de Deus" (Marcos 15.43), e Zaqueu, que após seu encontro com Jesus demonstrou generosidade com os pobres (Lucas 19.8). Por outro lado, há advertências para que o pobre, também, não aja de forma perversa, como vemos em Provérbios 28.3: "O pobre que oprime os pobres é como a chuva torrencial que destrói a plantação".

Além disso, os profetas, embora denunciassem as elites sacerdotais e políticas, também apontavam os pecados do povo em geral. Jeremias, por exemplo, declara: "Desde o mais humilde até o mais importante, sua vida é dominada pela ganância. Desde os profetas até os sacerdotes, são todos impostores" (Jeremias 6.13). Oseias também critica o comportamento geral do povo: "Ó israelitas, ouçam a palavra do Senhor! O Senhor apresentou acusações contra vocês: 'Não há fidelidade, nem bondade, nem conhecimento de Deus em sua terra. Vocês fazem votos e não os cumprem; matam, roubam e cometem adultério. Há violência em toda parte, um homicídio atrás do outro. Por isso sua terra está de luto, e todos desfalecem. Até os animais selvagens, as aves do céu e os peixes do mar estão desaparecendo'" (Oseias 4.1-3).

Embora a tradição cristã reconheça a relevância das estruturas socioeconômicas na promoção de justiça ou injustiça, ela dificilmente reduz a totalidade da condição humana a relações de produção. Isso não significa negar a opressão socioeconômica, mas compreender que há mais complexidade do que a lógica binária (opressor *versus* oprimido). Do ponto de vista cristão, uma teoria que subestima a universalidade do pecado corre o risco de dividir a sociedade em blocos de "bons" *versus* "maus" de maneira simplista. Na perspectiva bíblica, o pecado afeta toda a humanidade (Romanos 3.23); assim, não existe um grupo isento de corrupção ou de tentações ao poder e ao abuso.

Como vimos, inúmeras vertentes neomarxistas, presentes na Teoria Crítica e em análises acadêmicas mais recentes, reintroduzem a noção de "luta" em outras esferas (gênero, raça, orientação sexual etc.), porém sem oferecer uma visão redentiva ou reconciliadora. Se a ênfase recai somente sobre o conflito de poder ou sobre linguagens de opressão e resistência, pode-se perder o horizonte do que, em termos cristãos, seria uma escatologia de paz, reconciliação e restauração (Apocalipse 21—22).

O problema do "romantismo vulgar"

O romantismo vulgar é uma tendência que, embora não seja exclusiva do pensamento progressista, aparece com frequência na teologia da esquerda. Essa visão nasce da propensão, especialmente entre progressistas e na teologia liberal, de alterar a ordem bíblica e transformar o amor em uma espécie de divindade independente. O teólogo H. Richard Niebuhr (1894–1962), ao descrever o Evangelho Social, captou essa ideia em uma frase notável: "Um Deus sem ira levou homens sem pecado a um reino sem julgamento, por meio das ministrações de um Cristo sem cruz".[11]

João nos ensina com clareza: "Quem não ama não conhece a Deus, porque Deus é amor" (1João 4.8). Importa, porém, perceber as nuances: as Escrituras declaram que "Deus é amor" (veja também 1João 4.16), mas nunca afirma que "o amor é Deus". Essa diferença, aparentemente pequena, tem grandes consequências. O amor é certamente um atributo de Deus, mas não o único. Ver apenas o aspecto do amor pode nos levar a uma visão incompleta de Deus, deixando de lado outros atributos essenciais como justiça, santidade e verdade.[12]

É também verdade que o amor de Deus é mais do que atributo, ou seja, o amor não é apenas algo que Deus "possui" ou "exercita", mas algo que ele é em sua essência. "Deus é fundamental e essencialmente amor, e não apenas 'amoroso'", como lembram os exegetas.[13] Isso significa que tudo o que Deus faz é permeado pelo amor.

---

[11] Richard Niebuhr, *The Kingdom of God in America* (Nova York: Harper & Row, 1959), p. 193.

[12] "Afirmar amplamente que 'Deus é amor' não ignora ou exclui outros atributos de seu ser, dos quais a Bíblia como um todo dá testemunho, notavelmente sua justiça e sua verdade (cf. Sl 89.14; Dt 32.4; Rm 3.21-26; Jo 17.17). O julgamento de Deus (sua ira), por exemplo, é tão real quanto seu amor (cf. Is 54.8; Ap 6.12-17). Mas, teologicamente, esses atributos não podem ser opostos entre si. Características como a justiça e a verdade de Deus devem, em última análise, estar relacionadas à sua natureza essencial como amor, e podem ser percebidas em termos de sua natureza amorosa. Essa abordagem é encontrada na própria Primeira Carta de João, onde lemos sobre a santidade (1.5), justiça (1.9) e verdade de Deus (5.20)." Stephen S. Smalley, *Word Biblical Commentary: 1, 2, and 3 John*, ed. rev., vol. 51 (Grand Rapids: Zondervan Academic, 2015), p. 239.

[13] R. Jamieson, A. R. Fausset e D. Brown, *Commentary Critical and Explanatory on the Whole Bible*, vol. 2 (Oak Harbor: Logos Research Systems, 1997), p. 534.

A Santíssima Trindade nos ajuda a entender isso melhor. Sendo trino, Deus é naturalmente amoroso e relacional. Pai, Filho e Espírito Santo vivem em perfeita harmonia através desse amor, mantendo suas características únicas como pessoas distintas.[14]

Ao mesmo tempo, o amor não é o único aspecto de sua essência, como nos lembra o próprio João: "Deus é espírito" (João 4.24), apontando para sua imaterialidade e transcendência, e "Deus é luz" (1João 1.5), indicando sua santidade, verdade e glória. Essas descrições não representam partes separadas, mas expressões distintas de uma única essência divina, que é una e indivisível. A expressão joanina "Deus é" indica que "embora haja ênfase na atividade de Deus, essa atividade está internamente relacionada ao que Deus é antes da criação", como pontua Raymond Brown.[15]

Para ficar mais claro, veja o quadro comparativo:

Aspecto	Amor como atributo de Deus	Amor como essência de Deus
Definição	O amor é uma característica que Deus manifesta em suas ações, revelando como ele age em relação à criação.	O amor é parte do ser intrínseco de Deus, uma qualidade que define sua natureza de forma ontológica.

[14] Wolfhart Pannenberg, *Teologia Sistemática*, vol. 1 (Santo André: Academia Cristã, 2009), p. 571.
[15] Raymond E. Brown, *The Epistles of John: Translated, with Introduction, Notes, and Commentary*, vol. 30, Anchor Yale Bible (New Haven: Yale University Press, 2008), p. 194-195.

Base teológica	Focado nas manifestações externas do amor de Deus, como sua misericórdia, graça e paciência com a humanidade.	Enraizado na declaração "Deus é amor" (1João 4.8,16), indicando que o amor é essencial para quem Deus é.
Relação com outros atributos	O amor é um entre muitos atributos divinos, como justiça, santidade e verdade.	O amor é integrado à essência de Deus e harmoniza-se com todos os seus outros atributos, como justiça e santidade.
Natureza	Funcional: refere-se ao que Deus faz.	Ontológica: refere-se ao que Deus é.
Implicações	Deus manifesta amor em suas ações específicas, como a criação, a redenção e o perdão.	Tudo o que Deus faz é permeado pelo amor, pois ele age de acordo com sua essência.
Perspectiva relacional	O amor é percebido principalmente em relação à criação e às criaturas.	O amor existe eternamente na relação intratrinitária entre o Pai, o Filho e o Espírito Santo.
Ênfase	Destaca as manifestações temporais do amor de Deus, visíveis na história da redenção.	Destaca o caráter eterno e imutável do amor como central à própria identidade de Deus.
Percepção humana	Reconhecido através das ações de Deus descritas nas Escrituras, como o envio de Cristo (João 3.16).	Compreendido como a base de todas as ações divinas, transcendendo a compreensão humana plena.

A Bíblia nos mostra um retrato equilibrado de Deus. Todos os seus atributos funcionam em perfeita sintonia, sem que um se sobreponha ao outro. Na essência divina, que não pode ser dividida, encontramos um Deus que é ao mesmo tempo totalmente santo e totalmente amoroso.

Por fim, convém notar como a ênfase dos púlpitos muda ao longo do tempo, refletindo cada época. Durante a Idade Média e a Reforma, por exemplo, a soberania divina ocupava o centro das atenções, espelhando uma era de reis e impérios. Em nossos dias, vivendo em uma sociedade que valoriza o sentimento e a aceitação, naturalmente o amor ganha mais destaque. O teólogo Kevin J. Vanhoozer nos alerta sobre o risco de reinterpretar o amor de Deus através das lentes da cultura atual, como se fosse apenas empatia ou aceitação sem limites.[16] Quando permitimos que conceitos modernos moldem nossa teologia, acabamos criando um Deus domesticado, adaptado aos valores e desejos do nosso tempo.

"Love wins"

Talvez nada resuma melhor o romantismo vulgar do que o slogan "o amor vence tudo". Esse grito de guerra é também popular entre os evangélicos progressistas. Ouvimos também dos púlpitos vanguardistas: "Onde há amor, Deus está ali" ou "Quem ama está perto de Deus". Biblicamente falando, contudo, nem mesmo o amor (como virtude autônoma) é um fim em si mesmo. Amor não é neutro ou autorreferente. Somente Cristo é o início e o fim de todas as coisas (Apocalipse 22.13).

---

[16] Kevin J. Vanhoozer, *Teologia Primeira: Deus, Escritura e Hermenêutica* (São Paulo: Shedd Publicações, 2016), p 97.

O amor não é nem a liberdade, nem a prosperidade, nem a justiça. O único "alfa" e "ômega" é Jesus (Apocalipse 1.8).

A frase "Deus é amor", como acertadamente observam Georg Strecker e Harold W. Attridge, "não pode ser parafraseada dizendo: 'O amor é Deus' ou 'Onde há amor, ali está Deus'. O autor (João) não pretendia dizer que Deus, como uma 'espécie de comunhão humana', é simplesmente um objeto para a antropologia e ética teológicas. Em vez disso, as ações éticas dos cristãos pressupõem a realidade do *agapē* de Deus".[17] Em outras palavras, é o contrário: é a ação concreta de Deus ao enviar seu Filho ao mundo que define e dá sentido ao amor, e não o amor como um conceito abstrato que define ou dá sentido a Deus.

Não é *"love wins"* (o amor vence), mas *"God wins"* (Deus vence). Mark Galli comenta: "Não confiamos simplesmente que o amor vence ou que a justiça também vence. De fato, confiamos não em um *que*, mas em um *quem*. E é o Deus perfeitamente misericordiosos e justo que vence".[18]

Outro problema desprezado pelos românticos é que o amor pode tornar-se um ídolo. Como alerta C. S. Lewis, quando transformado em ídolo, o amor se torna destrutivo. Separado de Deus, ele se converte em um ideal superficial que apenas justifica desejos egoístas.[19]

Quando o amor se torna um ídolo, ele deixa de ser relacional e pessoal, como é no Deus trinitário, e se transforma em uma força impessoal. Isso é consistente com visões panteístas

---

[17] Georg Strecker e Harold W. Attridge, *The Johannine Letters: A Commentary on 1, 2, and 3 John*, Hermeneia—A Critical and Historical Commentary on the Bible (Minneapolis: Fortress Press, 1996), p. 148-149.
[18] Mark Galli, *Deus vence: Céu, inferno e por que as boas-novas são melhores do que O amor vence* (São Paulo: Hagnos, 2014), p. 145. Grifos do autor.
[19] C. S. Lewis, *Os quatro amores* (São Paulo: Martins Fontes, 2009), p. 9-10.

ou deístas, mas incompatível com a fé cristã. Na teologia radicalmente moderna, não é à toa que a ideia de um Deus pessoal acabe ficando de lado, sendo suficiente vê-lo como uma energia que conecta as pessoas.

Além disso, pondera Lewis, existe uma diferença entre o "amor por semelhança" e o "amor por proximidade".[20] Embora o segundo seja maravilhoso por nos lembrar o amor de Deus, não é necessariamente próximo a ele. Todo ser humano é capaz de amar e refletir algo de Deus, mas o "amor por aproximação de Deus" é uma tarefa que demanda esforço, conversão, arrependimento e, sobretudo, graça divina. Nossa tradição cristã sempre compreendeu os amores humanos como reflexos do verdadeiro amor de Deus — alguns mais puros, outros menos —, mas nunca como equivalentes absolutos a ele. Só a graça é capaz de nos fazer amar no amor de Deus.

H. Richard Niebuhr observa que nem o próprio Jesus apresenta o amor como um fim em si mesmo, mas como a expressão de uma vida integralmente orientada para Deus, envolvendo fé, reverência e compromisso com o Pai.

> Em lugar nenhum Jesus exige amor pelo amor, e em parte nenhuma exibe aquele domínio completo dos sentimentos e emoções amáveis sobre os agressivos, que parece indicado pela ideia de que nele o amor "tem de encher a alma, completamente", ou de que a sua ética se caracteriza pelo "ideal de amor". A virtude do amor no caráter e exigência de Jesus é a virtude do amor *de Deus* e do próximo *em Deus*, não a virtude do amor de amor. A unidade desta pessoa está na simplicidade e integridade do seu curso para Deus, quer seja em termos de amor, de fé ou de medo.[21]

[20] Ibid., p. 11-12.
[21] H. Richard Niebuhr, *Cristo e Cultura* (Rio de Janeiro: Paz e Terra, 1967), p. 36. Grifos meus.

Fato é que o amor tem sido apresentado, cada vez mais, como o grande "deus secular" da nossa era. À medida que o cristianismo recuou no Ocidente, viu-se um movimento no qual o amor — sobretudo o amor romântico — passou gradualmente a ocupar o espaço antes reservado à fidelidade a Deus.

Enquanto outras substituições tentaram ocupar o lugar de divindades — como o Estado, a Nação, a Igualdade ou a Liberdade —, nenhuma alcançou tanto sucesso quanto o amor. A Liberdade, por exemplo, não oferece a mesma sensação de transcendência pessoal; o Estado carece de um apelo afetivo universal que inspire devoção íntima. Já o amor combina infinitude e transcendência, ao mesmo tempo que se apresenta como profundamente enraizado na experiência humana cotidiana. O amor é prático, concreto, palpável e emocional. O Estado, a Liberdade e a Igualdade não arrancam suspiros, pelo menos não de forma contínua. É por isso que o filósofo Simon May argumenta que, após séculos de cristianismo, a fórmula "Deus é amor" se inverteu em "o amor é Deus": o Ocidente abraçou uma espécie de "religião do amor", sendo a única religião realmente aceitável.[22]

De "Jesus salva", passamos a abraçar a crença de que o amor pode nos "salvar", seja por meio de relacionamentos, seja por uma "ética do amor" como base moral. Essa visão reflete uma tentativa de preencher as carências espirituais que outrora eram supridas pela fé cristã. Músicas, filmes, séries e livros contemporâneos elevam o amor a um status quase divino, prometendo redenção, conforto e sentido em meio ao caos e à solidão da vida moderna. O discurso progressista, por sua vez, adota essa narrativa, esvaziando os conceitos de

---

[22] Simon May, *Love: A History* (New Haven: Yale University Press, 2011), p. 2.

"Deus", "Jesus" e "Espírito Santo", que acabam sendo tratados como meros acessórios dessa "nova ética do amor".

À medida que o amor se torna um dos grandes "mitos" contemporâneos, surge também um mercado e um conjunto de expectativas em torno dele (aplicativos de relacionamento, cursos de "coaching afetivo", terapia de casais e uma cultura pop que exalta a busca por "alguém perfeito"). As pessoas acabam buscando a "felicidade absoluta" no amor, tornando-o uma promessa de sentido existencial que muitas vezes não se sustenta na prática cotidiana. Fala-se tanto em amor, mas todos parecem sentir-se mal-amados. Não à toa, tamanha é a expectativa em relação ao amor que ele se torna incapaz de supri-la. "Assim, o amor passou a carregar muitos novos fardos em sua asa cada vez mais fragilizada", como afirma o teólogo alemão Werner Jeanrond.[23] É uma expectativa de sentido que apenas Deus poderia oferecer.

Nem toda forma de amor é válida. Em nenhum momento a Bíblia afirma que todo sentimento chamado "amor" seja intrinsecamente divino ou digno. Talvez venha à mente 1João 4.7b, que diz: "Quem ama é nascido de Deus e conhece a Deus". Esse texto é frequentemente usado por pregadores progressistas para insinuar que toda forma de amor equivale a conhecer a Deus, independentemente de seu caráter. Contudo, essa interpretação é um sofisma que ignora o contexto. Na verdade, João está falando de um amor específico, manifestado na comunhão cristã, como evidência do novo nascimento. Conforme destaca David Jackman, "é o amor pelos nossos irmãos na fé que João apresenta como evidência irrefutável do novo nascimento".[24]

---

[23] Werner G. Jeanrond, *A Theology of Love* (Londres: T & T Clark, 2010), p. 255.
[24] David Jackman, *The Message of John's Letters: Living in the Love of God*, The Bible Speaks Today (Downers Grove: InterVarsity Press, 1988), p. 119.

É necessário discernimento para avaliar tanto a natureza quanto o objeto de qualquer amor que se proclame legítimo. A ideia de que basta amar e que o amor, por si só, é a verdade última, pode levar à justificativa de praticamente qualquer atitude sob o pretexto de uma "paixão" ou "intensidade". Por isso, somos chamados a examinar todo amor humano com cuidado, fazendo perguntas cruciais: "Este amor reflete o caráter de Deus revelado em Cristo?" e "É um amor que respeita a dignidade do outro e está em harmonia com a justiça divina?".

O mal se desnuda ante o amor perfeito

Paul Tillich afirma que a função do amor é unir aquilo que está separado; no entanto, só se encontra em estado de separação aquilo que um dia esteve unido.[25] Não é possível, portanto, unir de maneira autêntica duas essências completamente distintas. Basta pensar em um exemplo simples do dia a dia: água e óleo podem até estar contidos em um mesmo recipiente, mas não se misturam efetivamente, pois não compartilham as mesmas propriedades fundamentais. A separação só faz sentido quando existe uma "unidade original" que foi rompida.

O pecado, na perspectiva cristã, produz esse rompimento ("separação") entre a humanidade e Deus, que é a fonte eterna do amor (Isaías 59.2; Romanos 3.23). Essa alienação faz com que nos distanciemos daquele que, em última análise, dá sentido à nossa existência (João 15.5). Mas Deus nos ama e, por meio de seu amor, nos reconcilia consigo — unindo, assim, o que outrora foi separado (2Coríntios 5.18-19). Esse retorno não é a

---

[25] Paul Tillich, *Amor, poder e justiça* (São Paulo: Fonte Editorial, 2004), p. 35.

"união do estranho" com algo a que nunca pertenceu; é, antes, a reunião de quem se afastou, mas, em sua essência, provinha de uma comunhão original com Deus (Gênesis 1.26-27).

O amor verdadeiro não ignora o pecado; ele o expõe, porque deseja romper as barreiras que nos separam de Deus e uns dos outros. Quando reduzimos o amor à aceitação incondicional, a missão da igreja de proclamar arrependimento e reconciliação com Deus perde seu propósito — ou se torna irrelevante. A evangelização deixa de ser uma mensagem de transformação e passa a ser apenas um eco de "autoafirmação".

Pense no peso do pecado. Ele não é apenas uma transgressão impessoal, como estacionar em local proibido. É algo muito mais profundo: uma ruptura em nosso relacionamento com um Deus que nos ama (João 14.21). Enquanto quebrar uma regra pode provocar remorso, pecar contra um Deus santo, justo e amoroso traz uma gravidade incomparável. O mal se torna mais perverso quando dirigido contra o amor perfeito (Hebreus 10.26-27).

Não se trata apenas de quebrar mandamentos; trata-se de rejeitar deliberadamente a comunhão com o Senhor da vida (João 3.19-20). Quando pecamos, escolhemos as trevas no lugar da luz. Recusamos o convite de Deus para um relacionamento de restauração e vida. E é por isso que o amor não pode ser confundido com aceitação cega — ele nos chama à luz, nos desafia a abandonar o pecado e nos conduz ao Deus que anseia nos reconciliar consigo mesmo.

Podemos aqui até lembrar o polêmico sermão do teólogo norte-americano Jonathan Edwards, intitulado "Pecadores nas mãos de um Deus irado", que impressiona ao destacar a santidade divina frente à injustiça humana. Porém, se cogitássemos a ideia de "Pecadores nas mãos de um Deus amoroso", o peso moral do pecado só aumentaria (Hebreus 12.29). Afinal, rebelar-se contra alguém que oferece amor incondicional é moralmente mais grave do que ofender alguém irritadiço (Romanos 5.8).

No Novo Testamento, o amor de Jesus não minimiza o mal — ele realça sua crueldade, pois representa a rejeição do bem supremo e gratuito (João 15.13). Como Pedro aponta ao mencionar o ódio contra o "Príncipe da vida" (Atos 3.15), pecar contra o amor divino é atacar diretamente a fonte de toda bondade (Tiago 1.17).

Um amor estranhamente egoísta

Recentemente, assisti a uma peça escrita por um rabino secularizado, apresentada em uma igreja progressista de São Paulo. Entre os muitos temas abordados, a ideia de "autenticidade" se destacava — uma bandeira bem comum nos ideais modernos. O texto defendia o "viver de maneira autêntica", mesmo que isso significasse desafiar convenções sociais. A mensagem era clara: seguir a ética seria melhor do que se prender a tradições automáticas e vazias. Para a peça, a autenticidade era a expressão mais pura e verdadeira do "eu".

Faz sentido. Concordo que, em muitos casos, tradições e pressões comunitárias podem mesmo sufocar e impedir que vivamos de forma plena.

Mas saí dali com uma pulga atrás da orelha. Levada ao extremo, será que essa tal "autenticidade" não destrói qualquer chance de comunidade? Em nome da "minha verdade" e da "minha essência", o mundo inteiro deve se moldar a mim? Seguir esse princípio sem nenhum critério não parece mais um trampolim para o egoísmo do que para a liberdade?

O resultado seria um individualismo tão extremo que qualquer desejo "autêntico" se torna inquestionável, validando até atitudes infantis eególatras. No fim, não é tão somente um jeito elegante de justificar um comportamento mimado, que atropela tudo e todos para impor o "meu jeito de ser"?

Lembro-me aqui do que Charles Taylor fala sobre a verdadeira autenticidade. Taylor argumenta que a autenticidade não é um projeto puramente individual. Ela exige um reconhecimento mútuo em comunidade, já que nos tornamos quem somos por meio do diálogo com outros e com nossas tradições culturais. O ser humano é fundamentalmente relacional, e a autenticidade deve envolver um compromisso com algo além de si mesmo.[26]

No fundo, o que aparecia ali era a ilusão do autoamor — um "amor" sem Deus. Como vimos neste capítulo, na cultura atual, amor é frequentemente confundido com aceitar incondicionalmente qualquer escolha individual. Limites ou correções, então, viram sinônimo de algo "não amoroso". O amor romântico, cada vez mais individualista e egoísta, acaba se tornando uma conquista pessoal, mas, no final, sufoca o outro e, inevitavelmente, sufoca a si mesmo. Esse tipo de amor está muito distante do que Jesus ensinou e viveu.

---

[26] Charles Taylor, *A ética da autenticidade* (São Paulo: É Realizações, 2011), p. 85-86, 94. Veja, em especial, o capítulo 8, "Linguagens sutis".

7
ATIVISMO SEM TRANSCENDÊNCIA

O que vou escrever abaixo — assim como já venho desenvolvendo ao longo deste livro — não se aplica a todos os evangélicos progressistas. Historicamente, alguns têm se mantido como adeptos integrais da ortodoxia cristã, enquanto outros apenas revestem, com uma linguagem contemporânea, a mesma filosofia iluminista e humanista que moldou a teologia liberal alemã. Minha crítica, portanto, é dirigida a uma média representativa, pois qualquer análise de um grupo deve considerar essa média. Sempre haverá exceções, tanto para melhor quanto para pior.

A crítica aqui apresentada não busca rotular ou generalizar injustamente. É importante reconhecer que dentro desse espectro há vozes sinceras, comprometidas com a autoridade das Escrituras e a centralidade de Cristo. Não obstante, há também aqueles que, sob o pretexto de relevância cultural, diluem doutrinas essenciais da fé cristã. Como bem advertiu o apóstolo Paulo: "Pois virá o tempo em que as pessoas já não escutarão o ensino verdadeiro. Seguirão os próprios desejos e buscarão mestres que lhes digam apenas aquilo que agrada seus ouvidos" (2Timóteo 4.3).

Não podemos ignorar que, quando a ortodoxia cede espaço ao espírito do tempo, o resultado é um cristianismo fragmentado, mais preocupado em agradar a sociedade do que em ser fiel ao evangelho (Gálatas 1.10). Por exemplo, com frequência ouço a pregação de pastores progressistas, não para caçar heresias ou deslizes, mas porque muitos são oradores e ensinadores brilhantes. Contudo, não raro, tornam-se cansativos, pois suas mensagens frequentemente soam como debates na TV protagonizados por artistas metidos a intelectuais — um discurso que soa a humanismo raso, misturado com pitadas de autoajuda e uma linguagem excessivamente terapêutica e, óbvio, politicamente correta.

É um discurso muito empático, mas pouco prático. Paira no etéreo, exibe preocupação com o vulnerável, mas é pronunciado a partir da bolha de classe média alta para a própria classe média alta. Desculpe a franqueza, mas é um verdadeiro "show" de sinalização de virtude, afetação acadêmica, orgulho do *sentimento* de "bondade" e... só!

Também ninguém é mais crítico da fé cristã do que o teólogo progressista.

Jesus apenas como modelo ético

Na fala de muitos progressistas, Jesus parece apenas um ativista de direitos humanos da Palestina do primeiro século. Na fé cristã, porém, Jesus não é simplesmente um exemplo de bondade ou de conduta moral elevada; ele é a própria fonte de nossa vida ética e espiritual.[1] Sem a Alta Cristologia, não existe fé cristã. Quando se olha para o testemunho das Escrituras e da tradição, fica claro que a identidade de Jesus vai muito além de um mestre de virtudes. Ele é o Cristo, o Filho de Deus,

---

[1] Para um tratamento exaustivo, crítico e acadêmico sobre a cristologia do novo liberalismo, veja James Dunn, *O Jesus recordado: O cristianismo em seus começos*, Livro 1 (São Paulo: Paulus, 2022), p. 95-103. Veja ainda Roger Olson, *Contra a teologia liberal: Uma defesa cristã bíblica tradicional* (Rio de Janeiro: CPAD, 2023), p. 63-82.

aquele que torna possível viver de modo agradável ao Pai justamente porque está vivo e presente em nós.[2] Ele é Deus!

Não é difícil encontrar figuras históricas admiráveis — cristãs ou não — como Martin Luther King, Madre Teresa, Gandhi e Malala Yousafzai. São pessoas inspiradoras, dignas de ser imitadas em suas causas justas. Ainda assim, Jesus não pode ser reduzido a esse patamar. Ele não pediu apenas que o seguíssemos em ações solidárias; ele declarou ser o Caminho, a Verdade e a Vida (João 14.6). Na teologia cristã, isso sinaliza que nossa comunhão com ele é real, e não mera admiração à distância. Essa união vital faz toda a diferença, pois nossa ética nasce do relacionamento com o Cristo vivo, não apenas do esforço pessoal. Nosso testemunho é mais do que ética e virtude cívica derivadas da razão, porque é santidade; e santidade é uma efusão do Espírito Santo, um verdadeiro milagre (Romanos 5.5).

Hans Urs von Balthasar captou bem essa ideia ao afirmar que a vida de Cristo une "ato" e "culto" em perfeita harmonia.[3] Em outras palavras, não há separação entre a ação ética e a adoração. Tudo o que Jesus fez — seus milagres, seu serviço às pessoas, sua entrega na cruz — foi também um ato contínuo de louvor ao Pai. Esse tipo de unidade serve como modelo para o cristão, pois nossa vida moral não pode ser desconectada de nossa vida espiritual e vice-versa. Nesse sentido, reduzir Jesus a um simples mestre moral é relativizar a própria cristologia.

---

[2] Stanley Hauerwas, *Uma comunidade de caráter* (Maceió: Sal Cultural, 2021), p. 59.
[3] H. U. von Balthasar, "Nine Propositions on Christian Ethics", in: J. Ratzinger, H. Schürmann e H. U. von Balthasar, *Principles of Christian Morality* (San Francisco: Ignatius Press, 1986), p. 79.

Um dos sinais dessa redução a "mestre moral" aparece quando alguns progressistas insistem em chamá-lo apenas de "Jesus de Nazaré", como se ele fosse um mero profeta itinerante do primeiro século. Claro que ele é Jesus de Nazaré, mas é também o Cristo, o Messias prometido, o Verbo que se fez carne (João 1.14). O Jesus histórico e o Cristo glorificado não podem ser separados, pois ele mesmo declara ser o caminho para o Pai e que nele encontramos salvação. Do Concílio de Calcedônia, aprendemos que Jesus é "verdadeiro homem" e, simultaneamente, "verdadeiro Deus".

Não podemos correr o risco de perder a confissão de que Jesus é o único Senhor (Atos 2.36) e a certeza de que "todo aquele que invocar o nome do Senhor será salvo" (Atos 2.21). Ao mesmo tempo, é preciso reconhecer a importância do registro histórico como base testemunhal, pois ele confirma os fatos que sustentam a crença no Cristo ressuscitado. No entanto, esse alicerce histórico deve ser complementado por uma experiência viva e transformadora com o Espírito Santo, que confere sentido atual e pessoal à fé do crente. A mensagem cristã une história e confissão pessoal em um coração cheio de chamas!

Por isso, ao falar sobre Jesus, vale ressaltar a plenitude de sua identidade — afinal, "Quem as pessoas dizem que eu sou?" (Marcos 8.27). É verdade que Jesus andou pelas estradas empoeiradas da Judeia, mas também é verdade que hoje caminha conosco — como no caminho de Emaús (Lucas 24.15-16). Cristo não é um líder distante que apenas deixou um legado ético; ele é Deus presente na história, sustentando cada discípulo e renovando-o para viver conforme a vontade divina. Assim, a imitação de Jesus não se resume à cópia dos atos de um herói do passado, mas envolve uma transformação profunda, fruto da comunhão com aquele que é, simultaneamente, o Jesus de Nazaré e o Cristo ressurreto.

Leitura popular da Bíblia

Muitos dos progressistas que conheci são entusiastas da chamada "leitura popular da Bíblia", amplamente defendida pela Teologia da Libertação, que propõe colocar os pobres no centro da interpretação das Escrituras. Em teoria, trata-se de uma hermenêutica que nasce da experiência concreta das comunidades marginalizadas. Mas, para mim, que congreguei por longos anos em uma igreja periférica de São Paulo, essa "leitura popular" nunca soou realmente "popular".

Primeiro, há o problema da mediação intelectual. Embora afirme representar a leitura genuína do povo, na prática, essa hermenêutica é frequentemente conduzida por teólogos com sólida formação acadêmica. Costumo brincar — com uma ponta de ironia, confesso — que é gente com doutorado na Bélgica ensinando o pobre a "pensar e ler como pobre". Não raro, esses "mediadores" selecionam textos, moldam discussões e orientam interpretações conforme pressupostos ideológicos prévios.

A questão que me inquieta é: até que ponto essa leitura é realmente "popular" e não apenas uma projeção das expectativas dos seus facilitadores? Porque, ao fim e ao cabo, parece-me que a voz do povo é filtrada e ajustada para caber em determinadas categorias teóricas. E talvez, nesse processo, algo essencial — algo genuíno e espontâneo — se perca pelo caminho.

Essa "leitura popular" frequentemente reduz a Bíblia a uma agenda socioeconômica. Mas, convivendo com pessoas simples, percebi que o "popular" raramente faz isso. Para o povo, a Bíblia não é apenas um manual de ação política.

Enquanto muitos teólogos da libertação enxergam episódios como o êxodo ou os discursos proféticos principalmente como símbolos de libertação econômica, os pobres com quem convivi liam esses mesmos textos de forma muito mais abrangente (e inteligente).

Eles viam no êxodo, por exemplo, não apenas uma metáfora política, mas uma declaração concreta da providência divina, um testemunho do Deus que age milagrosamente na história. Intercambiavam com músicas como "Faraó ou Deus", de Shirley Carvalhaes — e duvido que teólogos progressistas, oriundos da classe média urbana, já tenham ouvido falar dessa cantora popular pentecostal. Falavam do Deus que abre o mar, que manda o maná, que guia com uma coluna de fogo — tudo isso com muito "glória a Deus" e "aleluia". E faziam isso sem ignorar outras passagens bíblicas que abordam temas centrais, como pecado, redenção e santidade.

A fé do povo simples não costuma ser seletiva. Eles não têm o luxo — ou o vício — de filtrar a Bíblia por categorias ideológicas das "teorias críticas" e "decoloniais". Seus olhos brilham ao ouvir que Deus liberta o pobre da opressão, mas brilham com igual ou ainda maior intensidade ao ouvir que Cristo perdoa pecados, transforma corações, liberta bêbados e drogados, e cura os doentes. Talvez essa seja a verdadeira "leitura popular": não aquela mediada por categorias acadêmicas nascidas em Yale ou Sorbonne, mas aquela que nasce de corações sinceros, que enxergam a Bíblia como ela é — a Palavra viva de Deus para todas as áreas da vida. Intuitivamente — ou será pelo Espírito de Deus? — eles leem o mundo da Bíblia melhor do que seus pretensos mestres.

Há, entre muitos teólogos progressistas, uma evidente desconexão com a espiritualidade popular. Quem convive de perto com comunidades pobres percebe que sua fé é marcada por uma espiritualidade vibrante (e barulhenta), expressa em oração fervorosa, devoção sincera e uma busca incansável por milagres. Curiosamente, a chamada "leitura popular", em alguns contextos, parece olhar para essas expressões com certo desdém, tratando-as como uma espécie de alienação ou, na melhor das hipóteses, relegando-as a um papel secundário na vida dos crentes.

Os teólogos progressistas também tendem a uniformizar a categoria "pobre". Idealizam o pobre de uma forma que nem o próprio pobre se idealiza. Como diz Clodovis Boff, "trocaram Cristo pelo pobre".[4] As comunidades marginalizadas não são homogêneas; nelas existem vozes, experiências e leituras diversas. No entanto, a "leitura popular" frequentemente retrata "o pobre" como uma categoria uniforme, ignorando nuances culturais, regionais e individuais.

Há o pobre que sonha em sair da favela e se tornar um empreendedor urbano bem-sucedido. Há outro que deseja "voltar para sua terra", marcada pela simplicidade, mas fortalecida por uma sólida comunidade familiar. Cada um carrega as próprias aspirações, desafios e percepções de fé. Reduzir tudo isso a uma única narrativa é, no mínimo, uma visão limitada — e, talvez, até condescendente.

Cito apenas um exemplo dessa desconexão. Numa *live* em formato de entrevista ao canal do cantor Leonardo Gonçalves, a teóloga feminista Ivone Gebara saiu com esta pérola:

---

[4] "Ex-teólogo da libertação Clodovis Boff diz que pôr o pobre no lugar de Jesus esvaziou igrejas no Brasil", *ACI Digital*, 6 de novembro de 2023, <https://www.acidigital.com/noticia/55927/ex-teologo-da-libertacao-clodovis-boff-diz-que-por-o-pobre-no-lugar-de-jesus-esvaziou-igrejas-no-brasil>.

> Eu me lembro de quando vivia no Nordeste. Aprendia muito quando ia pela zona rural e, às vezes, conversava com camponeses e camponesas. É muito interessante a visão [teológica] deles, que não é essa coisa de "Deus quer" ou "Deus não quer". Lembro-me de uma vez em que uma amiga minha perguntou a um camponês: "Seu João, o que é mesmo ressurreição?". Porque os cristãos acham que Jesus ressuscitou, ou seja, que estava mortinho e depois voltou à vida com corpo, alma e espírito. Ele respondeu assim: "A senhora está vendo esse campo de milho, como está bonito? Antes desse milharal, a gente plantou uma semente, e a semente frutificou, cresceu e deu milho. Então, ela morre como semente, ressuscita como milho e, depois, morre de novo, e assim por diante". A vida é contínua ressurreição.[5]

Primeiro, ela chama um sertanejo nordestino de "camponês". No Nordeste, ninguém (ou quase ninguém, para ser generoso) se autodescreve dessa forma. Os termos mais comuns e culturalmente apropriados são "sertanejo", "agricultor", "trabalhador rural", ou até mesmo designações específicas relacionadas à atividade desempenhada, como "vaqueiro", "lavrador" ou "roceiro". Talvez seja o resultado de um vício de leitura excessivamente europeia ou influenciada pelo sul do Brasil.

Porém, isso nem é o mais grave nessa desconexão: supor que, na teologia popular, as pessoas deixaram de considerar Deus como um ser todo-poderoso, capaz de realizar milagres como a ressurreição, é, no mínimo, uma projeção indevida da própria teologia "libertária" sobre a fé do povo comum.

---

[5] Leonardo Gonçalves, "Ivone Gebara | Teologia Feminista", 24 de junho de 2021 (YouTube), a partir de 1h10min: <https://www.youtube.com/watch?v=OXGMU4Gn35c>.

Jesus como chave hermenêutica

O conceito de "Cristo como chave hermenêutica" é frequentemente defendido por teólogos progressistas como princípio fundamental para interpretar as Escrituras. A ideia, à primeira vista, é bonita e difícil de contestar: se Cristo é o centro da fé cristã, faz sentido que tudo na Bíblia seja lido a partir dele. Contudo, quando analisamos como esse princípio é aplicado na prática por muitos desses intérpretes, surgem contradições tão visíveis que até mesmo o leitor mais distraído pode notar.

Tomemos, por exemplo, o tratamento progressista dado aos textos sobre demônios nos Evangelhos. Jesus, o Jesus histórico, real, de carne e osso, tratava os demônios como entidades espirituais reais (Marcos 5.1-20; Mateus 8.28-34; Lucas 11.14-26). Ele conversava com eles (Marcos 5.9), ordenava que saíssem das pessoas (Marcos 1.25; Lucas 8.29), repreendia-os com autoridade (Mateus 17.18). Se alguém tentasse explicar para Cristo que os demônios eram apenas arquétipos das ansiedades humanas ou símbolos de estruturas opressoras, é provável que ele respondesse com um olhar de reprovação e uma parábola improvisada sobre "mestres da lei" que complicam demais as coisas simples. Porém, muitos teólogos progressistas reinterpretam esses episódios como meras metáforas, ajustando os textos às sensibilidades modernas.

Assim, enquanto afirmam usar Cristo como chave hermenêutica, acabam deixando essa chave enferrujar quando se deparam com algo desconfortável. Como observa Wilfrid J. Harrington: "Evidentemente, Jesus é a coroa da revelação. Mas derivar dele uma norma para verificar a validade da Escritura pode tornar-se facilmente algo de muito subjetivo.

De fato, fazer tais juízos de valor leva ao colapso da autoridade da Escritura porque, como resultado, o indivíduo formula suas próprias crenças e práticas. Sua própria mente e coração tornam-se a suprema corte de apelação".[6]

Essa mesma contradição aparece também em outros temas. Quando Jesus fala sobre casamento, por exemplo, ele se ancora diretamente no relato de Gênesis: "Por isso o homem deixa pai e mãe e se une à sua mulher, e os dois se tornam um só" (Mateus 19.5). Não há aqui espaço para malabarismos exegéticos. Jesus não estava apresentando uma "opinião culturalmente condicionada"; ele estava afirmando algo enraizado na criação. Mais uma vez, muitos intérpretes progressistas pegam essa chave hermenêutica, dão uma polida rápida e a escondem no fundo da gaveta. Eles ignoram completamente, em suas mensagens, que a ética sexual de Cristo era mais rigorosa do que a mentalidade moderna é capaz de suportar. Convenientemente, a chave só funciona quando abre as portas que eles já querem atravessar.

Outro ponto interessante surge quando falamos sobre juízo divino. É relativamente comum, na tradição cristã e em várias pesquisas exegéticas, afirmar que Jesus, nos Evangelhos, aborda com ênfase o tema do juízo e as implicações do inferno mais do que qualquer outra figura do Novo Testamento.[7] Como lembra Mark Strauss: "Não há muitas dúvidas de que

---

[6] Wilfrid J. Harrington, *Chave para a Bíblia: A revelação, a promessa, a realização* (São Paulo: Paulus, 1985), p. 416.

[7] Veja, por exemplo, Mateus 5.22; 5.29-30; 7.19; 8.11-12; 10.14-15; 10.28; 11.20-24; 12.36-37; 13.40-42; 13.49-50; 16.27; 18.8-9; 21.41-44; 22.13; 23.14-15; 23.33; 24.50-51; 25.31-46; Marcos 3.28-29; 6.11; 8.38; 9.43-48; 12.40; 16.16; Lucas 10.10-15; 11.32; 12.4-5; 12.8-9; 12.46-47; 13.1-5; 13.22-30; 16.23-31; 19.27; 21.34-36; João 3.17-21; 5.22; 5.29; 8.21-24; 12.47-48; 15.6.

Jesus acreditava no inferno. E ele esperava que certas pessoas fossem para lá. Em seus ensinamentos, o inferno é um lugar de tormento, pranto e ranger de dentes. Embora tenha sido originalmente preparado para o diabo e seus anjos, pessoas também encontram ali seu destino".[8]

As imagens são fortes: fogo eterno, pranto e ranger de dentes, portas fechadas, ausência de Deus. Jesus não parece ter tratado esses temas como mero símbolo de uma "realidade interior". Contudo, quando esses textos caem nas mãos de alguns teólogos modernos, são rapidamente transformados em metáforas sofisticadas sobre culpa psicológica ou estruturas opressoras que precisam ser desconstruídas. Também nesse caso, Cristo como chave hermenêutica parece funcionar apenas para abrir as portas do paraíso, nunca as do juízo.

Jesus também não parecia abraçar a dicotomia rígida de opressor ("sempre mau") e oprimido ("sempre bom"). Ele tinha uma desconfiança da natureza humana, pois mesmo quando muitos criam nele por causa dos sinais que realizava em Jerusalém, não se confiava a eles, conhecendo profundamente o que havia no coração humano (João 2.23-25). Como observa Richard Niebuhr, a quem cito novamente: "Somente a ficção romântica pode interpretar o Jesus do Novo Testamento como alguém que acreditava na bondade dos homens e que, por isso, procurava trazer à tona o que neles era bom".[9]

Essa compreensão profunda da natureza humana se reflete quando ele diz que do coração procedem maus pensamentos,

---

[8] Mark L. Strauss, *Jesus Behaving Badly: The Puzzling Paradoxes of the Man from Galilee* (Downers Grove: IVP Academic, 2015), p. 98.
[9] H. Richard Niebuhr, *Cristo e Cultura* (Rio de Janeiro: Paz e Terra, 1967), p. 47.

homicídios, adultérios e toda sorte de maldade (Mateus 15.19), e chama todos, absolutamente todos, ao arrependimento, pois o reino dos céus estava próximo (Mateus 4.17). Ele ministrou tanto aos poderosos, como Nicodemos (João 3.1-21), quanto aos marginalizados, como a mulher samaritana (João 4.1-42), mostrando que a necessidade de transformação espiritual era universal, justamente porque conhecia a natureza decaída presente em cada ser humano.

Sobre o chamado ao arrependimento, Miroslav Volf comenta magistralmente:

> Realmente novo e surpreendente no ministério de Jesus, todavia, não eram nem as implicações políticas de sua mensagem nem o especial interesse que ele mostrava para com "os pobres". Esse interesse é precisamente o que nós esperaríamos de um patético líder político da periferia; para ser um líder você precisa de poder social, para ter poder social você precisa de seguidores, para ter seguidores você precisa abraçar a causa dos descontentes, que no caso de Jesus teriam sido a grande maioria no fundo do amontoado das camadas da sociedade. Mas Jesus não tinha nenhuma aspiração à liderança política e fez mais, muito mais do que esperaríamos de um político. Sem dúvida, ele acendeu a esperança no coração dos oprimidos e exigiu uma radical mudança dos opressores, como qualquer reformador social faria. Mas ele também gravou no âmago de sua "plataforma" a mensagem do amor incondicional de Deus e a necessidade do arrependimento das pessoas. Da perspectiva das sensibilidades ocidentais contemporâneas, essas duas coisas juntas — amor divino e arrependimento humano — *oferecidas às vítimas* representam os mais escandalosos e (ao mesmo tempo) mais esperançosos aspectos da mensagem de Jesus.[10]

[10] Miroslav Volf, *Exclusão e abraço: Uma reflexão teológica sobre identidade, alteridade e reconciliação* (São Paulo: Mundo Cristão, 2019), p. 151-152.

A questão das Escrituras também revela essa seletividade curiosa. Cristo tinha uma visão clara sobre a autoridade das Escrituras. Ele citava o Antigo Testamento com frequência, baseava seus argumentos nele e chegou a dizer que nem "a menor letra ou o menor traço" desapareceria da Lei até que tudo se cumprisse (Mateus 5.18). Contudo, quando os mesmos textos caem nas mãos de certos intérpretes progressistas, eles se tornam fragmentos históricos culturalmente ultrapassados, cheios de erros e preconceitos que precisam ser corrigidos pelo olhar moderno. Ora, se Cristo via as Escrituras como confiáveis, não parece muito honesto reinterpretá-las de forma que contradiga o próprio olhar de Cristo.

E o que dizer dos milagres? Os Evangelhos não deixam dúvidas de que Jesus multiplicou pães (Mateus 14.13-21; Marcos 6.30-44; Lucas 9.10-17; João 6.1-15), curou cegos (Mateus 9.27-31; Marcos 10.46-52; João 9.1-12) e ressuscitou mortos (Lucas 7.11-17; João 11.38-44). Mais do que atos de bondade, esses milagres eram sinais do reino de Deus (Mateus 12.28; Lucas 11.20). Mas muitos intérpretes preferem suavizar essas histórias, tratando-as como metáforas para solidariedade ou mudanças sociais. A multiplicação dos pães, por exemplo, torna-se um grande piquenique comunitário no qual as pessoas magicamente decidem compartilhar seus lanches. É uma interpretação até simpática, mas completamente alheia à intenção do texto e ao Cristo que ele revela.

A bem da verdade é que "Cristo como chave hermenêutica" não passa de um slogan teológico bonito, mas vazio. Se Cristo é, de fato, o centro, então suas palavras, ações e cosmovisão não podem ser ignoradas, distorcidas ou ajustadas para caberem no molde de nossos confortos ideológicos.

Nem mesmo a "Bíblia que Jesus lia" deve ser descartada. Nessa leitura de considerar "Jesus como chave hermenêutica", há, ainda, um *cristomonismo* — uma tendência teológica que concentra excessivamente toda a teologia na pessoa de Cristo, reduzindo ou ignorando outros aspectos importantes da doutrina cristã. Trata-se de uma espécie de "Unitarismo da Segunda Pessoa"[11] que acaba por minimizar o papel do Pai e do Espírito Santo.

Talvez o maior desafio para qualquer intérprete — progressista, conservador ou algo entre os dois — seja deixar Cristo ser realmente a chave. Uma chave que, às vezes, abre portas que gostaríamos que permanecessem fechadas. Uma chave que, frequentemente, desafia nossas certezas mais queridas. E, principalmente, uma chave que nunca, em hipótese alguma, deve ser deixada de lado só porque o caminho por trás da porta parece desconfortável.

---

[11] Harrington, *Chave para a Bíblia*, p. 417.

8
JESUS ERA DE DIREITA OU ESQUERDA?

A pergunta soa até engraçada, mas tanto na direita ou extrema-direita quanto na esquerda ou extrema-esquerda, Jesus é, de vez em quando, filiado a um lado político. Ora Jesus soa como uma espécie de Che Guevara do primeiro século, ora ele se parece com Donald Trump.

Como discípulos de Cristo, precisamos admitir: enquadrar Jesus em espectros políticos modernos revela mais sobre nós do que sobre ele. Não é apenas anacronismo, isto é, a tentativa de transpor para o passado realidades do presente. É idolatria também.

Eu sei que a acusação de idolatria na teologia pública tornou-se tão banal que parece que hoje tudo é idolatria. Mas há banalidades que dizem muito. Adorar um "Jesus de esquerda" ou "Jesus de direita" é adorar um falso Cristo e, portanto, um anticristo. Afinal, "muitos anticristos já apareceram. Por isso sabemos que chegou a hora final" (1João 2.18).

Fato é que Jesus não pode ser domado — ele é o Leão da Tribo de Judá (Apocalipse 5.5). Jesus era sociável demais para os essênios, libertário demais para os fariseus legalistas, conservador demais para aqueles que relativizavam o divórcio, pacífico demais para os zelotes e revolucionário demais para a aristocracia dos saduceus. Ele parecia sempre escapar das caixinhas que tentavam lhe impor. Como profetizou Simeão, ele é "um sinal de contradição" (Lucas 2.34, NVI) — alguém que desafiava cada expectativa, frustrava cada agenda e, ainda assim, atraía ou repelia todos para si. Diante de Jesus, só não existia, e ainda não existe, indiferença.

Ou ainda, como escreveu Peter Kreeft: "Muitos substituíram o liberalismo, o conservadorismo ou algum outro 'ismo' por Cristo e cooptam Cristo para a causa deles. Cristo não pode ser cooptado por nenhuma causa; todas as causas têm de ser cooptadas por ele. Todos os 'ismos' são abstrações. Até mesmo o 'ismo' perfeito, se houver algum, não pode nos salvar nem nos amar".[1] Quando nos aproximamos de Cristo sem intermediações ideológicas, descobrimos que ele não só revela a verdade, mas é a verdade. E essa verdade é pessoal, capaz de amar, perdoar, libertar e dar sentido último à existência humana. Um determinado "ismo" pode, no máximo, oferecer linhas de pensamento, soluções parciais para problemas políticos ou econômicos, e pode até promover certos avanços éticos. Mas nenhum sistema pode realizar aquilo que apenas o amor de Cristo, encarnado na história, realizou: a reconciliação do mundo com Deus e a oferta de vida eterna.

Nenhuma ideologia morreu na cruz. Nenhuma abstração amou. Nenhuma ideia sofreu em nosso lugar. Nenhuma utopia jamais curou os olhos do cego. Nenhuma filosofia sangrou para remir os pecados do mundo. Nenhum conceito redentor sentiu a dor lancinante dos pregos. Nenhuma teoria carregou o peso do madeiro pelas ruas estreitas. Nenhum sistema de pensamento suou sangue no Getsêmani.

Foi um homem, de carne e osso, que experimentou a agonia. Foi um coração humano, pulsante, que parou de bater. Foram mãos e pés reais que foram transpassados. Foi um corpo vivo

---

[1] Peter Kreeft, *Jesus: o maior filósofo que já existiu* (Rio de Janeiro: Thomas Nelson Brasil, 2009), p. 145.

que conheceu a morte. Foi amor em sua forma mais concreta, mais visceral, mais palpável que se entregou. Foi a Verdade encarnada que se fez sacrifício, para que a esperança pudesse nascer de novo no coração da humanidade. E não há ideologia, abstração, ideia ou utopia que possa se igualar a isso. Pois somente o amor verdadeiro, em sua manifestação tangível, humano e divino, tem o poder de transformar a realidade e trazer a verdadeira cura para um mundo ferido. Jesus Cristo é esse homem — que ainda venceu a morte e ressuscitou!

O Jesus de (extrema) direita: o Jesus que "mita"!

Eu fico imaginando um Jesus de direita.[2] Ele não manda guardar a espada, tampouco diz que quem vive pela espada pela espada morrerá (Mateus 26.52). Pelo contrário, ele conclama os discípulos a montarem um verdadeiro arsenal: "Comprem mais e mais espadas, pois só assim poderemos resistir numa iminente guerra civil". E se Pedro arriscasse cortar a orelha de alguém, ao invés de curar o ferido, Jesus talvez o aplaudisse, dizendo: "É isso aí, Pedrão, precisamos mostrar força,

---

[2] Veja Tony Keddie, *Jesus Republicado: Como a direita reescreveu os Evangelhos* (Rio de Janeiro: Editora 14, 2023); Kristin Kobes Du Mez, *Jesus e John Wayne: Como o evangelho foi cooptado por movimentos culturais e políticos* (Rio de Janeiro: Thomas Nelson Brasil, 2022). Ambos os livros oferecem uma análise pormenorizada sobre a formação da direita evangélica, evidenciando diversos pontos de tensão e contradição dentro desse movimento. Contudo, é possível identificar, em ambas as obras, uma ênfase em exemplos mais extremos ou controversos, o que resulta em um viés crítico acentuado. Ainda assim, constituem leituras importantes para a compreensão dos fatores históricos e culturais que influenciaram a emergência dessa vertente evangélica. Para uma crítica mais moderada, veja Russell Moore, *Como viver no mundo sem abrir mão do evangelho* (São Paulo: Mundo Cristão, 2024).

foco e fé!". Jesus também seria dono de um clube de tiro ao alvo.[3]

Esse Jesus também não falaria em dar esmolas, afinal, não quer sustentar "encostados" (para usar uma palavra "suave"). Ao invés de dizer: "Venda todos os seus bens e dê o dinheiro aos pobres" (Lucas 18.22), esse Jesus deixaria claro: "Meu amigo, você construiu patrimônio de forma legítima, correto? Ótimo. Agora, se quiser mais bênçãos, monte um fundo de hedge, diversifique ações, crie uma empresa com isenção fiscal — mas nada de simplesmente dar tudo aos pobres; isso seria abrir precedentes para o assistencialismo e a vagabundagem". Ele ainda diria: "Bem-aventurados os que sabem fechar bons negócios e não se deixam por baixo" ou "Arrependa-se e mude o *mindset* para abrir novas empreendimentos".

---

[3] Graças a Deus, pelo menos até onde sei, nenhum teólogo conservador ou reacionário teve a ousadia de formular explicitamente uma cristologia de direita em algum tratado sistemático, retratando Jesus como se fosse um membro do Partido Republicano. Diferentemente da Teologia da Libertação, que propõe uma leitura do Evangelho a partir de lentes socioeconômicas, os movimentos de direita tendem a evitar releituras teológicas radicais de Jesus, concentrando-se em preservar o que consideram uma "ortodoxia moral". O que mais se aproxima de uma "teologia de direita" em desenvolvimento teológico, embora não cristológico, encontra-se em Wayne Gruden, *Política segundo a Bíblia: Princípios que todo cristão deve conhecer* (São Paulo: Vida Nova, 2021). A edição em português é menor do que a original, pois os editores optaram por remover as partes mais explicitamente ligadas ao contexto norte-americano, algo informado de modo transparente pela própria editora. A versão em inglês é *Politics – According to the Bible: A Comprehensive Resource for Understanding Modern Political Issues in Light of Scripture* (Grand Rapids: Zondervan, 2010). Embora eu concorde com boa parte da filosofia política de Grudem — afinal, também sou conservador —, não posso concordar com a ânsia dele de justificar crenças políticas por meio de uma exegese bíblica forçada.

Em seu Sermão do Monte, em lugar de "bem-aventurados os mansos" (Mateus 5.5, ARC), ele exaltaria a agressividade. Afinal, é um Jesus contra o politicamente correto, pois é um homem de "coragem". Para provar, ele compararia uma influenciadora acima do peso com algum animal que engoliu o profeta Jonas, falaria alguns palavrões, rogaria pragas contra seus adversários e trataria todo esquerdista como se não fosse humano. É a coragem para ofender; é necessário ter firmeza.

Ao lidar com estrangeiros, o Jesus de direita talvez estabelecesse algumas condições: "Se quiserem vir até mim, passem primeiro pela triagem. Minha graça é ampla, mas não irrestrita; precisamos proteger nossas fronteiras celestiais". A parábola do bom samaritano teria um desfecho diferente: "O sacerdote e o levita estavam certos em manter distância — vai que era um golpe! Já o samaritano foi irresponsável, arriscou sua segurança. Mas o que esperar de um samaritano?".

E aquela história de "não julguem para não serem julgados" (Mateus 7.1)? Esse Jesus reformularia: "Julgue sim, com firmeza! Tem que separar o joio do trigo, a ovelha do bode e o trabalhador do malandro". Se necessário, ele lançaria um vídeo no YouTube bem "quente", denunciando, com gosto de vingança na boca, todos os que o atrapalhassem.

Quanto aos publicanos e pecadores, ele talvez dissesse: "Arrependam-se, mas provem-me com um plano de reabilitação antes de eu jantar com vocês". Trata-se de um Jesus preocupado com a reputação: ele não pode ser visto como "amigo de pecadores", mas apenas como parte do clube de pastores que participam de conferências teológicas respeitadas.

Como você já deve ter percebido, trata-se de um Jesus incompatível com o evangelho — um Jesus que até lembra alguns pastores e líderes políticos, mas certamente não lembra

Jesus Cristo, nosso Senhor e Salvador. Alguém pode dizer: "Mas eu não sou Jesus", como desculpa para não replicar os compromissos de vida dele em nosso dia a dia. No entanto, a Bíblia fala em sermos "imitadores de Cristo" (1Coríntios 11.1). E isso é o básico da fé cristã: ser um "pequeno Cristo".

Jesus Cristo como revolucionário político: o "Jesus" que lacra!

Existe ainda outro Jesus. Esse é mais popular em círculos acadêmicos, lugar de gente fina e inteligente. É o Jesus que "lacra". O Jesus *woke*. O Jesus justiceiro social, o guerrilheiro de *hashtag*. Os milagres? Metáforas de empoderamento. A graça? Justiça redistributiva. A ressurreição? Alegoria para movimentos de resistência.

Mas, historicamente, será que Jesus de fato possuía aspirações políticas na Palestina do primeiro século? Como líder carismático e humano, Jesus tinha alguma intenção de incitar uma revolução política? Ele tinha algum projeto voltado ao poder temporal? Desejava ele ocupar o lugar de César para libertar os oprimidos da Judeia do imperialismo romano?

Não é rara a ideia de que Jesus era uma espécie de revolucionário político. Esse pensamento é tão estranho, exótico e absurdo que o erudito Joachim Jeremias (1900–1979), um dos maiores especialistas em Novo Testamento, dizia que quem faz essa interpretação "não entendeu Jesus".[4]

Trata-se da velha tentativa da teologia de cunho racionalista de produzir um Cristo segundo a própria imagem e

---

[4] Joachim Jeremias, *Teologia do Novo Testamento* (São Paulo: Hagnos, 2008), p. 334.

semelhança do homem moderno. O estudioso judeu Géza Vermes (1924–2013), um dos maiores especialistas em Jesus histórico, escreveu: "Não que pareça ter havido algum desacordo fundamental entre Jesus e os fariseus no tocante a temas essenciais [...]. Não há, na minha leitura dos evangelhos, indícios que apontem para qualquer envolvimento de Jesus nas questões revolucionárias dos zelotes".[5]

A leitura ideológica do Jesus de esquerda, associada a perspectivas críticas e sociais, emergiu com força no século 20 a partir de teólogos que dialogavam com o materialismo histórico e análises marxistas, como Fernando Belo, Michel Clévénot (francês, pioneiro na leitura sociopolítica da Bíblia) e George Casalis (teólogo protestante engajado nas lutas anticoloniais). Esses pensadores, de fato, tiveram papel seminal na construção de uma hermenêutica bíblica que vinculava a mensagem cristã à emancipação dos oprimidos, influenciando diretamente a Teologia da Libertação latino-americana (Gustavo Gutiérrez, Leonardo Boff etc.).

Eis alguns motivos para rejeitarmos a ideia de um "Cristo revolucionário".

1. Relação amistosa com os samaritanos

O tratamento dado aos samaritanos afastava Jesus de qualquer postura ultranacionalista, traço tão comum aos zelotes de sua época. Mas quem eram os zelotes? Os zelotes eram um grupo ultranacionalista de judeus que enxergava na aceitação da dominação estrangeira e no pagamento de impostos a Roma um ato blasfemo contra o próprio Yahweh. Usavam táticas de ataques repentinos (terrorismo) contra os inimigos

[5] Géza Vermes, *Jesus e o mundo do judaísmo* (São Paulo: Loyola, 1996), p. 20.

e eram minoritários entre os judeus, mas foram essenciais no levante contra Roma na década de 60 do primeiro século.

O historiador judeu Flávio Josefo (37 d.C.–100 d.C.) atribui aos zelotes "a primeira causa da ruína de Jerusalém" (*Guerra dos judeus*, 4.3.2 [§160]). Esses extremistas matavam judeus que, na visão deles, colaboravam com Roma. Em razão de suas táticas de ataque, eram conhecidos como *sicários* (apunhaladores) pelos romanos, pois escondiam punhais sob as vestes para atacar em meio a uma multidão sem serem facilmente capturados.

2. A purificação do templo (João 2.12-22)

A expulsão dos vendilhões do templo, narrada em João 2, não foi um ato impulsivo de rebeldia, mas uma ação carregada de simbolismo teológico e político. Os discípulos, ao associarem a atitude de Jesus a Salmos 69.9 — "O zelo pela tua casa me consumirá" —, revelam que a motivação de Cristo estava enraizada numa crítica profética e escatológica, não em mera subversão. Esse salmo, aliás, é vinculado à figura do "servo sofredor", antecipando o destino de Jesus como alguém rejeitado por defender a santidade de Deus. A conexão entre o zelo pelo templo e o sofrimento messiânico já sinaliza que Jesus não buscava reformar um sistema, mas inaugurar uma nova realidade.

A expectativa de um novo templo na era messiânica era central no judaísmo do Segundo Templo. Textos como Ezequiel 40—44 (visão de um templo restaurado e purificado), 1Enoque 90.28-36 (descrição de um santuário celestial), os *Salmos de Salomão* 17.30 (um messias que purificaria Jerusalém) e o *4QFlorilégio* (um comentário dos Manuscritos do Mar Morto que aguardava um templo "não feito por mãos humanas") demonstram que a ação de Jesus ressoava com anseios escatológicos. Ao purificar o templo, Jesus não apenas criticava corrupções ritualísticas, mas apontava para sua própria pessoa como o *verdadeiro templo* (João 2.21) — a presença definitiva de Deus entre os homens.

A menção específica de que Jesus agiu "no pátio do templo" (João 2.14) é crucial na narrativa. Essa área, destinada aos gentios, era o único espaço onde não judeus podiam adorar. A presença de comerciantes e cambistas ali, porém, transformava um local de oração em um mercado barulhento, obstruindo o acesso dos gentios à comunhão com Deus. Ao expulsá-los, Jesus não defendia apenas a pureza ritual, mas reivindicava a inclusão dos povos na adoração escatológica. Isso desmonta qualquer leitura nacionalista do messianismo de Jesus: seu reino não era um projeto étnico ou político, mas universal ("Minha casa será chamada casa de oração para todos os povos", Isaías 56.7).

A ação de Jesus também foi um golpe contra as estruturas de exploração econômica e religiosa. "O culto proporcionava enormes riquezas à cidade. Sustentava a nobreza sacerdotal, o clero e os empregados do templo", como lembram Juan Barreto e Juan Mateos.[6] Os cambistas cobravam taxas abusivas pela conversão de moedas "impuras" (romanas) em siclos do templo,[7] e os vendedores de animais inflacionavam os preços, lucrando com a obrigação ritual de sacrifícios. Isso criava um sistema de exclusão: os pobres eram impedidos de cumprir

---

[6] Juan Barreto e Juan Mateos, *O Evangelho de São João* (São Paulo: Paulus, 2021), p. 157.

[7] Isso acontecia porque as moedas romanas tinham imagens "pagãs". Veja Raymond Brown, *O comentário ao Evangelho segundo João*, vol. 1 (Santo André: Academia Cristã/Paulus, 2020), p. 312.

a Lei, enquanto a elite sacerdotal (saduceus) se beneficiava. O templo, além de centro religioso, era um instrumento de poder político: Herodes, o Grande, reconstruíra-o para ganhar apoio popular, e os sumos sacerdotes colaboravam com Roma para manter privilégios.

A purificação do templo desfaz a ideia de um Jesus "rígido conservador" que aceitava instituições corruptas apenas para não "perturbá-las". Ele não propôs ajustes, mas uma reconfiguração radical: o fim do templo como mediador exclusivo entre Deus e a humanidade (João 4.21-24). "Jesus não substitui o Tempo, ele o suplanta", como diz Johan Konings.[8] Ao mesmo tempo, seu ato não foi uma revolução armada — como esperavam os zelotes —, mas um *sinal profético*. A referência à destruição e reconstrução do templo em três dias (João 2.19) aponta para sua ressurreição, transferindo o *locus* da presença divina do edifício físico para seu corpo glorificado. Interessante notar que, décadas após a morte e ressurreição de Jesus, o templo foi destruído pelos romanos (70 d.C.). Para os primeiros cristãos, isso confirmou a mensagem de Jesus: o culto verdadeiro não depende de um lugar, mas do Cristo vivo (Hebreus 9.11-12).

3. Nenhum discípulo foi preso

Como lembra Gerd Theissen: "Nenhum dos discípulos de Jesus foi preso com Ele, o que certamente seria de esperar na hipótese de um movimento de rebelião".[9] Na época de Jesus,

---

[8] Johah Konings, *João*, Comentário Bíblico Latinoamericano (São Paulo: Fonte Editorial, 2017), p. 151.
[9] Annette Merz e Gerd Theissen, *O Jesus histórico: um manual* (São Paulo: Loyola, 2004), p. 486.

a Judeia era palco de tensões políticas e movimentos de resistência contra o domínio romano. Quando líderes revolucionários eram capturados, seus seguidores geralmente eram perseguidos e punidos como parte da repressão romana.

4. A espada em Lucas 22.36-38

Ao instruir os discípulos a venderem suas túnicas para comprar uma espada (Lucas 22.36-38), Jesus sinaliza uma ruptura radical com a dinâmica anterior do trabalho missionário. Se antes eles podiam contar com hospitalidade e provisão divina (Lucas 10.4), agora enfrentariam um período de hostilidade e perseguição iminente. O gesto não é um chamado à resistência violenta, mas um alerta sobre a gravidade dos tempos que se aproximavam — um contexto em que os discípulos precisariam adotar a prudência de qualquer viajante diante dos perigos das estradas antigas. Como registra Flávio Josefo, até mesmo os essênios, conhecidos por seu pacifismo e ascetismo, carregavam armas em suas jornadas para proteção contra assaltantes (*Guerra dos judeus*, 2.125). A espada, nesse sentido, simboliza preparação, não agressão.

A maioria dos exegetas interpreta a passagem como um recurso retórico de Jesus para sublinhar a urgência da crise, não como uma ordem literal.[10] Para James Edwards, trata-se de uma "metáfora de admoestação",[11] um modo vívido de enfatizar que os discípulos não devem esperar segurança humana diante do conflito espiritual que se avizinha. A reação

---

[10] R. T. France, *Lucas*, Série Comentário Expositivo (São Paulo: Vida Nova, 2025), p. 334. Veja também Joseph A. Fitzmyer, *The Gospel According to Luke X-XXIV*, The Anchor Bible, vol. 2 (Nova York: Doubleday, 1985), p. 1432.
[11] James Edwards, *O comentário de Lucas* (São Paulo: Shedd Publicações, 2019), p. 800.

posterior de Jesus, ao repreender o uso de uma espada no Getsêmani (Lucas 22.49-51), confirma que a violência não era o caminho.

Quando Jesus diz: "É suficiente!" (Lucas 22.38) após os discípulos mostrarem *duas espadas*, há uma camada de ironia no texto. A resposta dos discípulos é "lacônica" (curta, direta) porque, em vez de compreenderem o sentido simbólico das palavras de Jesus, eles literatizam a instrução. Ao apresentarem duas espadas — número claramente insuficiente para um grupo de doze homens —, demonstram que não captaram a profundidade do alerta.[12] É como se um general dissesse a seus soldados: "Preparem-se para a guerra!", imaginando estratégias e coragem, e os soldados respondessem: "Prontos! Trouxemos duas balas".

5. *Simão, o zelote*

A adjetivação de Simão como zelote (Lucas 6.15) mostra que os demais discípulos, exceto Judas, e o próprio Jesus estavam excluídos desse grupo revolucionário. Se digo que congrego em uma igreja onde Karl, o alemão, também congrega, estou mostrando que esse estrangeiro é uma exceção entre os meus.

Sobre essa leitura míope de um "Cristo revolucionário", o teólogo e exegeta Francis Pierre Grelot (1917–2009) sintetizou bem o assunto: "Trata-se de fantasias sem valor histórico: a ótica de leitura adotada falseia constantemente os textos, projetando neles a ideologia (dos autores). [...] Ficamos surpresos ao constatar entre esses (teólogos) uma adoção ingênua dos

---

[12] Leon Morris, *Lucas: Introdução e comentário*, Série Cultura Bíblica (São Paulo: Vida Nova, 1983), p. 291. Veja também A. T. Robertson, *Comentário Lucas: À luz do Novo Testamento Grego* (Rio de Janeiro: CPAD, 2013), p. 363.

postulados marxistas, classificados como 'científicos', sem distância nem espírito críticos".[13]

Portanto, reduzir Cristo a uma espécie de Che Guevara primitivo não é apenas pobreza exegética; é, acima de tudo, uma forma de idolatria idiota.

A "lógica" de Jesus é a Nova Criação

Nenhuma polarização atual — seja entre lulistas e bolsonaristas, republicanos e democratas, ou conservadores e progressistas — se compara à tensão extrema entre os publicanos, que colaboravam com o império, e os zelotes, que buscavam eliminar os imperialistas. A maneira como Jesus uniu em seu círculo pessoas de espectros tão opostos — como Mateus, o cobrador de impostos (Mateus 9.9), e Simão, o zelote (Lucas 6.15) — revela sua capacidade única de superar divisões partidárias e criar uma comunidade fundamentada em algo muito maior que as lealdades humanas. O nome dessa comunidade é reino de Deus.

Jesus transcende ideologias políticas não porque ele seja neutro. A cruz não é neutra. Ideologias políticas, sejam elas quais forem, normalmente exaltam conquistas, força e prestígio. A cruz introduz a lógica do "poder que se faz fraco" para redimir o oprimido. Nem direitas nacionalistas, nem esquerdas revolucionárias, de modo estrito, abarcam esse "escândalo da cruz", pois todas trabalham com categorias de vitória por imposição.

---

[13] Pierre Grelot, *Esperança judaica no tempo de Jesus* (São Paulo: Loyola, 1996), p. 126.

Quando afirmo que Jesus não é de direita nem de esquerda, não estou sugerindo que ele seja também "centrista". Jesus não representa a via média, assim como a igreja também não. Parafraseando Joseph Ratzinger, a igreja não reflete a média das opiniões ou a mera opinião pública, mas sim a Verdade de Jesus Cristo.[14] Jesus é a própria Verdade; ele não é o extremo nem a síntese entre extremos, mas simplesmente a realidade em sua totalidade.

A transformação promovida por Jesus vai além da simples denúncia, pois não se restringe a identificar erros ou corrigir comportamentos. Também não representa a reafirmação do *status quo*. É uma transformação radical, começando no coração humano, onde as raízes do pecado geram as injustiças que se manifestam no mundo. Quando Jesus chama ao arrependimento (Marcos 1.15), ele não está apenas convidando a uma mudança de *ideologia*, mas a uma ruptura total com os valores caídos deste mundo — não importa qual seja. O reino de Deus não é um sistema político ou uma utopia humanista, mas a realidade do governo de Deus que redefine todas as relações: entre o indivíduo e Deus, entre pessoas e dentro das estruturas sociais. Jesus a tudo transtorna e transforma.

Seus ensinos radicalizaram a ética vigente: chamou felizes os que choram, os pobres e os perseguidos. Exaltou a criança como modelo de fé, honrou prostitutas e cobradores de impostos como exemplos de arrependimento, e condenou a religiosidade vazia dos doutos. Seu reino não se expande por conquista territorial, mas pela transformação de corações — um império invisível, porém tangível na prática do amor.

---

[14] Joseph Ratzinger, *Ser cristão na era neopagã*, Vol. 1: Discursos e Homilias (1986–1999) (Campinas: Ecclesiae, 2014), p. 84.

Esse novo modo de viver em sociedade é uma realidade profundamente política, pois subverte os fundamentos das hierarquias humanas. No reino de Deus, os últimos são os primeiros (Mateus 20.16), os poderosos servem (Marcos 10.43-44) e a justiça é praticada com misericórdia e fidelidade (Miqueias 6.8). Por isso, o evangelho não é apenas contracultural; ele é a inauguração de uma nova cultura, na qual a reconciliação e a paz fluem da cruz de Cristo e a justiça se torna a expressão natural de um coração redimido. Essa é a nova criação, possível apenas por meio de um novo homem, um novo Adão.

SOBRE O AUTOR

Gutierres Fernandes Siqueira mora em São Paulo e é casado com Eduarda Monithelle. Serve como presbítero na Igreja Evangélica Assembleia de Deus, Ministério do Belém, no setor de Pinheiros. É formado em Jornalismo e pós-graduado em Mercado Financeiro e Teologia. Já publicou artigos e ensaios em veículos como *Folha de S. Paulo* e *Christianity Today*. É autor de diversos livros, entre eles *Quem tem medo dos evangélicos?*, publicado pela Mundo Cristão.

Compartilhe suas impressões de leitura,
mencionando o título da obra, pelo e-mail
opiniao-do-leitor@mundocristao.com.br
ou por nossas redes sociais

Esta obra foi composta com tipografia Palatino
e impressa em papel Pólen Natural 70 g/m² na gráfica Assahi

ELE DIZ, ELA DIZ

ELE DIZ, ELA DIZ

Como um casal de líderes consegue superar as diferenças e construir um casamento de sucesso

---

LARRY & DEVI TITUS

Traduzido por Cecília Eller

Copyright © 2020 por Larry & Devi Titus
Publicado por Editora Mundo Cristão

Os textos das referências bíblicas foram extraídos da *Nova Versão Transformadora* (NVT), da Editora Mundo Cristão (usado com permissão da Tyndale House Publishers), salvo as seguintes indicações: *Almeida Revista e Atualizada*, 2ª edição (RA), da Sociedade Bíblica do Brasil; e *Nova Versão Internacional* (NVI), da Bíblica, Inc.

Todos os direitos reservados e protegidos pela Lei 9.610, de 19/02/1998.

É expressamente proibida a reprodução total ou parcial deste livro, por quaisquer meios (eletrônicos, mecânicos, fotográficos, gravação e outros), sem prévia autorização, por escrito, da editora.

Edição
Daniel Faria

Revisão
Natália Custódio

Produção e diagramação
Felipe Marques

Colaboração
Ana Luiza Ferreira

Capa
Douglas Lucas

Cip-Brasil. Catalogação na publicação
Sindicato Nacional dos Editores de Livros, RJ

T541e

Titus, Larry
    Ele diz, ela diz : como um casal de líderes consegue superar as diferenças e construir um casamento de sucesso / Larry Titus, Devi Titus ; tradução Cecília Eller. - 1. ed. - São Paulo : Mundo Cristão, 2020.

    Tradução de : When leaders live together
    ISBN 978-65-86027-66-2

    1. Casamento - Aspectos religiosos - Cristianismo. 2. Personalidade. 3. Liderança. 4. Sucesso. I. Titus, Devi. II. Eller, Cecília. III. Título.

20-66278
CDD: 248.844
CDU: 27-45

Categoria: Casamento
1ª edição: outubro de 2020 | 3ª reimpressão: 2024

Publicado no Brasil com todos os direitos reservados por:

Editora Mundo Cristão
Rua Antônio Carlos Tacconi, 69
São Paulo, SP, Brasil
CEP 04810-020
Telefone: (11) 2127-4147
www.mundocristao.com.br

Sumário

Prefácio, por Larry   7
Prefácio, por Devi   10
Introdução   13

Capítulo 1
    [ELE DIZ] Cabeça e liderança   15
    [ELA DIZ] Cabeça e liderança   21
Capítulo 2
    [ELE DIZ] Aceite a diversidade   27
    [ELA DIZ] Aceite a diversidade   37
Capítulo 3
    [ELE DIZ] Controlar ou dar liberdade   41
    [ELA DIZ] Controlar ou dar liberdade   50
Capítulo 4
    [ELE DIZ] Submisso e satisfeito   57
    [ELA DIZ] Submissa e satisfeita   65
Capítulo 5
    [ELE DIZ] A maldição das críticas   73
    [ELA DIZ] A maldição das críticas   85
Capítulo 6
    [ELE DIZ] Eu machão   91
    [ELA DIZ] Eu machona   102

Capítulo 7
- [ELE DIZ] Vivendo com uma líder — 107
- [ELA DIZ] Vivendo com um líder — 113

Capítulo 8
- [ELE DIZ] O dinheiro é meu, querida! — 128
- [ELA DIZ] O dinheiro é meu, querido! — 135

Capítulo 9
- [ELE DIZ] Somos tão diferentes! — 142
- [ELA DIZ] Somos tão diferentes! — 154

Capítulo 10
- [ELE DIZ] Não estou na defensiva! — 163
- [ELA DIZ] Não estou na defensiva! — 170

Capítulo 11
- [ELE DIZ] Regiões de perigo — de olho nas bandeiras vermelhas — 183
- [ELA DIZ] Regiões de perigo — de olho nas bandeiras vermelhas — 198

Capítulo 12
- [ELE DIZ] Ninguém vence sozinho — 210
- [ELA DIZ] Ninguém vence sozinho — 217

Prefácio

Por Larry

Devi e eu estamos casados há mais de cinquenta anos. Como acontece com bastante frequência, estaremos viajando mais uma vez em nosso aniversário de casamento, desta vez, no Brasil. Quando nos casamos, eu disse a ela que lhe mostraria o mundo e, pela graça de Deus, tenho feito um ótimo trabalho nesse aspecto! É claro que eu não disse quão sofisticadas as viagens seriam, nem a riqueza dos planos, se andaríamos de limusine ou de riquixá. Eu apenas disse a ela que lhe mostraria o mundo.

O "mundo" já incluiu dormir em lençóis sujos na Índia, pousadas simples na Tailândia, andar em um ônibus descontrolado acelerando morro abaixo em uma estrada coberta de gelo no Colorado, dividir o apertado banco de trás de um táxi com mais três pessoas na Nigéria, compartilhar o quarto com insetos asquerosos em mais de um lugar e, claro, já passamos por muitos e muitos lindos hotéis, nos quais nos sentimos mimados por Deus.

A moral da história é que Devi sempre esteve ao meu lado, com príncipes ou plebeus. Ela nunca reclamou, jamais tentou trilhar um rumo independente, buscando a própria agenda profissional, nem tentou usurpar minha autoridade. E alguém com o talento de Devi não teria nenhuma dificuldade em ser bem-sucedida em qualquer coisa que se propusesse fazer.

Assim, nosso casamento sempre foi formado por dois agindo como um. Escolhemos atuar como se dirigíssemos uma daquelas bicicletas com dois assentos, em vez de morar juntos mas levar vidas separadas e independentes.

Este livro é sobre casamento, mas um casamento de tipo diferente. Não tentamos escrever um livro padrão sobre relacionamento conjugal, abordando os problemas costumeiros. Há uma grande diversidade de bons livros sobre casamento, que parecem dar resposta a quase qualquer problema que possa surgir em seu matrimônio. Mas percebemos que existe uma escassez de livros sobre o significado de ser cabeça e como duas pessoas de personalidade forte podem trabalhar juntas em união, como cada um dos cônjuges pode liderar dentro de sua área de especialidade e como o casal pode reverter a tendência demoníaca do divórcio e dos relacionamentos superficiais — uma epidemia tão grande em nossa sociedade — a fim de apresentar um exemplo saudável de Jesus e sua igreja a um mundo necessitado e doente.

Conforme você perceberá, há mais anedotas pessoais do que talvez você esteja acostumado a ver em um livro como esse, mas fizemos isso para ajudá-lo a entender como é possível pôr em prática o que estamos prescrevendo. Este livro é, ao mesmo tempo, teológico e prático. É possível colocar as ordens bíblicas para os casais em um formato que lhes permita viver a ordem divina para o casamento no mundo moderno e ser bem-sucedidos. Afinal, se nosso casamento não funcionar em harmonia, como as pessoas conseguirão ter uma imagem correta de Jesus e sua igreja? Pois o casamento deve seguir o modelo de Jesus e sua igreja.

PREFÁCIO

Por fim, este livro tem um lado singular, uma vez que as habilidades de liderança de Devi são, de muitas maneiras, bem superiores às minhas. *Ele diz, ela diz* não foi escrito por um colérico forte, do tipo macho alfa. Sou apenas uma daquelas personalidades comuns que cerca de 70% dos homens têm. No entanto, assim como todos os homens, também tenho habilidades de liderança em algumas áreas. O mesmo se aplica às mulheres. Independentemente do tipo de personalidade, elas ainda assim possuem dons de liderança em algumas áreas, grandes ou pequenas. Logo, este livro leva consolo para os dois cônjuges. Não importa qual seja o percentual de suas habilidades de liderança, se você tem tendência a ser mais dócil ou dominador, passivo ou convincente, de todo modo você é um líder eficaz em alguma área e merece ser encorajado.

Uma vez que ensino homens o tempo inteiro, sempre me preocupo com o mundo condescendente e destrutivo no qual nasceram, que tende a continuar desvalorizando-os e castrando-os. Quero que saiba que você não tem inteligência inferior e, muito provavelmente, é bem superior ao que costuma imaginar. Para os homens lá fora que acham que você nunca será um bom cabeça, muito menos um bom líder, escrevo para lhe dar a certeza de que você já é. Suas habilidades só precisam ser reconhecidas, incentivadas e liberadas. Deus o projetou para a grandeza, por isso eu lhe digo, assim como digo a milhares de homens: "Você é incrível e não consegue evitar ser incrível". Desejo elevar tanto homens como mulheres no entendimento de quanto são especiais e de como podem liberar suas capacidades de liderança das maneiras mais fundamentais e, ao mesmo tempo, profundas.

Portanto, seja bem-vindo a um livro diferente!

LARRY TITUS

Prefácio

— Por Devi

Escrever este livro foi uma jornada muito divertida. Há muitos anos, Larry e eu escrevemos a primeira versão e publicamos por conta própria a fim de distribuí-lo em um evento no qual eu seria a oradora. O tema de minha palestra para as esposas de pastor era "Vivendo com um líder".

Durante o processo de preparo para aquele congresso, eu me dei conta de que não era só eu que vivia com um líder, já que meu esposo era o pastor titular de uma grande igreja, mas além disso percebi que Larry também vivia com uma líder. Minha intenção era encorajar as esposas de pastor diante dos desafios que enfrentam por causa da profissão do marido. Sim, embora liderar uma igreja seja, para alguns, um chamado, para outros é uma profissão. Mas quando homens que são líderes, independentemente do que eles liderem, também vivem com uma líder dentro de casa, a confusão pode ser dobrada.

Durante minhas conversas com Larry sobre o assunto, decidimos escrever um livro juntos, cada um apresentando a própria perspectiva sobre o tema em mãos. No fim das contas, temos um livro diferente sobre casamento. Não temos a intenção de que ele seja um material abrangente de aconselhamento conjugal. Nosso plano é que seja real, simples e de fácil compreensão.

PREFÁCIO

Não editamos nosso estilo individual de comunicação. Você identificará o humor dele e minha abordagem direta.

Em alguns capítulos, Larry escreve tanto para cônjuges como para homens. Primeiro, eu tentei mudar a voz dele em relação ao gênero, a fim de incluir homens e mulheres. Quando fiz isso, a escrita dele perdeu paixão e personalidade. Larry escreve "Ele diz" para homens e mulheres lerem, mas, por causa da grande paixão de Larry em capacitar homens, você precisa entender que, com frequência, ele acaba se dirigindo somente aos homens. Eu amo isso nele. Larry é marido e pai e fala como marido e pai na maior parte do tempo. Ele é pastor e fala como pastor. É amigo e conversa com os homens como amigo. Por isso, aprecie quem ele é enquanto compartilha com você a sabedoria que tem.

Meus capítulos têm princípios para homens e mulheres, mas, por vezes, eu me pego falando especificamente para as mulheres. É natural para mim fazer isso, já que palestro para milhares de mulheres todos os anos. Assim, de forma prática, os capítulos refletem quem nós somos.

Dois mil exemplares do nosso primeiro livro defeituoso, com erros de digitação e frases mal estruturadas, venderam depressa. Envergonhada com a primeira apresentação, recusei-me a investir em uma reimpressão do manuscrito original. Por isso, o livro ficou esgotado por muitos anos. Agora, respondemos aos pedidos e reescrevemos *Ele diz, ela diz*. Esta é a versão expandida pelos autores, que agora têm mais de cinco décadas de casamento e muita prática em honrar e se sujeitar um ao outro à medida que experimentam a realidade de dois líderes que vivem juntos.

Sinto um amor tão intenso por Larry hoje quanto no dia em que nos casamos e, sem dúvida, nos divertimos mais.

Aprendemos a rir quando percebemos que estamos "liderando" um ao outro, ou melhor, dizendo o que o outro deve fazer. Não temos nenhum motivo importante para brigar — ele me deixa estar certa e eu o deixo estar certo. Não tentamos provar que o outro está errado. Honrar Larry é um privilégio para mim. Ele me escolheu como esposa e eu me concentro em tornar a vida dele maravilhosa, a fim de que nunca se arrependa da decisão que tomou. Enquanto honro e sirvo Larry, submissa à sua posição de cabeça, não perdi minha individualidade. Pelo contrário, eu me encontrei.

Larry me amou e me serviu fielmente mesmo nas ocasiões em que não o mereci. Sua paixão pelo ministério me levou a muitas nações do mundo. Lágrimas ainda me vêm aos olhos quando penso em nossa vida extraordinária juntos — esta garotinha de uma cidade bem pequena da Califórnia que disse: "Sim, eu prometo" e tem cumprido o que disse. Meu tesouro são nossos dois filhos, netos e bisnetos incríveis, que seguem o exemplo do amor de Cristo que Larry demonstra em nossa família. Eu o aceitei como uma noiva fiel e sou profundamente agradecida pelo poder de seu amor em minha vida. Nós nos agarramos um ao outro e conseguimos superar os momentos difíceis.

Abaixe a guarda e coloque a espada no chão. Aproveite a vida dinâmica maravilhosa criada para os líderes que amam servir e aceitam a liderança do outro. Aceite estes princípios e aproprie-se deles. Torne-os seus. Um dia, você também poderá escrever a própria versão de *Ele diz, ela diz*. Esperamos ansiosos para ouvir sua história.

Noiva agradecida,
Devi Titus

Introdução

Por Larry

Quer saber por que eu escolhi ser coautor de um livro sobre a convivência entre dois líderes? É porque eu mesmo precisava de um e não consegui encontrar. Sabe por que sou qualificado para escrever este livro? É porque eu vivo com uma líder. Não, pensando bem, eu moro com uma Líder com L maiúsculo. Espere aí, eu vivo com uma LÍDER! Em uma escala de zero a dez, o quociente de liderança de minha esposa é de 193, crescendo a cada dia. Quero que você tenha a certeza: EU VIVO COM UMA LÍDER!!! Alguma dúvida?

Lembro-me de que, certa vez, estávamos a bordo de um Boeing 747 quando ela tentou reorganizar cada um dos assentos de nossa seção naquele grande avião comercial. Minha esposa queria que os membros de nossa família se sentassem juntos.

Recordo-me de como ela planejou cada detalhe de nosso casamento. Ela também sente vontade de dar uma nova cara a toda cerimônia matrimonial a que é convidada.

Não me esqueço do dia em que ela testemunhou um acidente de carro e, de imediato, assumiu o controle da situação. Sem hesitar, começou a ajudar os feridos, direcionar o trânsito, chamar a polícia e orientar o policial a ligar o pisca-alerta.

Então, saiu correndo pela rua no encalço do condutor que havia fugido do local sem prestar assistência. Minha mulher fez tudo isso de terninho e salto alto! Nada, nada mesmo é impossível para minha líder/esposa.

Eu pergunto mais uma vez: há alguma dúvida acerca de minha qualificação para escrever um livro sobre viver com uma líder? Amigos, eu moro com Devi Titus — uma talentosa escritora, editora de revista, modelo, mãe, palestrante, professora e pregadora da Palavra, *designer* de interiores, fundadora da Mansão de Mentoreamento, empreendedora e realizadora de qualquer coisa que sua mente se propuser fazer.

Às vezes penso que Devi inventou a palavra "Líder". Ela saiu da barriga da mãe liderando e não parou de liderar um dia sequer de sua vida. Então, ela se casou comigo. Ao se casar comigo, casou-se com um líder. Eu, porém, sou líder por obrigação. Sou líder por ser o cabeça de minha esposa e por ser pastor há quatro décadas. Sou líder por ser homem, e espera-se que os homens liderem. Sou líder porque tenho convicções bíblicas que me levam a liderar. Por fim e o mais importante, sou líder porque minha esposa diz que eu sou. Então, pronto! Amém!

Nem preciso dizer que, ao longo de nossos cinquenta e tantos anos de casamento, já discordamos algumas vezes em relação a como liderar. Esse é, portanto, o motivo para escrevermos este livro. Você ou alguém que você conhece se identifica com minha situação? Em caso afirmativo, una-se a mim à medida que debatemos as ricas e recompensadoras possibilidades inerentes a viver com um líder.

1
[ELE diz]
Cabeça e liderança

———————————————————— Por Larry

Você sabe qual é a diferença entre cabeça e liderança no casamento? A responsabilidade bíblica de um homem casado de supervisionar seu lar, bem como de amar, proteger e dar liberdade para sua esposa, define o que é ser cabeça. Liderança se refere à personalidade e/ou aos dons de alguém. Deus o chama de "cabeça" de sua esposa, caso você seja casado. Em contrapartida, o líder dominante do lar pode ser tanto o homem como a mulher. Deixar de entender essa distinção provocou séculos de confusão nos relacionamentos conjugais. Com muita frequência, os homens tentam assumir o papel de líder porque sentem essa obrigação. As mulheres fazem o contrário, tentando reprimir sua personalidade de liderança porque sentem que liderar seria uma contradição da responsabilidade de ser submissa ao marido.

Mas tenho boas notícias. Se o homem não possui habilidades de liderança, ele não precisa liderar por obrigação. Ainda assim, ele deve assumir a responsabilidade de ser o cabeça. Caso a mulher possua capacidades naturais de liderança, ela pode ter liberdade para liderar de acordo com sua personalidade. No entanto, não deve violar o princípio do cabeça do lar, por meio de rebeldia, dominação ou desrespeito.

O chamado do homem para ser cabeça

Vejamos os textos a seguir a respeito do chamado do homem para ser cabeça:

> Mas quero que saibam de uma coisa: o cabeça de todo homem é Cristo, o cabeça da mulher é o homem, e o cabeça de Cristo é Deus.
>
> 1Coríntios 11.3
>
> Pois o marido é o cabeça da esposa, como Cristo é o cabeça da igreja. Ele é o Salvador de seu corpo, a igreja.
>
> Efésios 5.23

Para entender o que é ser cabeça, é preciso reconhecer que o homem é, perante Deus, o grande responsável pelo casamento. Conforme mencionei acima, é algo inerente ao gênero. Não diz respeito às qualificações, às habilidades ou à personalidade do homem. Está ligado somente a uma coisa: Deus, em sua prerrogativa divina de Criador, designou o homem (não a mulher) para ser o "cabeça". Se alguma mulher tiver dificuldade com isso, sugiro ir reclamar com Deus, pois foi ele quem tomou essa decisão. Ou então ela pode escolher não se casar.

O líder nato

Já a liderança é uma questão de personalidade, temperamento e dons. A personalidade dominante em termos de liderança dentro do lar pode ser do homem, da mulher ou uma combinação de ambos. Conforme contei na Introdução, minha esposa é uma líder nata. Nós a chamamos de líder natural. Desde o momento em que seus pés tocam o chão pela manhã até ir dormir à noite, ela lidera. No entanto, ela escolheu voluntariamente honrar e ser submissa ao meu papel de cabeça dentro do casamento e do lar, debaixo de Cristo.

Repressão ou liberdade

Devi lidera os outros com naturalidade e eficácia. Logo, eu tenho apenas duas opções: posso reprimi-la ou dar-lhe liberdade. Muitos homens tentam reprimir e controlar a esposa que possui dons de liderança. Eles o fazem por insegurança ou por carecerem da compreensão dos papéis dentro do casamento. Impedem a liberação das habilidades de liderança da esposa e podem até se recusar a dar voz à mulher dentro do casamento, não permitindo que ela se expresse. Que vergonha! Muitas vezes, a esposa tem habilidades superiores de liderança que serviriam para o crescimento do marido, se tão somente ele desse a ela liberdade para expressar seus dons.

Deus quer que o homem aprecie os dons de liderança de sua esposa e dê a ela liberdade para os colocar em prática.

Contudo, mesmo quando o marido tenta reprimir a personalidade da esposa, não dá certo. Ela pode acobertar, mascarar e se sujeitar a ele, mas jamais será capaz de mudar quem ela é, assim como temos dificuldade para modificar a própria personalidade. Além disso, Deus não quer que ela mude. Deus quer que ela seja quem realmente é — a mulher única que ele criou. Deus quer que o homem aprecie os dons de liderança da esposa e dê a ela liberdade para os colocar em prática.

Nossos amigos Anna e Richmond McCoy têm ambos uma personalidade forte de liderança. Eles criaram um ótimo conceito que chamam de "princípio de crescer e diminuir". Escolheram se inspirar em João Batista, que precisava diminuir a fim de que Jesus pudesse crescer (Jo 3.30). Optam por honrar um ao outro sabendo quando é hora de diminuir para que o cônjuge possa crescer. Essa é uma decisão que deveria ser natural para duas pessoas comprometidas mutuamente em amor. Não precisaria haver necessidade de um manual ou de instruções especiais. Cada um poderia saber disso instintivamente. Dependendo das circunstâncias, a pessoa deve saber quando é hora de crescer ou de diminuir. Paulo nos instrui a fazer isso nas passagens a seguir:

> Não sejam egoístas, nem tentem impressionar ninguém. Sejam humildes e considerem os outros mais importantes que vocês.
>
> Filipenses 2.3

> Sejam sempre humildes e amáveis, tolerando pacientemente uns aos outros em amor. Façam todo o possível para se manterem unidos no Espírito, ligados pelo vínculo da paz.
>
> Efésios 4.2-3

Cabeça *versus* liderança

Para deixar bem claro, vamos resumir as diferenças entre cabeça e liderança dentro do casamento:

- A responsabilidade por ser o cabeça recai somente sobre o homem.
- O cabeça providencia cobertura para as capacidades de liderança da esposa.
- Ser cabeça exige que o homem entenda que ele está sujeito a Cristo, seu cabeça.

- A atuação do cabeça dentro do casamento deve imitar a conduta de Cristo.
- O cabeça entende que a responsabilidade final é dele.
- O cabeça supervisiona todo o lar e o casamento.
- O cabeça é o árbitro final ao decidir o rumo da família.
- O cabeça é o ponto final de autoridade dentro do lar.

Em contrapartida:

- A liderança é o dom natural de influenciar pessoas.
- A liderança está intimamente ligada a habilidades e personalidade.
- A liderança pode ser uma combinação de habilidades do marido e da mulher.
- A liderança pode ser predominante em um dos cônjuges.
- A liderança deve ser reconhecida e liberada pelo cabeça do lar (o homem), para que seja eficaz.
- As responsabilidades de liderança podem ser reconhecidas e liberadas para os filhos quando eles alcançam a maturidade.

Deixe-a voar

Agora, meu caro, você precisa se fazer uma pergunta importante: "Em que áreas tenho recusado liberdade à minha esposa para exercer sua liderança?". Confesse com sabedoria quais são as áreas em que você tem reprimido a liderança de sua mulher, impedindo-a de se sentir completamente livre para cumprir seu chamado diante de Deus, em submissão a você, o cabeça.

Em meu papel de marido, minha maior alegria é ver minha esposa livre e plenamente realizada com seus dons, sua personalidade e seu chamado. Se isso significar que eu preciso diminuir em algumas áreas a fim de que ela cresça, que assim seja. Cabe unicamente a mim dar asas para que minha esposa possa voar alto.

1
[ELA diz]
Cabeça e liderança

———— Por Devi

Larry falou sobre ser cabeça e ser líder dentro do casamento com base na perspectiva masculina. Concordo totalmente com a apresentação que ele fez desses conceitos vitais. Creio que a confusão comum entre cabeça e líder causa grande confusão nas organizações, nas igrejas e, sobretudo, nas famílias.

Larry deixa bem claro que cabeça e liderança não são sinônimos. Nem são confinados ao gênero, exceto no casamento, no qual Deus ordena que o homem seja cabeça da esposa. Não raro, usamos os termos cabeça e liderança de maneira intercambiável. O uso descuidado de dois princípios diferentes, mas muito importantes, confunde os papéis e as reações dos envolvidos. Talvez eu possa ajudar a esclarecer e detalhar ainda mais.

Cabeça

Cabeça é a autoridade atribuída. O cabeça se encontra acima de todas as outras posições de liderança. No entanto, o cabeça pode não ter o dom de liderança. Vários níveis de liderança podem existir debaixo do cabeça. No caso do cabeça, porém, existe apenas uma camada. Permanece apenas um cabeça. Revisemos rapidamente os atributos do cabeça:

- O cabeça é a autoridade.
- O cabeça supervisiona.
- O cabeça dá liberdade para os líderes trabalharem sob seu direcionamento.
- O cabeça deve unir sua equipe.
- O cabeça pode ser homem ou mulher, com exceção do casamento, no qual, de acordo com os princípios bíblicos, o homem é o cabeça.
- O cabeça tem limites.

Permita-me ilustrar o que é ser cabeça com o cenário a seguir: se um patrulheiro rodoviário o parar e lhe der uma multa por excesso de velocidade, você precisa se sujeitar a ele. Caso não o faça, sem dúvida sofrerá uma penalidade legal. Por quê? Porque a polícia rodoviária tem autoridade legítima atribuída por nossas leis. O fato de que o oficial é seu cabeça nessa situação não significa que ele o lidera, nem prova que é um bom líder.

Você pode ser um líder muito influente no ambiente de trabalho. É possível que tenha conquistado o respeito de milhares em sua empresa. Talvez você até seja CEO. No entanto, no momento em que toca a sirene e piscam as luzes do carro da polícia, você não está mais no comando. Sua autoridade de CEO não se estende a esse momento. Quando o patrulheiro o para na estrada, ele se torna o cabeça. Quem é o líder? Você continua a ser líder, mas não líder do patrulheiro.

Você não pode dizer: "Oficial, eu possuo excelentes habilidades de liderança e você não. Então não vou pagar esta multa". Nem pode falar: "Veja bem, eu pagarei a multa se você começar a agir como líder". Nada disso! Você se sujeita a ele como o cabeça da situação e faz o que o policial diz. Depois que ele vai embora, você continua a desempenhar seu papel anterior. Pode voltar ao trabalho como CEO e continuar a liderar e dirigir seus subordinados.

Liderança

Ao contrário do cabeça, o líder pode ter múltiplas facetas:

- Há vários estilos de liderança.
- É possível aprender a liderar.
- A liderança é natural para alguns, mas não para outros, dependendo da personalidade.
- Líderes têm seguidores.
- Líderes influenciam os outros.
- Líderes instruem.
- Líderes delegam.
- Líderes respeitam aqueles a quem influenciam.

Liderança e cabeça dentro do casamento

O que acontece quando uma mulher com o dom de liderança se casa com um homem sem habilidade natural para liderar? Esse cenário muito comum com frequência leva a dificuldades conjugais. Às vezes, o problema surge quando a esposa tenta forçar o marido a fazer algo que não lhe é natural, desejosa de que assuma uma posição de liderança para a qual ele não está capacitado. Às vezes, o marido compreende mal seu papel de cabeça, pensando que deve dominar e controlar.

Tais casamentos só se tornam saudáveis quando tanto o marido como a mulher entendem o que é ser cabeça e líder. O esposo deve compreender que recebeu a responsabilidade bíblica de supervisionar a esposa. No entanto, ele deve supervisionar com sensibilidade. Precisa dar liberdade para que ela sirva a família com suas habilidades naturais de liderança. Sua iniciativa como cabeça faz que ela responda com liderança debaixo da supervisão do marido. Seu papel de cabeça libera um novo tipo de liderança. A liderança dele e a dela também.

A esposa que tem qualidades de liderança deve tomar cuidado para não instruir o marido, ensinando e dizendo o tempo inteiro o que ele deve fazer. Se a esposa tem autoridade de cabeça no trabalho, precisa ter consciência da necessidade de tirar o crachá de "chefe" assim que estaciona na garagem de casa. Ela precisa entrar em casa com atitude de serva. Deve usar suas habilidades de liderança para ensinar os filhos no caminho da responsabilidade, mas não pode agir de maneira semelhante com o marido. Quando ela se sujeita ao marido como cabeça e o honra, promove a paz dentro do lar e em todos os relacionamentos familiares.

Cabeça e liderança no trabalho

E o que dizer do ambiente de trabalho em que a mulher atua como chefe? Esse cenário tem desdobramentos tanto para o patrão como para os homens que trabalham sob sua chefia. Os homens devem continuar a tratar a chefe como uma dama, não como um dos "rapazes". No ambiente profissional, o homem ainda deve ceder seu lugar, levantar-se quando ela entra na sala ou se aproxima da mesa e ajudá-la com sua força masculina, considerando-a a parte mais frágil. Contudo, ele deve se lembrar de que o fato de ela ser mais fraca no aspecto físico não a torna menos inteligente!

De igual modo, as mulheres com autoridade de cabeça devem se relacionar com os homens que trabalham sob sua chefia lançando mão de bons modos, conduta graciosa, comportamento respeitoso e delicadeza feminina. Lembrem-se, mulheres, vocês nunca precisam provar seu valor!

Eu sou líder!

Eu sou mulher e uma líder nata. Minha mãe conta uma história sobre meus primeiros dias no jardim da infância. Certa tarde, durante o recreio, convenci meus colegas de sala a fazer três filas de tamanho igual. Sob minha ordem, uma fila ia para os balanços, outra para as gangorras e outra para o trepa-trepa. Quando eu mandava mais uma vez, cada grupo mudava de posição. E o mais surpreendente é que as crianças realmente faziam o que eu ordenava! Lembre-se: os líderes têm seguidores, e eu já os tinha aos 5 anos de idade.

Quem me criou assim? Foi Deus. E ele também me fez mulher? Claro que sim! Logo, tudo bem eu liderar? Sim! No entanto, por ser mulher e entender o conceito de cabeça, preciso honrar e respeitar os homens, mesmo que tenha autoridade sobre eles.

O que dizer da submissão?

Não entenda mal meu posicionamento neste capítulo. Não estou abordando este assunto para me defender como líder, nem tentando colocar em descrédito a importância da submissão. A submissão continua a ser importante no casamento, nos relacionamentos corporativos e em qualquer outra área. Entendo plenamente que o princípio da autoridade e de se relacionar bem com as figuras de autoridade são aspectos vitais de um bom caráter. A submissão adequada à autoridade, além de bíblica, também é libertadora na vida daqueles que escolhem ser submissos. Falaremos sobre submissão em maiores detalhes em um capítulo posterior.

Andar no Espírito

As instruções de Paulo em Gálatas esclarecem a esse respeito:

> Por isso digo: deixem que o Espírito guie sua vida. Assim, não satisfarão os anseios de sua natureza humana.
> Gálatas 5.16

> Mas o Espírito produz este fruto: amor, alegria, paz, paciência, amabilidade, bondade, fidelidade, mansidão e domínio próprio.
> Gálatas 5.22-23

Nenhum líder, homem ou mulher, deve se relacionar com outra pessoa de maneira condescendente ou dominadora. Bons modos, gentileza e mansidão sempre devem predominar. Seja cabeça, líder ou ambos, lembre-se de dar mais importância aos outros que a si mesmo. Dessa maneira, quando você e seu cônjuge líder estiverem juntos, conseguirão dobrar as bênçãos.

2

[ELE diz]
Aceite a diversidade

Por Larry

Lemos em Gênesis sobre como Deus realizou a primeira cirurgia em seres humanos. Ele tirou uma costela do lado de Adão e criou Eva. Esse evento no jardim do Éden marcou o ponto de partida para os homens reconhecerem suas diferenças em relação às mulheres.

Eu me pergunto se Adão olhou para Eva logo depois de sair da anestesia e comentou: "Uau, sem dúvida ela não é igual a mim. Será que há outras áreas nas quais somos diferentes?". Está brincando? Ele teria uma bela surpresa! Adão e Eva eram tão opostos que daria para pensar que tinham vindo de planetas diferentes. Também consigo imaginar que, logo depois de receber alta do pós-operatório, deve ter começado a reclamar: "Senhor, precisava criá-la tão diferente? Nós não temos nada em comum!".

Pouco mudou desde o jardim. Continuamos a ouvir os homens reclamarem de que as mulheres são diferentes. Mas é óbvio! Esse foi o propósito de Deus! Aprendemos que Deus planejou que Eva se relacionasse com Adão, mas fosse totalmente diferente dele. Homem, sua costela não está mais na lateral de seu corpo, mas sentada em sua frente à mesa, olhando bem em seus olhos.

De vez em quando, ouço alguém dizer: "Você precisa entrar em contato com seu lado feminino". Minha resposta é simples: "Eu me casei com meu lado feminino! O nome dela é Devi". Se você quiser entrar em contato com seu lado feminino, estenda a mão até o outro lado da mesa e segure a de sua esposa. A propósito, só por ser um homem criativo, isso não quer dizer que você tem um lado feminino. Deus removeu cirurgicamente seu lado feminino. Isso só significa que você é um homem criativo.

Vou dar um palpite do nada, tudo bem? Eu posso quase garantir que sua esposa é o contrário de você, estou certo? Não apenas em algumas coisas, mas em tudo. Ela ouve as coisas de maneira diferente. Reage de maneira diferente. Processa as coisas de maneira diferente. E, louvado seja Deus, tem uma aparência diferente da sua. Então por que está reclamando? A pergunta não é se minha esposa é diferente de mim, mas, sim, se eu aprecio nossas diferenças. Além disso, acaso eu decidi ativamente usar essas diferenças para promover a harmonia e a união em nosso casamento?

Sei que será um choque ouvir que Devi e eu somos totalmente opostos, mas funcionamos em perfeita harmonia. Eu processo as coisas bem devagar; já ela é instantânea. Eu gosto de gratificação imediata; ela prefere planejar, economizar e esperar. Ela anda muito, muito rápido; já eu me movimento bem, bem devagar. Ela adora encontros sociais; eu aprecio a solidão. Ela adora conversar; eu adoro ler. Ela adora cuidar do jardim; eu adoro sentar em jardins. Ela adora cozinhar; eu adoro comer. Ela adora comida sofisticada; eu adoro McDonalds. Ela adora filmes sérios, cheios de suspense; eu prefiro comédias. Devi adora falar para multidões; eu adoro passar tempo individual com as pessoas. Ela adora fazer compras; já eu prefiro fazer qualquer coisa no mundo, *menos* compras. Eu preferiria pular de paraquedas de cabeça para baixo a fazer compras.

Vá em frente, agora, e pense em algumas das maneiras em que você é oposto a seu cônjuge. A pergunta é: você aprecia a diversidade dela ou a despreza? É impossível alcançar a união sem diversidade. Preciso dizer mais uma vez: é impossível alcançar a união sem diversidade. A mesmice nunca produz unidade. Só a diversidade o faz. É impossível se unir a si mesmo. Deus não o criou para ser um solista. Ele deseja que você e sua esposa entrem em harmonia e "cantem um dueto" todos os dias, a vida inteira.

Preciso dizer mais uma vez: é impossível alcançar a união sem diversidade.

Deus criou uma pessoa

Comecei a aprender sobre diversidade há mais de cinquenta anos, quando, em nossa lua de mel, Devi e eu estávamos dirigindo à procura de uma vaga para estacionar. Minha esposa de apenas um dia imediatamente identificou uma vaga e me mostrou. É claro que estava em um local diferente daquele que, em meu raciocínio final, eu havia decidido parar. Desde então, não se passou um dia sem que tenhamos andado em ziguezague, eu para a esquerda e ela para a direita, ou em que eu tenha dito "não" e ela "sim". Decisões e ideias que parecem completamente lógicas para mim podem parecer totalmente ilógicas para ela, e vice-versa. Fico deslumbrado diante de nossas diferenças. Às vezes, eu me espanto: "Como uma mulher tão bonita pode errar com tanta frequência?". Não, para falar a verdade, as coisas não são assim. O que me encanta o tempo inteiro é como conseguimos trabalhar tão bem em harmonia, unindo nossa diversidade em uma única posição mais forte.

Você pode notar, ao ler com cuidado Gênesis 2, que Deus não criou duas pessoas. Ele criou apenas uma. E fez duas pessoas a partir de uma na criação. Logo, na verdade, tudo que o homem diz ou faz é apenas metade da resposta. A outra metade reside na pessoa que completa sua metade.

O grande desígnio de Deus requer que duas pessoas totalmente diferentes, homem e mulher, façam a aliança do casamento e se unam para se tornar uma só. São necessárias duas opiniões e visões opostas para chegar às melhores decisões.

Os opostos se atraem. Será?

Não é interessante que, antes de um casal se casar, eles atraem um ao outro por causa de suas diferenças? Então, assim que dizem sim no altar, as diferenças se tornam irritantes. O que antes era adorável se torna incômodo. O truísmo de que "os opostos se atraem" muda após o matrimônio para "os opostos se repelem".

Era tão adorável quando Devi deixava os sapatos espalhados pela casa inteira! Até que chegou o dia em que parou de ser. Lembro-me da noite em que os sapatos espalhados foram parar no chão do meu lado na cama, mas só percebi quando acordei de madrugada e tropecei neles.

Antes de nos casarmos, a personalidade forte de Devi me atraía muito. Depois que nos casamos, aquelas habilidades positivas de liderança se transformaram simplesmente em uma mulher mandona. Será que ela havia mesmo mudado ou eu é que a estava enxergando de uma perspectiva diferente?

Tenho uma teoria. Creio que as características que eram adoráveis antes do casamento com frequência se tornam detestáveis depois. No entanto, o casamento saudável precisa fazê-las voltar à condição adorável.

Por exemplo, o estilo de liderança arrojado de Devi que eu achava atraente em minha experiência pré-casamento deve voltar a esse estado adorável. Isso faz sentido?

Aquilo que eu achava tão atraente em sua forma espontânea de tirar os sapatos assim que entra em casa precisava retornar à mesma condição adorável anterior ao casamento que tanto me atraiu a ela no princípio.

Quais são as coisas em seu cônjuge que deixaram de ser adoráveis para se tornar detestáveis? A menos que você faça que voltem a ser tão "adoráveis" quanto no momento em que o atraíram a ela no princípio, seu casamento deixará de ser saudável e o abismo entre vocês dois só aumentará.

Deus não nos chamou para mudarmos a personalidade de nosso cônjuge. Após o matrimônio, por vezes sentimos que o Senhor nos concede o "dom da crítica", a fim de poder mudar ativamente as coisas que não gostamos no outro. Bem, tenho uma novidade para você. Não é isso que acontece. Deus deseja que apreciemos nossas diferenças de estilo e personalidade, em vez de tentar conformá-lo à nossa imagem. Deus nos criou à imagem dele. Então ele nos une e diz: "Aprendam a trabalhar juntos. Cada um de vocês tem o ingrediente perfeito para complementar o outro".

Deus gosta de sinfonias

No livro de Mateus, encontramos um dos textos bíblicos mais poderosos de toda a Palavra de Deus:

Também lhes digo que, se dois de vocês concordarem aqui na terra a respeito de qualquer coisa que pedirem, meu Pai, no céu, os atenderá.

Mateus 18.19

O verbo "concordarem" vem da mesma palavra grega da qual derivamos o termo "sinfonia" em português. Jesus diz que se duas pessoas começarem a entrar em harmonia, Deus fará o que pedirem. O Senhor sempre ouve os sons de harmonia. Ele não está em busca de solos, nem do homem, nem da mulher. Os solos são mortos, ocos e sem graça, desprovidos de música de fundo para os acompanhar. Não importa se é vocal ou instrumental, a música sempre soa melhor quando tons diversos se unem para alcançar o resultado proposto. Os casamentos, com frequência, consistem em um de dois parceiros trabalhando totalmente sozinho sem o complemento da contribuição do outro.

Até Deus trabalha em harmonia e sinfonia com o Filho e o Espírito Santo. Nada acontece sem a cooperação dos outros. Deus também coloca o universo inteiro para trabalhar em sinfonia. O universo opera em sinergia, na qual a cooperação de cada coisa criada é necessária. Se isso é verdade, quanto mais o marido e a mulher — a obra-prima da criação divina — devem trabalhar juntos! Os parceiros no casamento devem aprender a entrar em harmonia. Lembre-se: Deus ouve. E, se ele não ouvir uma sinfonia, nada garante que ele responderá às suas orações (1Pe 3.7).

Em harmonia

Na Bíblia, Deus criou o universo inteiro, dos céus aos animais, com sua voz. "E disse Deus" — sua palavra falada era todo o necessário para trazer algo do nada à existência. No entanto, quando Deus criou o ser humano, fez mais que simplesmente falar para que o homem existisse. Ele desceu à terra e o formou pessoalmente usando pó. Então, soprou seu fôlego em Adão. O ser humano é a energia criativa de Deus em sua melhor forma. Ele não só criou o ser humano, como também o fez à própria imagem. Após esse ato de criação, ele tirou a mulher de dentro do homem. Então os uniu de volta e os instruiu a serem um. A unidade bíblica não é ser igual, mas, sim, estar em harmonia. É quando duas pessoas juntam seus diferentes talentos, opiniões e percepções visando o bem comum. Lembre-se: unidade não é uma opção; Deus a ordenou.

Em sua economia e sabedoria, Deus escolheu unir os opostos. Em consequência, a escolha de unir leva a um relacionamento mais completo, sadio e sem lacunas. Louvado seja Deus porque os opostos se atraem! Se você e seu cônjuge não tiverem personalidades únicas e não vierem de contextos diferentes, suas decisões não terão equilíbrio, segurança, sabedoria, proteção ou sucesso. É a diversidade que permite a eficácia.

Louvado seja Deus pelas diferenças

Agora é um bom momento para parar e refletir, ou, quem sabe, até escrever quais são as áreas nas quais você e seu cônjuge são diferentes. Então, após fazer a lista, separe tempo para louvar ao Senhor por suas diferenças.

Por exemplo, o homem pode dizer sobre a mulher:

- Ela é emoção, e eu sou razão.
- Ela é prática, e eu sou visionário.
- Ela é multitarefas, e eu tenho foco único.

- Ela é sociável, e eu sou introvertido.
- Ela é quieta, e eu sou extrovertido.
- Ela tem muita energia para compromissos sociais, já eu tenho pouca necessidade de convívio social.

A mulher pode dizer:

- Ele fica feliz dentro de casa, enquanto eu gosto de socializar.
- Ele tende a tomar decisões instantâneas para comprar as coisas, enquanto eu gosto de ter tempo para comparar preços e pensar com calma.
- Ele fica feliz assistindo à televisão, ao passo que eu gosto de realizar projetos.
- Ele é rápido em oferecer soluções, já eu gosto de conversar sobre o problema.
- Ele desconfia mais das pessoas, enquanto eu tendo a confiar.
- Ele demora a chegar a conclusões, enquanto eu as processo com rapidez.
- Ele sempre quer se divertir, ao passo que eu estou o tempo inteiro tentando fazê-lo trabalhar.

Chegou a hora de louvar a Deus verbalmente por suas diferenças. Os cônjuges precisam trabalhar para se complementar, em vez de se oporem um ao outro. Aquilo que você vê como obstáculo pode, na verdade, ser um bem valioso. Somente quando unimos nossos pontos de vista, nossas opiniões e observações, é que conseguimos nos tornar valiosos um para o outro e para o reino de Deus. E o mais importante: é bem provável que aquilo que falta em um cônjuge, o outro já tenha. Isso não parece lógico? Se Deus retirou parte de sua personalidade na criação, ele só a restaura por meio do casamento. Não considere mais negativo o fato de haver pontos de vista diferentes entre vocês. Isso é extremamente positivo e necessário para que ambos tenham sucesso.

Muitas vezes, já ouvi casais dizerem: "Não posso deixá-la(o) saber que está certa(o), senão vai achar que ganhou". Ganhou o quê? Você acha que seu cônjuge é um inimigo? Cônjuges não lutam em lados opostos. Não é uma guerra. Vocês estão do mesmo lado. Qualquer vitória dela é sua também. Quem se importa com qual dos dois está certo quando o acerto de um automaticamente beneficia o outro?

Casamento e o corpo de Cristo

> "Por isso o homem deixa pai e mãe e se une à sua mulher, e os dois se tornam um só." Esse é um grande mistério, mas ilustra a união entre Cristo e a igreja.
>
> Efésios 5.31-32

O casamento replica o Corpo de Cristo — muitos membros operam sob o mesmo Cabeça com o propósito de cumprir o propósito de Deus neste mundo. A diversidade é importante no casamento, assim como no Corpo de Cristo. Aprenda a apreciar suas diferenças, em lugar de as desprezar. Toquem uma sinfonia. Dois é bem melhor que um quando aprendem a viver em harmonia.

> É melhor serem dois que um, pois um ajuda o outro a alcançar o sucesso. Se um cair, o outro o ajuda a levantar-se. Mas quem cai sem ter quem o ajude está em sérios apuros.
>
> Eclesiastes 4.9-10

Quanto mais vocês dois trabalharem em harmonia, mais saudável seu casamento será. E quanto mais saudável é o casamento, mais saudável é o Corpo de Cristo. Tudo depende da unidade, e não dá para conquistá-la sem harmonia. Chegou a hora de nós, homens, pararmos de cantar solo e começarmos a entoar duetos em harmonia. Após a harmonia, podemos trabalhar na sinfonia, que é quando os filhos entram para agregar sua diversidade à mistura.

2
[ELA diz]
Aceite a diversidade

―――――――――――――――――― Por Devi

Larry faz zigue e eu faço zague, pelo menos é o que ele diz. Não confunda isso achando que Larry acha que ele está certo, enquanto eu acho que ele está errado. Ziguezaguear nada tem que ver com certo ou errado. Quando estou costurando e coloco a máquina no ponto de ziguezague, faço isso por um bom motivo: impedir que a bainha se desfaça. A harmonia de pontos de vista distintos fortalece as decisões. Amplia nossa perspectiva pessoal e une a direção final.

O dicionário Webster define a palavra *diverso* da seguinte maneira: "Duas coisas ou mais distintamente diferentes uma da outra". Isso não é nenhuma surpresa para ninguém que entenda o homem e a mulher. Desde o princípio, os seres humanos foram projetados por Deus de maneira bem diferente, para propósitos muito distintos.

Nunca foi o plano divino que homem e mulher fossem iguais. Gênesis 2 registra o método diferente que Deus usou para criar o homem e a mulher. O homem veio do pó da terra, ao passo que a mulher foi formada a partir da costela e da carne de Adão. O homem foi criado para trabalhar no jardim do Éden e cuidar dele, já a mulher foi criada para ser sua auxiliadora. O homem é mais forte e a mulher é mais frágil na estrutura corporal. Somos diversos de todas as maneiras possíveis. Nossa estrutura física é diferente, nossa capacidade emocional é diferente e até nossa sensibilidade espiritual é diferente. O homem é o doador da vida por meio de sua semente, e a mulher é a portadora da vida dentro do útero. Nada no homem e na mulher são iguais. Não existe unissex na criação de Deus. Espalhar nossa diversidade é multiplicar uma nova geração única de pessoas diversas. Trata-se de um sistema maravilhoso criado por Deus, que, sem dúvida, deve ser apreciado e celebrado.

Sendo assim, por que tentamos converter o cônjuge para o tornar semelhante a nós? A falta de apreço pela diversidade é o principal motivo para os pontos de discordância da maioria dos casais. As brigas não passam de discussões de duas pessoas diferentes que tentam converter a opinião, o comportamento, os hábitos e as preferências do outro, para que se conformem aos próprios. Quem argumenta em prol do próprio ponto de vista, obrigando o outro a ser como ele, se considera superior e se recusa a apreciar e aceitar a diversidade de pensamentos.

É absolutamente impossível mudar seu companheiro para que ele seja como você, então nem adianta tentar.

É absolutamente impossível mudar seu companheiro para que ele seja como você, então nem adianta tentar. É melhor enxergar suas diferenças com olhar carinhoso e ser grato por elas.

Larry conta que, quando meus pés encostam no chão de manhã, o primeiro som que ele ouve são toc-tocs rapidinhos. Ele acha que eu só tenho um ritmo — ligeiro. Juntos, somos o típico exemplo da tartaruga e da lebre. Enquanto a lebre corre rápido, se cansa e dorme à beira da estrada, a vagarosa tartaruga mantém o ritmo e ganha a corrida. Se Larry seguisse meu jeito de ser e se apressasse para fazer tudo, tornando-se ansioso e frenético, nunca realizaríamos a combinação de tarefas que precisamos cumprir. E ele não teria a motivação para começar uma grande missão sem meu jeito de pular da cama e nos impulsionar a começar. A verdade é que necessitamos da diversidade um do outro a fim de alcançar nossos objetivos comuns.

Um cônjuge à minha imagem e semelhança?
Nem pensar!

Larry está certo! A diversidade faz bem. Eu nem gosto de estar com pessoas exatamente iguais a mim. Elas me cansam. Já sei o que vão dizer antes mesmo que abram a boca. Larry, em contrapartida, ainda me deixa no suspense mesmo após cinco décadas de casamento. Eu nunca o desvendei por completo, e espero que nunca o faça.

Amo ouvi-lo. Sempre quero saber o que ele pensa. Aliás, fico fascinada ao perceber que ele "pensa" antes de falar. Eu? Saio falando para só depois pensar no que disse. Às vezes, depois de pensar bem a respeito da situação, percebo que nem sequer acredito no que acabei de falar.

Eu amo os períodos em silêncio que passamos juntos. Podemos ficar sentados no mesmo ambiente sem falar nada. Bem, pelo menos ele não fala nada. Em geral, eu quebro o silêncio. Ele sorri para mim com olhos enternecidos.

Necessitamos da diversidade um do outro a fim de alcançar nossos objetivos comuns.

Passamos muito tempo juntos em aviões e ambos gostamos de ler. Eu, porém, sempre leio minhas expressões e frases preferidas em voz alta para ele ouvir, na esperança de que ele fique igualmente impressionado com a profundidade do autor que estou lendo. Ele me dá um sorriso torto (o sorriso torto é o jeito gentil de Larry dizer: "Não estou gostando do que você está querendo tentar que eu faça").

Por favor, não tente mudar seu cônjuge à sua imagem. Se o fizer, você não gostará dele ou de si mesmo. O casamento foi feito para criar um dueto, cantado com bela harmonia. Se você tem forçado ou convencido seu cônjuge a ser como você, as músicas que vocês entoam estão em uníssono — o que é entediante! Podem até estar bem desafinadas! A moral da história é que vocês necessitam da singularidade um do outro.

Apreciem as diferenças. Nosso relacionamento é cheio de riso e, na maioria das vezes, estamos rindo de nossas diferenças. Aprenda a rir de si mesmo e com seu cônjuge; nunca ria do seu cônjuge.

Larry é meu descanso, e eu sou a energia dele.

Larry é meu descanso, e eu sou a energia dele. Os dois elementos são igualmente necessários para uma boa saúde. Temos um relacionamento saudável porque, com o zigue dele e o meu zague, nada consegue nos desfazer e separar.

3
[ELE diz]
Controlar ou dar liberdade
———————————————————————— Por Larry

Para simplificar, categorizarei todos os homens como liberadores ou controladores. É claro que isso é geral e simplista demais. Muitos homens são controladores em algumas áreas e liberadores em outras. No entanto, apresentarei os extremos por questão de ênfase. Analisemos primeiro os controladores.

Controladores
Controladores: hominídeos enérgicos, impetuosos, impulsivos, insensatos, estouvados, de linguagem áspera, teimosos, infelizes, incorrigíveis, com a coragem de uma mosca. Os homens dessa categoria acham que a única maneira de manter seu domínio é por meio do controle e da repressão à esposa. Nem preciso dizer que esses homens não estão na minha lista de cartões de Natal deste ano, porque acredito que são absolutamente perigosos. Como eles ousam pegar os belos presentes que Deus lhes deu na forma de esposa para reprimi-las, com o objetivo de inflar o próprio ego e impor seu machismo? Essa forma de orgulho masculino precisa descer pela privada, pois não é bíblica!

Os controladores lideram com raiva, intimidação, manipulação, opressão e força. Eles lideram, isso é verdade, mas o fazem de forma negativa e destruidora. As pessoas os seguem por medo, não por respeito. Os controladores transformam suas belas esposas em objetos servis, aduladores, acovardados e temerosos das trevas — escravas de um marido brutal. Ao longo dos anos, dá para notar que o rosto cheio de luz dessas mulheres vai se tornando, aos poucos, taciturno, silencioso, retraído e obscuro, até abrirem mão de toda e qualquer esperança. A luz de sua amável personalidade vai se apagando até que, por fim, se extingue. Eu não gostaria de estar na pele desses homens no dia do juízo, quando precisarem prestar contas a Deus por abusar de sua autoridade.

Já conheci pessoalmente e observei belas mulheres se tornarem praticamente irreconhecíveis por causa de maridos inseguros, que as controlam com mão pesada. Se você é um desses homens, precisa se arrepender diante de sua esposa, de Jesus, de seus filhos, de seus funcionários e de qualquer outra pessoa que tenha maltratado.

Se as pessoas o seguem por qualquer motivo além do bom exemplo piedoso que você dá, então você se encontra fora de sincronia com o Espírito Santo e toda a Palavra de Deus. Seu objetivo deve ser que as pessoas *queiram* (e não que *tenham de*) seguir você. A submissão sempre deve ser subjetiva, porque as pessoas sob sua liderança entendem o princípio bíblico envolvido. Ninguém deve forçar ou adular o outro para que lhe obedeça. Sua esposa jamais deve se sentir forçada a ser submissa por meio da tirania. Se você lhe impõe a submissão, viola toda a Palavra de Deus. Ela deve ser submissa por vontade própria.

Boa parte do que consideramos "rebeldia" em uma mulher não passa da resistência a ser controlada e manipulada por um homem inseguro. Esse homem teme o que sua esposa se tornará caso ele perca o controle. Além disso, o homem controlador é capaz de agir com raiva e frustração quando as pessoas, em especial sua esposa, não se conformam com sua agenda opressora.

Sua esposa jamais deve se sentir forçada a ser submissa por meio da tirania.

Ele se ira quando coisas e pessoas não se alinham com suas exigências. No exército do homem inseguro, ele é o general, e todos os outros, sobretudo a esposa, são seus recrutas.

Admito mais uma vez que essa classificação é simplista, mas creio que o problema de controle significa um problema de orgulho — orgulho machista em sua forma mais mortal. Embora seja adulto, ainda brinca do jogo infantil de "rei da floresta". Ele é o rei e é dono da floresta.

Liberadores

Homens, meu apelo não é para que você controle sua esposa, mas, sim, para que lhe dê liberdade. Libere-a para se tornar tudo que Deus a criou para ser. Não tema que ela se torne melhor que você. Louve ao Senhor se isso acontecer. Não se preocupe de que ela ganhe mais atenção e notoriedade que você. Louve ao Senhor se isso acontecer. Não tenha medo de que ela ganhe um salário maior que o seu. Louve a Deus por essa bênção para vocês dois!

É impossível sua esposa ser excelente sem que isso leve honra a você. Ela reflete o marido. Se ela brilhar, é porque está pegando o brilho de você. Em 1Coríntios 11.7, o apóstolo Paulo diz que a mulher é a glória do homem. Se você irradiar, ela será radiante. Se você for obscurecido por um espírito distorcido e controlador, ela não conseguirá refletir você de maneira adequada e revelará sua escuridão. Quando você brilha, isso se mostra de imediato na face dela. Caso queira saber qual é a verdadeira aparência de um marido em seu papel de homem, olhe no espelho do rosto de sua esposa. Isso revelará muito.

Caso queira saber qual é a verdadeira aparência de um marido em seu papel de homem, olhe no espelho do rosto de sua esposa.

O oposto do marido controlador é o esposo liberador. Não dá para ser os dois. Ou você é controlador ou liberador. Então pergunte a si mesmo: qual deles é você? Se eu o descrevi nos diversos parágrafos acima, é hora de mudar. Você quer imitar a Cristo?

Como Jesus fazia?

Lemos no Novo Testamento sobre como Jesus pegou doze homens comuns e, com exceção de Judas, transformou cada um deles em pessoas extraordinárias. Esses onze seguidores incultos de Cristo viraram o mundo de cabeça para baixo — ou melhor, quem sabe, de cabeça para cima. Como ele fez isso?

1. *Jesus acreditava neles.* Os discípulos sabiam que Jesus estava a favor deles, não contra. Eles não tinham dúvida. Seguiriam-no até os confins da terra por causa do compromisso de Jesus para com eles. É verdade que crer em outras pessoas expressa amor, contudo é mais que isso. Revela de forma certeira que você as apoia, está do lado delas e permanece comprometido com o sucesso que elas terão.

2. *Jesus lhes deu sua autoridade.* Toda vez que Jesus enviava os discípulos com a mensagem do reino, ele lhes dava autoridade para imitar o que o viram fazer. Alguns homens temem

que a esposa ultrapasse o sucesso deles. Fica claro que Jesus não temia essa possibilidade. Aliás, em João 14.12-14, prometeu que os discípulos fariam obras ainda maiores que as que ele realizou. Jesus não tinha medo de ser superado em seus sucessos. Suas últimas palavras aos discípulos em Mateus 28.18-19 indicam que eles deveriam possuir a mesma autoridade que o Pai tinha lhe concedido.

3. *Jesus permitia que eles falhassem, sem degradá-los.* Nenhum dos discípulos passou pelos três anos e meio de treinamento sem cometer falhas consideráveis. É claro que Pedro é o primeiro que vem à lembrança, mas não foi o único. Todos abandonaram Jesus quando ele foi preso no jardim do Getsêmani. Nenhum permaneceu leal. No entanto, as Escrituras jamais registram Jesus degradando, humilhando ou falando com eles de maneira abusiva. Pelo contrário, ele preparou um desjejum para os discípulos às margens do mar da Galileia poucos dias depois dessa grande derrota. Jesus honrou seus discípulos quando eles se encontravam no fundo do poço, a fim de poder liberá-los para seu mais elevado potencial.

4. *Jesus os amava com amor incondicional.* O amor de Deus sempre é incondicional. Não é preciso merecê-lo. As pessoas não podem ser verdadeiramente seguras, a menos que tenham um ambiente de amor incondicional dentro do qual viver e chegar à excelência. Se você quer que sua esposa viva com segurança, liberdade, realização e alegria, ame-a de maneira incondicional. Paulo diz em Efésios 5.25 que você deve amá-la assim como Cristo amou a igreja — um amor que o levou até a cruz, um amor disposto a entregar a própria vida para que ela possa viver.

5. *Jesus lhes deixou sua glória quando voltou para o Pai.* O marido liberador faz planos para o futuro de sua esposa caso

ele morra. Quer que ela permaneça bem cuidada, confortável, desfrutando os frutos dos esforços do casal mesmo depois de sua morte e de já não poder cuidar pessoalmente dela. Antes de morrer, Jesus orou pedindo ao Pai que desse aos discípulos a mesma glória que ele tinha com o Pai antes da criação do mundo. Todas as bênçãos que Deus lhe dá devem ser transmitidas para sua esposa e descendência. Não retenha a glória. Não retenha as bênçãos. Não prive sua esposa daquilo que é dela por direito. Deixe para sua esposa uma herança que mostre que você se importa com ela o bastante para lhe garantir segurança mesmo depois de sua morte.

6. *Jesus orava por eles.* Em sua última oração, Jesus falou sobre os discípulos para o Pai. Desejava que eles tivessem sua glória, sua união e a proteção do Pai. Ore pedindo que Deus deposite uma bênção insubstituível na vida de sua esposa. De acordo com a Palavra de Deus, você é o cabeça de sua esposa. Suas orações fornecem um escudo impenetrável de fé na vida de sua mulher, proporcionando-lhe proteção, bênção, unção e liberdade. O maior presente que você pode dar à sua esposa é orar por ela com devoção todos os dias.

7. *Jesus destacava o potencial que via neles.* Jesus via quem os discípulos poderiam se tornar, não quem eles eram. Ele mudou o nome de Simão para Pedro, sabendo que, um dia, ele se tornaria uma rocha. Certa pessoa disse: "Na presença de pecadores, Jesus sonhava com santos". Ele não se concentrava nos pontos fracos de seus discípulos, mas, sim, nos fortes. Tinha fé de que seus seguidores alcançariam o mais elevado potencial. Via o vaso pronto, quando ainda era apenas um pedaço de barro. Ele os incentivava com palavras de encorajamento, tais como: "Vá em frente. Você consegue!". O marido liberador dá à esposa a confiança de que ela é capaz de fazer qualquer coisa.

Ele enxerga o que Deus planejou que ela se torne e concede o peso de sua confiança nela, até que se torne realidade.

8. *Jesus liderava pelo exemplo.* Jesus não liderava por meio de coerção ou intimidação. Seus seguidores o viam orar. Testemunhavam seus milagres. Eles o viam amar os não amáveis. Viam com os próprios olhos sua vida de pureza, sinceridade e verdade. Ele era acessível, compassivo e caloroso, não distante e desconectado. Jesus amava as crianças e ensinou seus seguidores a também ser amorosos com elas. Amava os pecadores e os incentivou a fazer o mesmo. Era manso, mas não bobo. Tinha autoridade, mas não abusava dela. Conquistava o respeito, em vez de exigi-lo. Dependia por completo do direcionamento do Pai. Colocava a vontade do Pai em primeiro lugar e procurava fazer somente aquilo que desse glória ao Pai. Não era dirigido por aquilo que as pessoas queriam, mas, sim, pela orientação do Pai. Acima de tudo, Jesus era totalmente obediente à vontade do Pai.

> *O marido liberador dá à esposa a confiança de que ela é capaz de fazer qualquer coisa.*

9. *Jesus os servia.* Jesus não vestiu a roupa de servo e lavou os pés dos discípulos na última ceia a fim de impressionar seus seguidores. Não foi um ato teatral, mas, sim, uma revelação de seu caráter e de quem ele realmente era. A verdadeira liderança, no estilo de Jesus, sempre resulta do serviço. Em Cristo, promoção não significa elevar-se, mas, sim, colocar-se de joelhos. O serviço não deve ser a "linguagem do amor" de poucos homens que não conhecem outra maneira de expressar seus sentimentos, mas, sim, parte ativa da vida de todo homem. Quando você chega em casa do trabalho à noite, coloque suas vestes de serviço. É hora de servir, não de se deitar à frente da

televisão enquanto sua esposa e seus filhos atendem suas vontades e o cachorro entrega seu jornal. Você os serve primeiro, e então eles invertem o processo ao seguir seu exemplo.

10. *Jesus lhes deu presentes.* Além de aparecer para os discípulos no cenáculo na noite da ressurreição, Jesus também fez a promessa de que o Pai derramaria o Espírito Santo no dia de Pentecostes. Jesus mal havia chegado ao céu e se sentado à direita do Pai quando os presentes começaram a chegar. Com frequência, os homens falham em compreender a necessidade de presentes de uma mulher. A menos que ela dê milhares de dicas antes do dia de seu aniversário ou do aniversário de casamento, existe a possibilidade de que esse dia especial passe sem receber um símbolo de seu apreço. Onde estão os presentes, homens? O mais importante não é *quais* são os presentes, mas, sim, *o que* eles representam! Para uma mulher, os presentes significam sensibilidade, amor e atenção. Uma vez que "toda dádiva que é boa e perfeita vem do alto, do Pai" (Tg 1.17), você se torna uma extensão da bondade do Pai sempre que dá um presente.

11. *Jesus era gentil com elas.* Jesus sabia tratar as mulheres. Ele possuía espírito humilde e manso. Mateus 12 cita a descrição de Isaías de Jesus como alguém que nunca brigou ou aumentou o volume da voz na rua. Era tão gentil que se recusava a esmagar a cana quebrada e apagar a chama que já estava fraca. Era a personificação do que é ser um "cavalheiro", um *gentleman*. O homem de verdade não é valentão, bombástico, barulhento, insensível, nem cheio de bravata arrogante. Ele é gentil. Lidera com gentileza, não com força. Não precisa de volume, nem de raiva para fazer sua liderança vigorar. Não tem medo de que outros confundam sua sensibilidade com fraqueza, pois está seguro com sua identidade em Cristo.

Sigamos o Mestre liberador!

Homens, assim como Jesus liberou aqueles pescadores falhos e seus companheiros, você pode trazer liberdade à sua esposa e aos outros sob sua liderança. Ou você é controlador ou é liberador. Tome sua decisão hoje. Quem você foi no passado e quem deseja ser no futuro? Assim que Deus enxergar seu coração e testemunhar seu desejo de mudar, ele o ajudará a fazer o resto. Vamos começar! Estou logo atrás de você!

3
[ELA diz]
Controlar ou dar liberdade

———————— Por Devi

Larry escreveu para os homens como se as mulheres nem precisassem prestar atenção. Mas quero fazer a mesma pergunta para as mulheres. Você é controladora ou liberadora? Sente necessidade de dirigir, ditar, dominar, discordar, desarmar e desengajar as decisões ou, melhor dizendo, as tentativas de decisões de seu marido? Quando ele dá orientações sobre coisas simples como onde comer, o que fazer ou o que vestir, você costuma dar sugestões alternativas? Você sutilmente acha que tem ideias melhores que as dele?

Feminismo falho

A filosofia feminista afetou de maneira radical o pensamento das mulheres em relação aos homens. O feminismo promete nos dar liberdade e realização pessoal, mas tais benefícios prometidos ainda precisam se tornar realidade. Em vez disso, essa forma independente e autocondescendente de pensar nos leva a hábitos que destroem o caráter dos relacionamentos saudáveis. Aprendemos a pensar: "Se eu não cuidar de mim mesma, ninguém mais o fará". No que diz respeito a assumir responsabilidade pessoal, essa declaração é válida. No entanto, tal atitude se estende muito além da responsabilidade pessoal. Trata-se de uma mentalidade de autoproteção, autoexaltação, autogratificação e vida egocêntrica.

A plataforma feminista começou com o desejo de que as mulheres tivessem direitos iguais. Esse desejo digno, porém, nos levou ao extremo oposto de mulheres que querem dominar os homens. A igualdade parece não bastar. No início do movimento, as líderes feministas patrocinaram campanhas insistindo que as mulheres não fossem mais um retrato do sexo. Essas líderes expressaram suas opiniões com bastante alarde, tentando mudar a imagem pública das mulheres. Tinham a aspiração de influenciar a mídia a redefinir o vestuário das mulheres, com ternos que demonstrassem "poder".

Pouco tempo atrás, enquanto eu viajava, uma jovem profissional se sentou ao meu lado no avião. Ela começou a folhear as páginas de várias revistas que havia levado consigo a bordo. Pude ver que não era uma leitura recreativa, mas, sim, que aquelas páginas de revista estavam ligadas, de algum modo, a seu trabalho. Ela hesitou ao olhar para uma propaganda, estudando-a com cuidado. A modelo cativante da página usava pouca roupa e posava de maneira sedutora. Intrometi-me em seus pensamentos profundos com a pergunta:

— Onde estão nossas líderes feministas agora? No início do movimento, elas falavam contra as mulheres que se vestiam assim, insistindo que mantivéssemos uma imagem pública de profissionalismo e poder.

A resposta dela me horrorizou. Ela olhou para mim, apertou o dedo indicador na página e disse:

— *Isto* é poder.

Fiquei sem palavras. Não tinha mais nada a dizer. Minha mente acelerava, relembrando a história de mulheres sentadas em minha sala, arrasadas por causa do vício do marido em pornografia. Ela falou a verdade. As feministas não pressionam mais pela imagem profissional das mulheres. Contentam-se em controlar os homens, independentemente de como isso é feito. Os publicitários sabem disso e usam o poder do corpo exposto das mulheres para fazer os homens caírem em uma armadilha.

O *eu* em primeiro lugar!

As revistas femininas agora visam reforçar a mentalidade do "eu em primeiro lugar". Tal atitude coloca os outros na segunda posição. Essa forma de pensar nos impede de considerar os outros mais importantes que nós mesmos (Fp 2.3). É impossível honrar o cônjuge, a menos que você permita voluntariamente que ele seja o primeiro. Fico maravilhada com a eficácia da "regra áurea" quando ela é colocada em prática nos relacionamentos:

> Façam aos outros o que vocês desejam que eles lhes façam.
> Lucas 6.31

Em outras palavras, tratem os outros como gostariam que eles tratassem vocês. Funciona mesmo! As mulheres têm o hábito de controlar por meio de manipulação e sedução. Somos especialistas em manobrar circunstâncias, situações e conversas de tal maneira que determinamos o resultado de nossa preferência. Nós negociamos e seduzimos, dizendo: "Se você fizer isto, eu faço aquilo". As mulheres precisam ter consciência da força poderosa, mas às vezes sutil, que elas exercem. Elas podem assumir o controle mesmo sem saber.

Controlar não vai fazer você feliz. Aliás, depois de conseguir assumir o controle e seu marido deixar você tomar todas as decisões, logo se sentirá exausta, emocionalmente cansada e ressentida porque ele não lidera. Você consegue o que queria, mas logo percebe que não quer o que conseguiu. Se esse for seu caso, é possível que deseje reverter a situação. Talvez esteja se perguntando: "Por onde eu começo?" ou "Como posso me tornar liberadora, em vez de controladora?".

> *Você consegue o que queria, mas logo percebe que não quer o que conseguiu.*

Pense nestas coisas

Comece mudando sua mente. Mude sua maneira de pensar. Pense em coisas positivas e siga as instruções de Paulo:

> Por fim, irmãos, quero lhes dizer só mais uma coisa. Concentrem-se em tudo que é verdadeiro, tudo que é nobre, tudo que é correto, tudo que é puro, tudo que é amável e tudo que é admirável. Pensem no que é excelente e digno de louvor.
>
> Filipenses 4.8

Faça uma lista dos atributos positivos de seu marido. O gramado pode parecer um pasto antes que ele se mexa para cortar a grama. Mas, em vez de se concentrar nisso, pense nas outras coisas que ele realmente faz bem. Escreva-as como lembrete e coloque essas coisas em primeiro lugar em sua mente.

Seus pensamentos se tornam suas palavras, suas palavras se transformam em atos, seus atos se convertem em hábitos, seus hábitos formam seu caráter, seu caráter determina seu destino.

Uau! Não é de espantar que a sabedoria das Escrituras nos oriente a fixar a mente nas melhores características dos outros.

Libere-o com elogios

Expresse a seu marido palavras de afirmação, confiança, esperança e possibilidade. Acredite nele. Aprenda sobre as coisas de que ele gosta e participe do que é importante para ele. Não o deprecie.

Você tem o poder de fazer dele um rei, para ser sua coroa, ou pode minar o caráter de seu esposo, ao envergonhá-lo. Salomão explica da seguinte maneira:

> A mulher virtuosa é a coroa do seu marido, mas a que procede vergonhosamente é como podridão nos seus ossos.
> Provérbios 12.4, RA

Comece a agir

Afirme-o fisicamente. Se ele estiver perdendo cabelo, diga como você acha bonito homens carecas. Se tiver poucos músculos, fale sobre como você gosta de homens magros. Toque-o. Faça carinho. Crie um novo hábito de conexão. Beije e abrace seu esposo no mínimo dez vezes por dia. Quando entrar em sua presença e ao sair, fale com ele. Dê uma piscadinha do outro lado do ambiente.

Larry e eu podemos estar em lados opostos de um grande auditório. Então ele sobe à plataforma para falar. Ele me olha e permite que seus olhos encontrem os meus. Eu sorrio. Meu sorriso comunica: "Eu acredito em você. Estou orando por você. Tenho orgulho de ser sua esposa".

Pouco tempo atrás, Larry foi o orador convidado do Dia dos Pais em uma grande igreja do sul da Califórnia. Eu preguei no culto da noite na mesma igreja. Ao me aproximar do púlpito, olhei para ele, que me deu uma piscadela. Era tudo de que eu precisava. Aquela piscadinha me passou segurança e apoio, mostrou que ele acredita em mim e me liberou para dar meu melhor àquela congregação.

Seus pensamentos, palavras, atos e hábitos de apoio podem criar a base para um caráter relacional em você que resista à passagem do tempo. Talvez você até perceba os pontos fracos de seu marido aumentando, mas, mesmo assim, não se sente tão incomodada.

Libere-o

Eu aprecio o velho ditado que diz: "Por trás de todo grande homem sempre existe uma grande mulher". Esse ditado precisa ter alguma procedência. A maioria das mulheres não reconhece ou não assume responsabilidade pelo poder que exerce sobre os homens. De maneira semelhante, mulheres controladoras e egoístas costumam estar por trás de homens que fracassam. Com muita frequência, os homens que não conseguem chegar ao sucesso têm uma mãe ou esposa que não acredita neles, não os toca, nem os ama.

O medo costuma proibir as mulheres de liberar seu marido. A verdade é que não dá para controlar e liberar ao mesmo tempo. Então, qual é seu medo? É a preocupação com segurança que alimenta seu temor? Você acha que, se confiar em seu marido, ele não fará o que é melhor para você e sua família? Não quer se arriscar? Bem, estou aqui para lhe dizer que liberar seu cônjuge realmente a coloca em situação de risco, mas tudo bem. O fracasso dele pode lhe causar dor. No entanto, o sucesso que ele por fim terá lhe trará prosperidade. Assuma o risco e compartilhe dos resultados. Todo sucesso envolve elementos de risco. A recusa em permitir que ele se aventure e conquiste acabará com a iniciativa de seu marido e privará você de participar da alegria e realização dele.

A recusa em permitir que ele se aventure e conquiste acabará com a iniciativa de seu marido e privará você de participar da alegria e realização dele.

Não tema! Deixe-o livre. Reposicione-se e desfrute as bênçãos de ver seu marido prosperar.

4
[ELE diz]
Submisso e satisfeito

———————————————— Por Larry

Temos o costume de nos dirigir às mulheres ao falar sobre submissão. Há um motivo para isso, e não é que as mulheres se rebelem mais que os homens. O principal motivo para isso é que normalmente são os homens que pregam sobre submissão. Assim, é natural que os homens queiram tirar a atenção de si mesmos, certo? Que pregador do sexo masculino quer se incriminar voluntariamente? A resposta é: "Bem poucos". Portanto, a fim de falar do que não é dito, eu me dirigirei agora somente aos homens. Mulheres, sentem-se, apreciem e até tripudiem, se necessário for. Façam um "toca aqui" com alguém que estiver por perto, só não saiam distribuindo cotoveladas, por favor.

Submissão bíblica

O ensino bíblico sobre submissão, ao contrário do que tem sido propagado nos púlpitos ao longo dos últimos trinta anos, diz respeito tanto a homens como a mulheres, pois as Escrituras nos ensinam a nos sujeitarmos uns aos outros.

A fim de entender mais plenamente a ideia de submissão, precisamos analisar primeiro o contrário da submissão: autoridade. Esse tema remete um pouco à questão do controle, mas autoridade é mais amplo que simplesmente ser o cabeça do lar ao mesmo tempo que dá liberdade para sua esposa. Vejamos a definição verdadeira de autoridade bíblica e identifiquemos o que não é autoridade.

Autoridade pode dar vida ou arruinar a vida. A autoridade ditatorial, repressora, unilateral e durona é maligna, antibíblica e pecaminosa. A autoridade adequadamente exercida é um modelo organizacional libertador, produtivo e bem-sucedido.

Autoridade demoníaca

O mau uso da autoridade pode se tornar demoníaco. Ao longo de séculos da civilização humana, ditadores têm abusado de sua autoridade e aberto a porta para a atuação de Satanás. Note que o que diferencia a autoridade satânica da que provém do Espírito Santo é o ódio do inimigo à submissão. Satanás exige submissão de seus súditos, mas resiste a se sujeitar a outras autoridades, sobretudo à autoridade de Jesus Cristo. O diabo sabe que a autoridade bíblica também exigiria que ele se sujeitasse ao senhorio de Cristo.

Satanás odeia a doutrina da submissão. Não espanta que ele levante tamanha resistência e oposição quando ensinamos sobre esse assunto. É a submissão que impede a autoridade de se tornar perversa. O diabo almeja autoridade, mas não submissão. Talvez alguém precise dizer a Satanás e seu bando que ele vai se submeter nesta vida ou na futura, mas a submissão é inevitável.

> Por isso Deus o elevou ao lugar de mais alta honra e lhe deu o nome que está acima de todos os nomes, para que, ao nome de Jesus, todo joelho se dobre, nos céus, na terra e debaixo da terra,

e toda língua declare que Jesus Cristo é Senhor, para a glória de Deus, o Pai.

Filipenses 2.9-11

Você percebe como é importante que todos aqueles que exercem autoridade também respeitem uma autoridade? Jesus tinha autoridade porque se submetia à autoridade do Pai. Você tem autoridade porque é submisso a Jesus e a outros que têm autoridade sobre você. Sua esposa e seus filhos têm autoridade porque são submissos à sua autoridade.

É perigoso para um líder exercer autoridade sem que ele próprio seja submisso a um cabeça. Os limites da submissão beneficiam tanto líderes quanto seguidores. Cria a vulnerabilidade, humildade e compaixão que produzem um bom líder. E o mais importante: se o líder não mantiver a submissão a uma autoridade mais elevada que ele, correrá o risco de fazer mau uso da própria autoridade e acabar por perdê-la.

A submissão é essencial para ser um cabeça eficaz. Um coração submisso significa um coração obediente e entregue. A submissão que se origina de uma atitude subserviente rancorosa à liderança mina a eficácia da submissão. Esse tipo de atitude destrói o sucesso do líder. "Bem, acho que vou ser submisso, já que sou obrigado" não é suficiente, nem move a mão de Deus. O Senhor conhece o coração, e o ser humano reconhece nossos motivos impuros.

A autoridade divina, exercida de acordo com as diretrizes bíblicas, deve ser o objetivo final de todos os líderes. Cada líder deve se submeter completamente àqueles que estão acima dele. No fim, os líderes que não se sujeitam a outros líderes fracassarão.

A submissão foi ideia de Deus. A palavra submissão é um

termo militar que significa colocar-se sob a liderança de alguém com patente superior à sua. O termo grego *hupotasse* vem da palavra *hupo*, preposição que significa "sob", e de *tasso*, verbo que quer dizer "dispor de maneira organizada". Todos que fazem parte do exército de Deus devem se alinhar debaixo de alguém. Se você é tenente, está abaixo do capitão. De maneira semelhante, os capitães se sujeitam aos majores, que se sujeitam aos coronéis, que, por sua vez, se sujeitam aos generais. Todos começamos no exército de Deus como soldados rasos, e os soldados rasos se sujeitam a todos! Mas todos precisamos nos alinhar diante de Deus e honrar sua autoridade. O Senhor não age nem coletiva nem individualmente até que todos entrem em formação e atuem de acordo com a posição que ele prescreveu.

A submissão não é uma questão de gênero, de acordo com as Escrituras. Todos devem ser submissos às autoridades para que possam ter autoridade. É uma regra simples. Memorize-a. Você só pode estar *acima* quando estiver *debaixo*.

- Jesus era submisso a seus pais (Lc 2.51).
- Os demônios se submetiam aos discípulos (Lc 10.17,20).
- Israel pecou por não se submeter à justiça de Deus (Rm 10.3).
- Os cristãos são submissos a todas as formas de autoridade (Rm 13.1).
- O espírito dos profetas é submisso aos profetas (1Co 14.32).
- Os cristãos se sujeitam uns aos outros (Ef 5.21).
- A esposa deve ser submissa ao marido (Ef 5.22; Cl 3.18; Tt 2).
- A igreja é submissa a Cristo (Ef 5.25).

- Os servos são submissos a seu senhor (funcionários aos chefes) (Tt 2.9).
- O mundo inteiro é submisso a Cristo (Hb 2.5).
- Todos são submissos ao Pai dos espíritos (Hb 12.9).
- Os cristãos são submissos a suas autoridades espirituais (Hb 13.17).
- Os cristãos se sujeitam a Deus antes de resistir ao diabo (Tg 4.7).
- Toda a humanidade é submissa a quem tem autoridade (1Pe 2.13).
- Anjos e autoridades se submetem a Cristo (1Pe 3.22).
- Os mais jovens são submissos aos mais velhos (1Pe 5.5).

A submissão é o método divino para liberar os líderes. Quando os líderes agem da maneira que Deus deseja, eles liberam sua autoridade de forma apropriada e saudável. E o mais importante: Deus escolhe esse método a fim de alinhar o universo inteiro debaixo da autoridade do Cabeça, seu Filho Jesus Cristo. A submissão foi ideia de Deus; logo, é uma ótima ideia. Devemos aceitá-la com alegria. O Senhor não nos chama a praticar a submissão a fim de nos tornar infelizes. Pelo contrário, ele o faz para que possa liberar sua plena autoridade sobre nós. Deus usa nossa submissão com o intuito de nos preparar para o sucesso em nossa posição de autoridade.

A submissão não é uma questão de gênero.

Isso me leva a uma pergunta importante para maridos, pais, funcionários, pastores e líderes de todos os tipos. Você é submisso às autoridades? Se não, você permanece vulnerável, desprotegido e ineficaz. Sua eficácia só vem quando você se encontra sob autoridade. Você não terá o direito de esperar submissão daqueles a quem lidera se não for submisso às autoridades. Com grande frequência, os maridos exigem submissão da esposa, mas eles próprios não a praticam.

Felizmente, durante os anos formativos do casamento, Deus e minha esposa me estenderam graça o suficiente até eu aprender como exercer corretamente a autoridade. Mas demorou. Eu tropecei nas pessoas com certa aspereza durante esse processo, magoando, por vezes, esposa, família e congregação. Eu tentava liderar com sinceridade, mas atuava sem estar debaixo do Cabeça. Exercia autoridade sem ser submisso à autoridade.

A autoridade bíblica jamais exige, bajula, oprime ou manipula as pessoas. A autoridade dada por Deus edifica as pessoas, em vez de destruí-las (2Co 10.8; 13.10).

Em minha adolescência e juventude, por vezes minha submissão à autoridade vacilou. Quando tinha cerca de 12 anos, aprendi uma lição especialmente valiosa acerca da submissão. Meu pai, que passou quase toda sua vida adulta trabalhando como supervisor em vinhas do estado da Califórnia, separou uma tarde para plantar algumas videiras em nosso quintal. Como de costume, ele me chamou para ajudar. Depois de cavar um buraco para a videira, pediu que lhe entregasse a estaca. Eu não fazia ideia de que minha resposta teria repercussões tão graves. "Vai pegar você!", falei. Sem dizer uma palavra, papai colocou a videira no chão, foi até a estaca e a pegou ele mesmo. Pouco depois, eu ganhei o que merecia. Sem aviso, papai me deu uma bela lição e eu saí voando pelo quintal. Tenha a certeza de que ganhei o que merecia! De mais de uma maneira, ganhei mesmo! Entendi o verdadeiro significado de submissão, em primeira mão. Acredita que até hoje eu nunca mais disse a ninguém: "Vai pegar você!"? Com uma bela estacada de madeira, aprendi a me lembrar do princípio valioso da submissão. As bênçãos vêm quando você é submisso, mas você sofre penalidades quando não é.

O texto tão citado de Efésios 5.22 instrui a esposa a ser submissa ao marido. No entanto, o versículo imediatamente anterior dá o contexto para toda a passagem sobre casamento que vem em seguida. No versículo 21, Paulo ordena as pessoas a *se sujeitarem umas as outras por temor a Cristo.* Entenderam isso, homens? Antes de exigir submissão de sua esposa, vocês necessitam se sujeitar uns aos outros.

Devi e eu cremos com toda ênfase no princípio da submissão. Ela é submissa a mim, e eu a ela. E o que determina nossa submissão nem sempre é uma questão de quem está certo. Na verdade, raramente é assim. Nenhum de nós apresenta uma atitude melancólica, com as mãos no quadril, admitindo: "Ok, você está certo. Vou ser submisso". Com frequência, desejamos honrar o outro, abrindo mão dos próprios desejos. Posso honrar Devi ao abrir mão dos próprios planos e correr atrás dos dela. A submissão não é uma concessão forçada para manter a paz, mas, sim, a decisão de ceder à sabedoria do outro. Você e seu cônjuge precisam entender que sua autoridade de líderes jamais se enfraquece quando vocês são submissos um ao outro. Pelo contrário, ela se fortalece.

Sua submissão libera Deus para abençoar você.

Sem sombra de dúvida, uma das histórias mais comoventes de submissão vêm do encontro de Jesus com o centurião romano, relatada na Bíblia em Mateus 8. Esse centurião tinha autoridade sobre mais de cem soldados, mas reconhece a autoridade de Jesus e se sujeita a ela. O Senhor, por sua vez, deixa bem claro ao centurião que, por sua disposição em se sujeitar à autoridade, o servo dele seria curado, sua fé seria notada em Israel e ele seria incluído como gentio no reino de Deus. Não é uma má recompensa por fazer uma coisa, a saber, ser submisso à autoridade. Você também pode receber uma recompensa igualmente grande.

Confie em mim. Ou melhor, confie na Palavra de Deus. Sua submissão libera Deus para abençoar você.

4
[ELA diz]
Submissa e satisfeita
———————————————————— Por Devi

Fico espantada ao perceber como as pessoas têm dificuldade de aceitar o conceito de submissão. É uma dificuldade tão grande que raramente abordam o assunto de forma direta. Talvez seja porque eu cresci em uma casa na qual minha mãe respeitava meu pai. Não me entenda mal, pensando que minha mãe, tão enérgica, se comportava de maneira passiva e permissiva, como uma mulher carente que nunca se posicionava. Não era assim. Mamãe trabalhava fora de casa, ajudava a pagar as contas e administrava o orçamento doméstico. Ficava claro que ela amava meu pai, o honrava e lhe era submissa. Mas todos sabíamos que a chefe era ela.

A palavra final, porém, cabia a papai — não porque ele saía distribuindo ordens, mas porque ele era nosso pai. Jamais houve o questionamento ou a opção de ser submissos ou não. Honrávamos papai ao fazer o que ele dizia. Não só fazíamos o que ele falava, como também preparávamos seus pratos preferidos e suportávamos partidas infindáveis de beisebol no rádio e na televisão. Nada disso acontecia porque ele nos forçava, mas, sim, porque o amávamos.

A educação que recebi quando menina imprimiu em mim o respeito pela autoridade. Obedecia com naturalidade aos professores na escolha e, mais tarde na vida, obedecia aos patrões no trabalho e fazia o que eles mandavam. Quando me apaixonei por Larry, reagi da mesma maneira submissa. Tive pouca dificuldade em me relacionar com Larry honrando-o da mesma forma que estava acostumada a honrar papai.

Algo do coração

A submissão não é um mero ato de obediência, ou seja, fazer algo que alguém manda. Trata-se de uma atitude de amor e respeito que vem do coração, honrando os outros e os considerando mais importantes que você. É algo natural quando você aprende a respeitar as autoridades. No entanto, se, quando criança, você tinha permissão para desobedecer e ganhar as coisas como queria, argumentando até seus pais cederem, você precisa se esforçar para desenvolver um coração submisso.

Não precisamos temer a submissão. Você não perderá sua identidade, nem diminuirá seu valor próprio ao ser submisso. Pelo contrário, você demonstra força. O coração submisso não precisa provar seu valor. Você não tem de provar seu ponto de vista e mostrar que está certo, deixando os outros serem errados.

Quando você escolhe viver com o espírito rendido e submisso, discute menos. Se está certo, não sente necessidade de provar isso. Aquilo que está certo acaba se provando com o tempo. Se estiver errado, a submissão o protege. Seus erros não o consomem. A pessoa com o coração submisso até mesmo permite que os outros estejam errados, sem enchê-los de vergonha ou culpa.

Certa vez, ouvi um grupo de mulheres falar sobre esse assunto. Várias delas enfatizavam a importância de chegar a um acordo, em lugar de demonstrar uma atitude de submissão no relacionamento conjugal. Uma das mulheres fez comentários sobre a igualdade entre homens e mulheres. O mais interessante foi notar que o tom de voz delas mudava com a mera menção à palavra "submissão". Elas falavam com tom defensivo, com desgosto e desaprovação. Era uma atitude no mínimo desafiadora.

Mas não se trata de um grupo de mulheres maltratadas, cujos maridos as tratavam com injustiça e insensibilidade. Eram mulheres religiosas — cultas, pensadoras independentes, que liam a Bíblia e participavam dos cultos de oração. Nossa cultura, porém, havia influenciado sua forma de pensar. Não querendo ser "fracas", essas mulheres certamente não seguiriam a iniciativa do marido sem buscar uma concessão e chamá-la de "acordo".

Mulheres, permitam que seu marido tome a iniciativa e sigam as sugestões e ideias dele. Ouçam seu ponto de vista e apoiem-no em sua maneira de pensar, sem buscar o tempo inteiro mudar a perspectiva dele. Se o jeito dele for diferente do seu e levar ao mesmo destino desejado, honre-o fazendo as coisas da maneira dele. E ele fará o mesmo por você.

Como discordar de forma pacífica

Talvez você esteja se perguntando: "Mas e se não concordarmos?". Deixe-me ser clara. O coração submisso nem sempre tem uma voz silenciosa. O coração submisso respeita a outra pessoa o suficiente para expressar confiantemente sua opinião contrária com autocontrole, comunicação articulada e apoio pelo ponto de vista, usando uma abordagem cheia de tato. Quando você defende sua opinião, pode acabar entrando em uma discussão que leva à apresentação de ideias e filosofias diferentes. É nesse ponto que tanto o marido como a esposa testam seu coração submisso.

Pergunte-se:

- Minhas emoções estão descontroladas?
- Tenho a intenção de provar que meu cônjuge está errado?
- É importante para mim conseguir as coisas do meu jeito?

Se responder "sim" a essas perguntas, você perderá mesmo se ganhar. No entanto, caso cheguem a um impasse, Deus providenciou um árbitro em sua Palavra. Ele deseja que nos sujeitemos uns aos outros, mas, em última instância, a Bíblia nos diz: "Esposas, sujeite-se cada uma a seu marido, como ao Senhor" (Ef 5.22).

Ai! E se o marido estiver errado? Preciso lhe dizer que isso certamente acontece. Alguma vez eu já tive a resposta certa, que Larry não ouviu, e eu fui submissa à decisão dele, que se mostrou errada? Sim. E qual foi a consequência? Vivemos em harmonia, sem o objetivo de apontar o dedo a fim de provar quem está certo ou errado, mas com o alvo de viver em união. Quando fui submissa e ele estava errado, vivemos juntos com as consequências da decisão errada, mas Deus honrou a nós dois nesse processo. Larry aprendeu uma lição, e eu vivi em união e amor com meu marido.

Mulheres, permitam que seu marido tome a iniciativa e sigam as sugestões e ideias dele.

E o mundo dá voltas. Larry também já se sujeitou a mim

quando o pressionei a enxergar minha sabedoria. Lembro-me de uma vez na qual minha "sabedoria" se mostrou uma persuasão tola e motivada pelo egoísmo. A fim de fazer as coisas do meu jeito, ele cedeu, deixando de seguir seu bom senso. Na época, pareceu que havíamos chegado a um acordo, quando, na verdade, ele se sujeitou a mim, em lugar de eu ser submissa a ele. Até hoje, quando descobrimos que tomamos uma decisão errada, nós admitimos isso juntos, não culpamos um ao outro, nos arrependemos e nos unimos. Deus não se preocupa em saber se você está certo ou errado. Ele procura um coração humilde e contrito, um coração submisso e entregue ao cônjuge e também a ele.

Contra o que nós lutamos — submissão ou autoridade? No movimento de liberação feminina, passamos a ressentir que os outros nos digam o que fazer? Nosso esforço para controlar a própria vida acaba nos levando a controlar a dos outros? Algumas dizem: "Meu marido não tem autoridade sobre mim. Temos uma parceria igualitária. Não vou me sujeitar à autoridade de meu esposo". Sim, vocês dois são igualmente valiosos, mas não dá para ter dois "cabeças" dentro do casamento. As Escrituras são claras ao explicar que, no casamento, o marido é o cabeça da esposa. Nenhum governo, nenhuma empresa, igreja ou família opera de maneira eficaz se liderados por dois CEOs. Todas as instituições têm apenas um CEO — o cabeça, que confere poder a todos os seus colaboradores para cumprir o objetivo geral em união.

Deus não se preocupa em saber se você está certo ou errado. Ele procura um coração humilde e contrito, um coração submisso e entregue ao cônjuge e também a ele.

Falemos sobre autoridade e como ela afeta nossa vida.

A autoridade é universal

A autoridade está em toda parte. O princípio da autoridade entra em operação no instante em que nascemos. O espírito humano precisa se sujeitar à autoridade, caso contrário, não consegue sobreviver em paz. Quando resistimos à autoridade, vivemos insatisfeitos e infelizes. A submissão à autoridade traz segurança e contentamento à nossa alma humana. Liberta, em vez de nos limitar.

A resistência à autoridade consome tanta energia negativa! Pense no filho que escolhe desobedecer. Ele gasta muita energia resistindo ao apelo do pai ou da mãe: "Venha aqui!". Então, sai correndo. Quando os pais encontram a criança, ela luta, resiste, dá chilique, chora, até que se prostra, exausta. A submissão teria sido muito mais fácil e bem mais recompensadora.

Uma vez que a autoridade é uma lei universal, quem sou eu para pensar que posso desafiá-la e, ainda assim, experimentar o resultado positivo que esse princípio absoluto produz? Um princípio fundamental não tem exceções. Da mesma maneira, que cientista tentaria provar que a lei da conservação da energia tem exceções? Simplesmente não há exceções! Por que eu tentaria refutar um princípio universal? Respeitar as autoridades e conformar minha vontade a elas, seja um policial de trânsito, o ministério da fazenda, a administração ou meu marido, gera a satisfação da paz em minha vida. Tira minha resistência, o uso de energias negativas e me protege de ser governada, no coração, por emoções ruins — medo, raiva, ofensa e amargura.

A submissão à autoridade traz segurança e contentamento à nossa alma humana.

Há pouco tempo, nós nos mudamos para uma nova casa e

eu queria criar um novo canteiro a fim de plantar uma fileira de arbustos bem podados delimitando o caminho até nosso quintal. Para que essas plantas se alinhassem corretamente com nosso portão, o caminho entraria 2,25 metros quadrados na propriedade do vizinho. Então, pedi permissão a ele para fazer isso.

Toda vez que você pede permissão a alguém para fazer algo, prepare-se para se sujeitar à resposta que a pessoa der. Eu estava muito motivada a embelezar nossa área verde, transformando-a em um jardim de extremo bom gosto, com estilo formal. No entanto, quando pedi permissão, expliquei que concordaria com a decisão, fosse ela afirmativa ou negativa. É claro que eu realmente achava que só haveria uma resposta: "Sim!". A tarde se passou, e os vizinhos disseram que não queriam que eu entrasse nos limites de sua propriedade. Nem um centímetro quadrado sequer. A pergunta que fiz a eles lhes deu autoridade sobre mim. Agora eu enfrentava a decisão de ser submissa, honrar meus vizinhos e não guardar rancor ou me sujeitar, pensar em quanto foram insensíveis toda vez que os encontrasse e criar uma barreira silenciosa em nosso relacionamento.

Na vida, enfrentamos diversas oportunidades, quase que diárias, de nos sujeitar e ficar satisfeitos, de nos sujeitar e abrigar ressentimento ou de criar inimigos por não ser submissos e fazer as coisas do nosso jeito. A escolha de se sujeitar e respeitar a autoridade do outro nos libera e permite que produzamos os frutos de uma vida em paz. Não existe nenhum projeto de jardim que valha a pena criar um relacionamento desconfortável com meus vizinhos. Eles provavelmente enxergam algo que eu não consigo ver, e a decisão deles pode me proteger no futuro. Aliás, a verdadeira submissão sempre vence. O coração verdadeiramente submisso sempre permanece grato, mesmo quando a resposta é "não".

A fim de abraçar por completo esse princípio, pode ser útil imaginar as imagens a seguir com a palavra "submissão" e o termo afim "preferência". Quando entro em uma estrada cheia de carros correndo a 120 quilômetros por hora, observo os sinais que significam "Dê a preferência". No estado onde eu morava antes, os sinais de entrada nas rampas de acesso às rodovias diziam "Convergir". "Convergir" e "dar a preferência" têm significados bem diferentes.

Dar preferência significa submeter-se, aquiescer, ceder. Convergir quer dizer combinar, juntar, fundir. No casamento, a esposa dá preferência para que a vida de cada cônjuge possa se fundir. Se prosseguirmos sem parar no trânsito veloz, insistindo em nossos direitos, sem dar a preferência enquanto convergimos, é bem provável que acabemos derramando sangue desnecessário. Quando eu dou preferência e procuro meu lugar para me juntar ao trânsito em andamento, esse trânsito ajusta sua velocidade e permite que eu me torne uma, ou me junte a seu fluxo. Nós nos unimos porque ambos ajustamos o ritmo. Essa é a satisfatória recompensa de uma vida submissa.

5
[ELE diz]
A maldição das críticas

―――――――――――――――――――― Por Larry

Embora Paulo não mencione nada disso em sua primeira carta à igreja de Corinto, tenho a certeza de que muitos maridos e mulheres acreditam que mais um dom espiritual deveria ser acrescentado à lista do capítulo 12 — o dom da crítica. Com muita frequência, esse dom se manifesta entre os casais pouco depois de dizerem sim um para o outro no altar. Ele consiste em proferir comentários regulares de menosprezo e depreciação. Especializa-se em expor defeitos, atacar fraquezas, condenar a todo instante e engajar-se em diversas formas de pegar no pé por causa de minúcias. Por fim, o condenador de língua férrea se ergue como vitorioso e o conquistado se torna um fracasso acovardado, sem qualquer senso de valor próprio ou autoconfiança.

O dom da crítica é exercido com frequência por apenas um dos cônjuges que, nos primeiros anos do casamento, sentiu que seu chamado na vida é mudar o parceiro. O objetivo é fazer as mudanças necessárias para ver o outro transformado à própria imagem. É necessário que o cônjuge possuidor desse "talento" revele, exponha e aumente todas as supostas falhas no cônjuge aparentemente menos "talentoso". A menos que outros defeitos acabem expostos durante o processo, o resultado final pretendido é a perfeição do cônjuge. Aleluia!

As coisas esquentam quando ambos os cônjuges têm o "talento" da crítica. Essa dupla bênção (maldição) costuma acontecer quando marido e mulher são habilidosos para participar de batalhas verbais. Nesse cenário, tentam superar um ao outro com farpas de sarcasmo e golpes vocais do tipo toma-lá--dá-cá. Ninguém se mostra disposto a recuar quando atacado. A meta de cada um é atacar verbalmente com palavras danosas até o outro ganhar um nocaute. Às vezes, a partida de boxe pode durar meses ou mesmo anos. Infelizmente, a competição jamais acaba, e as cicatrizes podem perdurar a vida inteira.

A devastação da crítica

Não importa se as críticas provêm principalmente de um dos cônjuges ou de ambos, o resultado final é o mesmo: devastação. Nem marido, nem esposa conseguem se erguer a seu pleno potencial enquanto são atacados pelo outro. O "dom da crítica" é, sem dúvida, fruto do espírito humano e carnal, não um fruto do Espírito Santo. O que acontece com a natureza humana, que é mais propensa a ver e identificar os pontos fracos do cônjuge, em lugar de perceber seus pontos fortes? Por que um marido destruiria o valor próprio da esposa ou a esposa colocaria em descrédito o senso de valor do marido? Por que é mais fácil difamar uma pessoa do que a encorajar? As duas escolhas requerem o mesmo número de palavras.

Não existe nada mais devastador que uma língua solta, descontrolada. Ela consegue encontrar defeitos até no cônjuge mais cheio de potencial. Queremos mesmo conhecer as consequências devastadoras das críticas contínuas? Ninguém sobrevive a elas. Tiago, autor do Novo Testamento, comprovou um belo argumento em sua carta ao dizer que a língua é uma chama de fogo acesa no inferno e carrega dentro dela um mundo de maldade (Tg 3.1-12).

Por que criticar seu cônjuge?

1. A infecção da insegurança

Pessoas inseguras depreciam as outras — ponto. Tenho a convicção de que criticamos o cônjuge em parte por estarmos insatisfeitos com nós mesmos. Não gostamos de quem somos, e nossa autoestima baixa se revela em nossa maneira de tratar o cônjuge.

Quando aconselho jovens que estão pensando em pedir uma moça em casamento, sempre faço uma pergunta. Talvez você se surpreenda ao saber que meu primeiro questionamento nunca é: "Ela entregou o coração a Jesus?". Essa é minha segunda pergunta. Mas a primeira é: "Quando vocês estão juntos, ela o coloca para cima ou para baixo?". Se o rapaz responder: "Às vezes (ou com frequência) ela me põe para baixo", então dou um conselho duro: "Saia correndo! É improvável que você algum dia consiga ter sucesso na vida ou no ministério com uma esposa que o deprecie".

Tenho a convicção de que criticamos o cônjuge em parte por estarmos insatisfeitos com nós mesmos.

A mesma pergunta se aplica à moça: "Quando você está na presença do homem dos seus sonhos, ele faz você se sentir edificada ou derrubada?". A resposta define se ela deve prosseguir ou sair correndo. Não importa se ele age como o homem mais espiritual do mundo. Se uma jovem se sente abatida quando está perto desse indivíduo, deve deixar tudo e sair correndo! Já vi mulheres demais destruídas por esses supostos homens de Deus. Pouco depois do casamento, ele se transforma em Átila, o huno, e ela se torna sua escrava emocional.

2. O açoite da justiça própria

A justiça própria também pode levar uma pessoa a criticar o cônjuge. O parceiro cheio de justiça própria pode brigar com o outro por não ser espiritual o bastante. Não importa quanto a pessoa tente, a pobre vítima de assédio espiritual jamais consegue tirar uma boa nota. Mesmo que o outro faça o maior dos esforços, sua determinação nunca satisfaz o cônjuge crítico.

Mulheres cheias de justiça própria tentam dominar o casamento por meio de uma série de métodos, que variam desde a manipulação até a condenação. Por meio de pressão sutil (e, às vezes, nem tão sutil assim) para adequar seu marido a seu novo conjunto de regras religiosas, a esposa o cutuca o tempo inteiro com afirmações do tipo: "Leia mais a Bíblia", "Ore mais", "Vá à igreja com mais frequência" e "Aja de maneira mais espiritual!". Sempre que o pressiona para ser o cabeça espiritual da casa ela está, na verdade, o afastando ainda mais. Tenho certeza de que essas mulheres acreditam que é mais fácil obrigar o marido a ser espiritual do que confiar no Espírito Santo. Ou, no mínimo, acham que com certeza o Espírito Santo gostaria de uma ajudinha delas.

O legalismo costuma ser a tática de justiça própria usada pelos homens. Ao contrário das mulheres, o homem crítico lança mão do legalismo, em lugar da manipulação ou da condenação, para impor suas convicções. Para ele, o que conta é a letra da lei. A graça está fora de questão. É possível que diga: "Eu disse e está resolvido. Deus e eu são sinônimos. Você vai ser espiritual porque eu mandei!". Quanto mais cheio de justiça própria ele se torna, mais críticas profere contra a esposa e outros familiares. Ninguém fica imune a esse espírito tão cheio de críticas.

O homem legalista sempre administra a família com mão de ferro. Ele serve a Deus por obrigação, não por amor ou alegria. Todas as críticas são feitas na forma de condenação. E ai da esposa ou dos filhos que gostem de se divertir! O legalista vê a diversão como uma forma de carnalidade e pecado. Sinto pena da mulher e das crianças que vivem debaixo dessa dominação espiritual da justiça própria.

3. *O veneno do perfeccionismo*

O perfeccionismo é a terceira fonte de uma atitude crítica. O marido ou a esposa difíceis de contentar podem fazer exigências meticulosas, impecáveis e formalistas que levam a vida a um novo patamar de incômodo. Os perfeccionistas são mestres da infelicidade. Eles sabem como deixar todos desanimados, inclusive eles mesmos. Seu estilo de vida purista sempre respinga nos outros e em tudo sob sua esfera de influência.

Louvado seja Deus porque não sou perfeccionista, mas já fui no passado. Eu conseguia identificar o cisco em seu olho a um quilômetro de distância. Por meio da lente telescópica de minha atitude julgadora, conseguia apontar seus defeitos sem nem sequer conhecê-lo. Era capaz de criticar coisas que não mereciam crítica. Conseguia encontrar defeitos em sua casa, seus filhos, seu cabelo, sua falta de cabelo, suas roupas, seu carpete sujo, seu cachorro feio e mal-humorado, sua caspa ou falta de desodorante. Era capaz de criticar seu modo de andar, conversar e usar fio dental. Criticaria sua teologia, sua metodologia, sua cosmologia, desaprovaria sua etimologia, julgaria sua musicologia, condenaria sua escatologia. E ai da pessoa que não tivesse uma "-logia" para eu censurar!

Então eu me casei. Valha-me Deus! Logo comecei a descobrir que o perfeccionismo é pecado. Quer dizer, é PECADO! O perfeccionista é o maior dos implicantes. É capaz de encontrar defeitos em tudo e todos. Para começar, minha esposa não tampava a pasta de dente. E pior: ela apertava o tubo pelo meio! É claro que ela nunca havia lido as orientações na lateral da caixa — item obrigatório para o perfeccionista. E o mais terrível aconteceu na noite em que percebi que minha escova de dentes estava molhada antes que eu a usasse. Quase tive um treco! Minha reação foi: "O quê? Só porque você esqueceu sua escova de dentes em algum lugar não quer dizer que pode usar a minha!".

Até que chegou o dia em que descobri que ela colocava o rolo de papel higiênico do lado errado no carretel. Foi um momento sombrio. Consegue imaginar isso? Eu lhe pergunto: DÁ PARA IMAGINAR? Entende quanto isso pode ser traumático para um perfeccionista? Para homens que estão sempre correndo, como é possível andar rápido quando o papel higiênico está de cabeça para baixo? Você não se sente feliz porque chegou o dia em que Deus me mostrou que deseja a excelência, mas não a perfeição? Sim! E todas as outras pessoas também. Tive que nascer de novo mais uma vez.

É bem difícil para o perfeccionista quando ele depara com outro. Vou ilustrar com uma experiência pessoal. Certa vez, eu me sentei na cabine do restaurante com o braço em cima do estofado. O homem na cabine atrás da nossa se levantou do lugar, veio até onde eu estava e me cutucou no ombro:

— Você está prestes a encostar na minha mãe.

— Ah, me desculpe! — respondi, percebendo pela primeira vez que a mãe idosa daquele homem estava sentada logo atrás.

— Eu encostei nela?

— Não — respondeu ele. — Mas está quase!

Eu havia acabado de entrar em contato com um membro da amável raça de pessoas que não consegue tolerar a imperfeição nas pessoas imperfeitas a seu redor. Seu padrão parece elevado porque ele acha que todos os defeitos, erros, pecados, todas as dificuldades e falhas são indesculpáveis. Esse não é o padrão de Jesus, nem da Bíblia, mas do próprio indivíduo. Quando alguém não está à altura de suas exigências perfeccionistas, ele o relega à sua lista de críticas. E quando você entra na "lista", é bem difícil sair. Por quê? Porque provavelmente você continuará a cometer os mesmos erros imperdoáveis que o fizeram entrar na lista pela primeira vez. Para o perfeccionista, o inferno é descobrir que ele não é perfeito.

A moral da história, curta e simples, é que o perfeccionismo é um pecado que requer arrependimento. Ninguém é perfeito, nem o perfeccionista. Se o seu grande objetivo de vida é trabalhar como cirurgião espiritual a fim de remover o cisco dos olhos de todos — em especial dos olhos de seu cônjuge —, tire primeiro a trave do seu. Caso contrário, não terá a qualificação necessária para realizar a cirurgia.

4. *O pecado da autopromoção*

A autopromoção é outra fonte de críticas. Na minha opinião, os homens são mais culpados nessa área. O homem inseguro se ilude pensando que a única maneira de se exaltar é menosprezando a esposa. E, na maior parte do tempo, ele o faz de maneira subconsciente, sem sequer saber qual é sua motivação. Mas as outras pessoas veem as consequências. A pobre esposa precisa suportar repetidas humilhações e rebaixamentos na frente dos outros, para que a imagem de machão do marido seja mantida. Contudo, ele precisa perceber que, ao degradar a mulher em público, está se destruindo também. É impossível se exaltar ao mesmo tempo que destrói a esposa. Em Efésios 5.28, Paulo considera que o ódio à esposa é o mesmo que ódio a si mesmo, uma vez que ela e o marido são um. O que o marido faz à esposa, ele faz a si mesmo. Esposo, se você diminuir sua mulher, acabará arruinando a si mesmo. Simples assim.

5. Egoísmo: o grande destruidor

Qualquer que seja o motivo que leve o cônjuge a menosprezar o outro, tudo acaba se resumindo a uma palavra: "eu". O egoísmo é o principal destruidor do casamento e da liderança. No casamento, as críticas logo morreriam por falta de uso, não fosse o egoísmo erguendo sua cabeça feia dentro do relacionamento.

É possível romper com padrões negativos

A boa notícia é que podemos substituir a crítica por edificação e encorajamento. Como a pessoa crítica por natureza pode mudar sua personalidade para se tornar um incentivador? Afinal, é Deus quem mantém nossa "cabeça erguida" (Sl 3.3). Existem inúmeras soluções para ajudar o cônjuge a crescer e alcançar seu potencial pleno. Quem seria melhor para nos livrar de padrões de hábitos destrutivos que um cônjuge sensível e amoroso?

Como romper com padrões destrutivos de abuso verbal? Quais são os antídotos? Existem vários.

1. *Remova primeiro sua trave.* Jesus deixa claro em Mateus 7.3-5 que, se eu desejo tirar o cisco do olho do outro, primeiro preciso remover a trave do meu. E isso funciona mesmo. Quando me pego criticando algo que minha esposa está fazendo, paro e digo a mim mesmo: "Larry, você está sendo crítico em relação a algo que Devi está fazendo.

Podemos substituir a crítica por edificação e encorajamento.

Ao mesmo tempo, está ignorando totalmente seus próprios hábitos negativos. Se você mudar primeiro seus hábitos negativos, então poderá cobrar mudanças nela". O engraçado é que, assim que tiro a trave do meu olho, logo esqueço por que estava tão irritado com ela para começo de conversa.

2. *Transforme o negativo em positivo.* Transforme a irritação em um atributo positivo. Sempre é possível encontrar algo de bom naquilo que antes você havia considerado negativo. Procure. Está ali! Lembre-se de que Deus não chama você para mudar a outra pessoa. Essa tarefa é do Espírito Santo. Ele só o convida para mudar a si mesmo.

3. *Escolha amar.* O amor é uma escolha. É uma decisão, não uma emoção. Paulo escreve as seguintes verdades em 1Coríntios 13:

- O amor não se lembra dos erros.
- O amor não guarda mágoas passadas.
- O amor não inveja o sucesso do outro.
- O amor escolher acreditar no melhor da pessoa.

Pedro expressa um pensamento semelhante ao escrever que "o amor cobre muitos pecados" (1Pe 4.8).

4. *Seja paciente.* Deus é paciente com você. Estenda a seu cônjuge a mesma graça que o Senhor lhe dá.

5. *Fale palavras que edificam.* Só diga palavras que edificam a outra pessoa. Em Efésios 4.29, Paulo nos desafia a deter toda e qualquer palavra prejudicial e cancerosa antes que saia de nossa boca. Precisamos escolher só palavras que edificam e incentivam. Lembre-se: não fazemos parte da equipe de destruição, mas, sim, da equipe de construção. Se nossas palavras não edificam, devemos evitá-las. Às vezes, proferimos as palavras mais odiosas para aqueles que mais amamos. Que Deus nos ajude!

6. *Não se apresse em falar.* Quando algo o incomodar e você entender que precisa resolver a questão, espere. Aguarde suas emoções se acalmarem para que consiga entender a perspectiva do outro. Não expresse o que está pensando, se isso for agressivo a seu cônjuge. Seja inteligente e lembre-se de que toda vez que dá dois dedinhos de sua sabedoria para o outro, fica com esses dois dedos a menos para você.

O cônjuge que apoia

Amo usar minha esposa como exemplo de alguém que sabe usar com eficácia a diplomacia e a sensibilidade no que diz respeito a chamar minha atenção para coisas que necessitam de mudança. Nunca sinto que ela está me atacando, mas, sim, que demonstra interesse genuíno por meu bem-estar. É claro que, assim como muitos homens, é natural para mim ficar na defensiva, por isso é importante ter uma esposa que sabe quando e como chamar a atenção para questões preocupantes.

Não conheço muitos líderes de sucesso cujo cônjuge o deprecia o tempo inteiro. Aliás, não consigo me lembrar de nenhum. Em contrapartida, posso citar centenas de líderes excelentes cuja esposa ou cujo marido os apoia e incentiva. Se você não edifica seu cônjuge em público e em particular, pouco importa quem o faz. Ter o marido ou a mulher como presidente do fã-clube pessoal é a maior das bênçãos.

Duas palavras que devem ir embora

Retire duas palavras de seu vocabulário: a expressão paradoxal "crítica construtiva". Uma contradiz a outra. A construção edifica algo belo. A crítica é farpada, danosa, insensível e motivada pelo egoísmo. Ela sempre destrói. Não é motivada por amor, mas, sim, por uma atitude julgadora por parte do ofensor. Logo, a crítica nunca consegue ser construtiva. O adulto maduro deseja ser corrigido quando está errado, mesmo que fique tanto na defensiva quanto eu. Mas ninguém consegue suportar críticas o tempo inteiro sem que isso destrua seu senso de valor e dignidade pessoal.

Parábola de uma rosa

Sammy Jo Barbour, presidiário na penitenciária estadual de Iowa, me enviou uma parábola pelo correio, que escreveu após assistir a Devi e eu no programa de televisão *Celebration*, apresentado por Joni e Mascus Lamb, do canal Daystar, em Dallas, no Texas:

> Certo homem plantou uma rosa e a aguava fielmente. Antes que ela florescesse, examinou a planta e viu um botão que logo

desabrocharia. Mas notou também os espinhos ao longo do caule e pensou: "Como uma flor tão bela pode vir de uma planta assolada por tantos espinhos afiados?".

Entristecido por esse pensamento, deixou de aguar a rosa. Esta, antes de estar pronta para desabrochar, morreu.

Assim acontece com muitas pessoas. Dentro de cada alma, existe uma rosa. Temos qualidades divinas plantadas em nós ao nascermos, que crescem em meio aos espinhos de nossos defeitos. Então nos desprezamos, achando que nada de bom poderá vir de nós. Deixamos de aguar o bem em nosso interior, e com isso ele morre. Jamais alcançamos nosso potencial.

Algumas pessoas não enxergam a rosa dentro de si. Alguém precisa mostrá-la. Um dos maiores dons que alguém pode ter é a capacidade de ver além dos espinhos e encontrar a rosa dentro dos outros. Isso é amor — olhar para as pessoas, conhecer seus defeitos verdadeiros e, ainda assim, aceitá-las em sua vida e reconhecer a nobreza de sua alma. Ajudá-las a reconhecer que são capazes de superar suas falhas. Se lhes mostrarmos a rosa, vencerão os espinhos. Só então florescerão vez após vez.

Dentro de cada alma, existe uma rosa.

Essa parábola me deixou extremamente grato por Devi. Louvado seja Deus por minha esposa/líder, que tem passado a vida escolhendo ignorar meus espinhos e cultivar minhas rosas!

5
[ELA diz]
A maldição das críticas
——————————————————————— Por Devi

Larry me deslumbra. É claro que ele usa a ironia para chamar sua atenção e transmitir uma verdade pungente — uma verdade essencial para você aceitar, sobretudo quando líderes vivem juntos. Essa verdade é que a crítica, em todas as suas formas, é uma maldição, não um dom! É impossível alcançar as próprias metas na vida quando se vive regularmente sob a nuvem negra da desaprovação. As críticas geram dúvidas em si mesmo. E ninguém é capaz de realizar quando a dúvida sobre a própria capacidade prevalece.

Os líderes são alvos
Eu queria que meu marido tivesse êxito. Ele se dedicava ao ministério em tempo integral quando nos casamos, e eu me sentia honrada por ser esposa de pastor. Devo admitir que sonhava com a vida de uma família pastoral. Enxergava a profissão dele lá em cima, junto com o prefeito da cidade, os médicos e advogados. Cresci em uma família que respeita os pastores, por isso tinha alta consideração por quem atua no ministério. No entanto, pouco depois de aceitarmos o chamado para nossa primeira igreja, descobri que as coisas são diferentes. De

algum modo, o homem importante com quem me casei não era necessariamente considerado importante por todos. Aliás, logo percebi que ele era alvo de críticas. As pessoas criticavam não só Larry, mas também a mim e nossos filhos.

Aprendi depressa que a melhor defesa contra as tentativas dos outros de destruir o sucesso de meu marido era fazer tudo que estivesse a meu alcance para o edificar. Enquanto os outros o atacavam, eu o colocava para cima. Eu era a pessoa com maior influência para afastar da vida dele as dúvidas sobre sua capacidade.

Não que eu deixasse de enxergar seus defeitos, mas, sim, que suas virtudes me pareciam bem maiores. Vi com clareza qual era o papel que me foi atribuído na batalha contra as críticas. Por que escolher ficar ociosa e observá-lo lutar diante dos ataques de críticos? Afinal, se ele tivesse êxito, eu também receberia as bênçãos. Caso ele falhasse, eu sofreria igualmente. Por que então eu escolheria criar ou reforçar sua dúvida nele mesmo, destacando seus defeitos?

As críticas geram dúvidas em si mesmo.

O poder das palavras

As palavras têm poder! Elas têm poder para edificar ou derrubar. Meu texto bíblico preferido — um guia para minha vida — se encontra na carta de Paulo à igreja de Éfeso:

> Evitem o linguajar sujo e insultante. Que todas as suas palavras sejam boas e úteis, a fim de dar ânimo àqueles que as ouvirem.
> Efésios 4.29

Creio que faz parte da natureza carnal de todos nós encontrar defeitos nos outros. Essa é uma forma baixa de viver. Quando, porém, andamos verdadeiramente no Espírito, escolhemos superar os caminhos da carne e aplicar a verdade à nossa vida. Quanto mais seguro você se torna em Cristo, mais fácil fica edificar os outros.

É tão embaraçoso e desconfortável quando casais se alfinetam e se apunhalam com palavras em situações sociais! A atmosfera fica sufocante, como se não desse para respirar. Sem dúvida, você sabe que não pode rir e, na verdade, quer chorar. Como é triste perfurar o amor com palavras tão cruéis e maldosas!

As palavras podem ricochetear

A esposa destrutiva é aquela que está sempre menosprezando o marido. Ela briga, diminui e lamuria. Faz isso até na presença dos filhos. Quanta falta de sabedoria! Não reconhece os efeitos de longo prazo de seu modo crítico de ser. As consequências iniciais de difamar o marido na frente dos filhos será o desenvolvimento da falta de respeito pelo pai por parte deles. Entretanto, à medida que crescerem, conseguirão enxergar as coisas com mais clareza e acabarão desrespeitando a mãe e também a si mesmos.

Certa jovem me contou sua história. Explicou que havia sido criada somente pela mãe, depois que os pais se divorciaram. Relatou que a mãe retratava o pai como um homem terrível e demoníaco. Quando menina, foi privada de desenvolver um relacionamento com o pai por causa da amargura que havia entre os dois. Só depois de adulta ela se encontrou com o pai. Descobriu que ele era um homem prático, cuidadoso e trabalhador. Quando criança, ela enxergava a mãe como vítima. Agora, com uma perspectiva mais clara, questiona quanto a mãe foi verdadeira em relação ao caráter do pai. Hoje, reconhece a natureza crítica, manipuladora e cheia de justiça própria da mãe. Embora mantenha um relacionamento amoroso com os dois, enxerga com lucidez as consequências devastadoras da condenação da mãe em relação ao pai.

As críticas nunca colhem boas consequências. Aquilo que espera alcançar acaba se voltando contra você. Todos saem perdendo.

O ponto cego

Há dez anos seguidos, eu me reúno com um pequeno grupo de mulheres que são influenciadoras significativas. Todo ano, passamos cinco dias juntas conversando, orando e comendo, sem nenhuma agenda específica. Nós nos denominamos irmãs MAIS, sigla inventada por nós, que significa "Mulheres Agradecidas e Intencionalmente Submissas". Somos diferentes em muitos aspectos, mas temos em comum o amor pela Palavra de Deus e por nosso esposo. Para mim, esse é um momento pessoal de avaliação perante o Senhor, em preparo para o ano seguinte. Lembro-me de perguntar a Deus com todas as letras: "O que o Senhor deseja que eu melhore em minha vida neste novo ano?". Certo ano, ele me pediu que falasse menos e ouvisse mais. Fiz isso, e hoje é um hábito. Para minha surpresa, porém, o Espírito Santo me atingiu em um ponto cego. Este ano, ouvi o seguinte em espírito: "Devi, você é crítica e julgadora". Isso doeu! Argumentei com Deus. Como assim? Repassei em minha mente conversas anteriores. Relembrei momentos de negociação, desaprovação e conflito. Eu sempre queria o melhor para os outros. Não difamava, nem diminuía meu marido. Não conseguia aceitar a verdade disso. Não enxergava. Então, a voz mansa e suave de Deus me disse: "Você não enxerga porque chama isso de 'discernimento'".

Discernir significa perceber ou reconhecer algo. Minha mente pensa rápido. Chego a conclusões e faço escolhas sem demora. Sou naturalmente comunicativa e uma professora nata. Gosto de contar aos outros o que sei, seja sobre um livro que estou lendo ou uma receita que vale a pena preparar. Some tudo isso e adivinhe o que acontece: uma lição, uma correção, uma instrução, uma orientação, uma sugestão. Meu coração não é mal-intencionado, portanto eu jamais teria pensado que tudo isso se juntava para formar um julgamento indevido em relação aos outros, ou para criticar alguém por não estar alinhado com meus padrões.

Entendi! Deus conhece minhas vulnerabilidades. Meus pontos fortes eram vulneráveis a se tornar minha fraqueza. Ele acertou em cheio. Sabia que eu olho para as pessoas sob a perspectiva de como posso melhorá-las, em vez de pensar em como apoiá-las. A diferença é uma abordagem de cima para baixo, em lugar de me aproximar com humildade, de baixo para cima. Minha filha adulta vinha tentando me dizer isso havia anos, mas eu simplesmente não conseguia enxergar. Eu a ouvia e tentava entender suas palavras amorosas de correção, mas só reconheci a realidade quando Deus me mostrou.

Ao longo de um ano, eu prestei bastante atenção (e continuo a fazê-lo). Primeiro, escutei meus pensamentos. Ao entrar no saguão de um hotel e sentir o desejo de ajustar a disposição das obras de artes, abaixar a altura e deixá-las mais retas, eu parava, mudava meu jeito de pensar e olhava para o quadro.

Apreciava as cores e o desenho, em vez de querer pendurá-lo de novo. Então, passei a observar quando desejava instruir os outros, impedindo que aprendessem por conta própria com seus erros. Há um limite tênue entre discernir sem julgar ou criticar.

A declaração célebre de Jesus, citada até por descrentes, diz: "Não julguem para não serem julgados" (Mt 7.1). Ele continua a explicar dizendo que é comum tentar remover o cisco no olho de alguém quando temos uma trave no nosso. Compreendo isso e, para ser honesta, o tempo inteiro me esforçava para esculpir minhas traves. Talvez seja por isso que ainda vivia com um ponto cego. Em Mateus 7.6, Jesus disse: "Não joguem pérolas aos porcos; pois os porcos pisotearão as pérolas". Minha dúvida era: "Como saber quem são os porcos, sem julgar o outro?". Boa pergunta!

Aqui está o que aprendi: ter bom julgamento e ser julgador são duas coisas muito diferentes. Ter bom julgamento é a capacidade de tomar uma decisão bem pensada. Ser julgador, segundo a definição dos dicionários, é ter um ponto de vista excessivamente crítico. Com essa compreensão, ao longo de um ano consegui converter minha atitude crítica e julgadora em uma atitude de tomar decisões bem pensadas — sobretudo no que diz respeito a conversar com os outros assumindo uma postura de baixo para cima, incentivando-as em lugar de as instruir ou corrigir.

Ter bom julgamento e ser julgador são duas coisas muito diferentes.

Larry tem se beneficiado desse meu desenvolvimento pessoal, e minha família também. Se eu consegui mudar, você também consegue. Obrigada, Espírito Santo, por ser meu Encorajador! Eu e tantos outros somos muito gratos!

6
[ELE diz]
Eu machão

— Por Larry

Dá quase para ouvir os grunhidos de Tarzan enquanto ele balança de galho em galho. Finalmente, chega ao chão com um golpe surdo e dá seu célebre grito: "Ô-ô-ô-ô-ô-ô-ô!". Em seguida, volta-se para Jane, batendo no peito, e grita: "Mim macho, mim líder". Então Jane, é claro, depois de ler Efésios 5.21, sujeita-se voluntariamente a seu chefão espiritual, explicando com toda nitidez: "É claro que sim, querido! Eu me sujeito humildemente à sua autoridade espiritual".

Não seja um homem-gorila!
Em casamentos problemáticos, Tarzan normalmente domina o relacionamento. Você consegue identificá-lo por seu buraco no peito, côncavo em razão de seus ataques de machão e batidas no peito. Esse tipo de homem conhece a liderança forte e unilateral, mas não está familiarizado com as concessões feitas de ambos os lados na liderança normal. Ele só sabe receber. Mantém a autoridade recorrendo a táticas de medo, acessos de raiva, controle financeiro, intimidação, segredos, mau humor, egoísmo e opressão da esposa e dos filhos. Exerce domínio absoluto sobre o ambiente do lar. Com

frequência, sente-se livre para exercer abuso emocional e/ou físico e, às vezes, toma uma grande decisão que o faz parecer melhor do que é de verdade.

É crucial que os líderes fortes do sexo masculino compartilhem a liderança com o restante dos membros da família, em especial com a esposa. Além de criar um equilíbrio saudável dentro do lar, que gera familiares saudáveis, essa estratégia dá ao homem a habilidade e liberdade de se tornar tudo que Deus deseja. Infelizmente, os líderes dominadores do sexo masculino gostam de manter seu seguidores anêmicos e fracos.

Em um casamento saudável, o pêndulo da liderança vai e vem entre marido e mulher. O equilíbrio saudável da liderança entre os cônjuges precisa existir. Tanto marido como mulher conhecem as respectivas áreas de habilidade e especialidade, cedendo ao outro quando a tarefa ou decisão é mais adequada às capacidades do cônjuge.

Também não seja um fracote!

O contrário de um líder dominador do sexo masculino é igualmente fraco. Ele se encaixa na descrição de um homem encabulado, covarde, desinteressante, tímido em excesso, bajulador, frágil e indeciso, que foge das responsabilidades. Na maioria das vezes, sua única resposta é: "Sim, querida!". Esse homem não balança em árvores ou arbustos. Balançar em árvores seria perigoso demais, e passar por arbustos poderia abrir uma ferida. Ele pode até consentir em podar os arbustos, se tiver luvas para usar, de modo que as plantas não machuquem suas mãos. Você sabe quanto um hidratante está custando hoje em dia? Praticamente todos esses homens bons, porém tímidos, têm um medo tremendo da esposa. Esse temor os imobiliza e os impede de tomar decisões eficazes. Isso, por sua vez, os impede de conquistar o respeito da esposa que eles tanto almejam. Aliás, como temem tomar a decisão errada, o mais provável é que não façam escolha nenhuma.

Ouvi um exemplo desse tipo de homem anos atrás, contado na típica forma apócrifa do pregador que deseja exagerar uma ideia. Ele explicou que São Pedro, na tentativa de selecionar os candidatos recém-chegados ao céu, instruiu todos os homens que não haviam sido dominados pela esposa a se encaminharem para uma parte reservada da cidade celestial. Naquela área, eles receberiam a mansão que lhes havia sido reservada. Com uma exceção, todos responderam obedientemente e foram para a sala de espera. Mas um homenzinho tímido se acovardou em um canto.

— Por que você não está de pé com o restante dos homens? — o reverenciado apóstolo quis saber.

— Porque minha mulher me mandou ficar bem aqui.

Ha, ha, ha! Hi, hi, hi! É engraçadinho quando se ouve pela primeira vez, mas fala uma verdade que parece adequada para muitos homens da geração atual. A maioria foi criada pela mãe, avó ou tia e cresceu sem um exemplo masculino ao qual se apegar. Não tiveram um homem como referencial para lhes servir de mentor.

Eu acho os homens abatidos e derrotados que correspondem a essa descrição mais tristes que patéticos. Estamos criando uma geração de homens passivos que necessitam desesperadamente de referenciais masculinos. Precisamos de líderes fortes, espirituais, equilibrados e sensíveis do sexo masculino para pegar esses homens de jeito e ajudá-los a deixar a paralisia e a dor desse estilo de vida.

Embora a Bíblia dê vários exemplos de líderes fracos, tímidos e acanhados, eles não parecem ser o tipo de homem que Deus espera que sejamos. O motivo é que homens reservados e retraídos raramente demonstram a autoridade necessária para representar a Deus. De igual maneira, o Senhor raramente chama os clones do Tarzan. Um se recusa a usar a autoridade, ao passo que o outro só sabe abusar da autoridade. Ambos os extremos podem desqualificar alguém de ser usado por Deus.

Seja um homem de verdade

Elias, o homem que se tornou o modelo de João Batista e que o profeta Malaquias (4.5) nos ordena a imitar, era homem de verdade. Ele entrou em cena com um zelo pelo Senhor que dizimou os profetas de Jezabel e desafiou as blasfêmias de Acabe. Sua palavra teve poder para deter a chuva no céu por três anos e meio e compaixão para alimentar uma viúva e seu filho, permitindo que sobrevivessem à fome. Dentro de Elias havia uma personalidade que podia ser dura como prego ao lidar com tiranos e suave como veludo ao cuidar de uma mãe desesperada.

Não pense que você precisa escolher entre o extremo de todo o barulho e bravata e o extremo oposto da fraqueza, omissão e alienação. Deus quer o equilíbrio em você. Ele procura líderes que exerçam autoridade, mas que também demonstrem bondade. Quer homens poderosos, porém compassivos. Sua espada precisa ser afiada de um lado, mas suave do outro.

Quando João Batista entrou em cena centenas de anos depois, Jesus disse que ele viera no espírito de Elias. A fim de provar seu argumento, Jesus fez uma pergunta muito reveladora à multidão:

Que tipo de homem vocês foram ver no deserto? Um caniço que qualquer brisa agita? Afinal, o que esperavam ver? Um homem vestido com roupas caras? Não, quem veste roupas caras e vive no luxo mora em palácios. Acaso procuravam um profeta? Sim, ele é mais que profeta.

Lucas 7.24-26

Jesus perguntou ao povão se eles haviam saído de suas cidades e vilas para ver um pregador efeminado. É claro que essa pergunta retórica não carece de resposta. Quando Deus pergunta algo, ele não quer resposta, apenas uma reação.

Jesus queria que a multidão reparasse que João Batista não demonstrava afetação ou brandura. Que ideia ele queria transmitir? É simples: Deus não envia um arauto que não o representa de maneira apropriada. Os homens não se sentem atraídos por homens medrosos, patéticos, que não falem nada com nada. Nem as mulheres, nem Deus.

Uma mulher pode até sentir atração pela sensibilidade de um homem acanhado antes de se casar. No entanto, caso descubra, após o casamento, que a sensibilidade do homem é uma forma de acobertar sua natureza indecisa e encabulada, perderá imediatamente o respeito por ele. E todos os outros também.

A quem você iria até o deserto para conhecer? Não há muito que me atrairia até o deserto em alguém. Eu iria a um parque nacional, ao oceano Pacífico ou a uma ilha do Caribe para ver alguém. Se eu fosse ao deserto para ouvir ou ver alguém, precisaria ser João Batista, Elias ou alguém que esbanja autoridade. A pessoa que me faria ir ao deserto também precisaria despertar respeito e arrependimento e saber o momento certo de se afastar e ceder autoridade para quem tem autoridade sobre ele. Caso contrário, eu não estaria disponível.

Creio que, quando Jesus voltar, seu processo de seleção provavelmente se parecerá com o que usou em sua primeira passagem por este mundo. Ele escolherá homens que reflitam de forma apropriada seu caráter.

Um homem de verdade para todos os tempos

Quando Jesus entrou em cena, sua autoridade natural o diferenciava dos mestres da lei e o fez cair nas graças da multidão. Afinal, ele veio para um povo que havia suportado séculos de domínio tirânico. Seu estilo contrastante de liderança pelo exemplo, em lugar da força, foi imediatamente reconhecido e apreciado. O Líder dos líderes sabia ser humilde, calado, sensível, compassivo e pacífico. Somente duas vezes seu zelo ficou intenso demais, e isso aconteceu com o propósito de limpar a casa de seu Pai. Que homem! Um homem de verdade! O referencial perfeito para cada um de nós.

Fico incomodado ao ver as pinturas da Idade Média que fazem Jesus parecer bonito e efeminado. Os artistas que produziram esses quadros contratavam modelos para posar como Jesus. É claro que, uma vez que nenhum deles de fato viu Jesus, precisavam chamar alguém que se encaixasse na ideia que tinham de sua aparência. Fica evidente que nenhum deles leu a descrição que Isaías faz de Jesus como alguém sem qualquer destaque na aparência (Is 53) ou a de João, o discípulo amado, que o apresenta com olhos flamejantes e voz com o som de muitas águas (Ap 1). Não há efeminação aqui.

Infelizmente, essas caricaturas da Idade Média pegaram. Por centenas de anos, encontramos imagens de Jesus em todos os lares e livrarias que o retratam mais parecido com um vendedor da parte de cosméticos de uma loja de departamentos do que com um carpinteiro de mãos ásperas e feridas. Não consigo imaginar Jesus voltando em glória e me dando um aperto de mão afetado. E você? Ora, trata-se daquele que governará as nações do mundo com cetro de ferro! A propósito, se alguém sugerir que você precisa entrar em contato com seu lado feminino, diga que o lado feminino que você tem é sua esposa e você está em contato com ela todos os dias, literalmente.

É difícil para homens frágeis, delicados e acomodados se identificarem com o zelo de Jesus ao purificar o templo. Eles também podem achar difícil se identificar com João Batista fazendo seu discurso bombástico à beira do rio, ou ainda com Elias invocando fogo do céu sobre os profetas de Baal. É fato que temos homens demais satisfeitos em participar desse tipo de empreitada — com ou sem a direção do Espírito. Mas para quem tem uma disposição branda, não é natural usar a força. Eu me identifico. Sou assim. Preciso permanecer distante. Sou um tanto quanto recluso. Sinto-me desconfortável com qualquer situação que exija confronto direto. Fico todo nervoso no que diz respeito a assumir autoridade. Como nós, que temos natureza mais mansa, devemos liderar nesse ambiente estranho e desconfortável?

Quer você sinta vontade, quer não

Na Introdução a este livro, contei que sou líder por convicção e obrigação. Essas duas motivações vêm da Palavra de Deus. Tenho convicção profunda de que Deus chama todos os homens para ser cabeças e, portanto, eu devo liderar. Também sei, pela Bíblia, que Deus delegou a mim e a todos os homens a extensão de sua autoridade. Logo, sou obrigado a exercer autoridade sempre que necessário. É minha tarefa fazer isso. Não posso dizer que já apreciei lançar mão da autoridade, mas é uma responsabilidade que aceito a fim de manter a união, a paz e a harmonia em meu casamento e em minha família.

Como exerço a autoridade é outra história. Já tentei, em algumas ocasiões, usar a autoridade com mão pesada, de maneira totalitária, mas isso não combina comigo. A abordagem que me deixa mais confortável e se encaixa melhor com minha personalidade é dar a ordem com voz baixa e as emoções sob controle. Quero entender o máximo possível o coração da pessoa ou das pessoas afetadas.

Tente imaginar Josué no alto do monte em Efraim, gritando a plenos pulmões com as veias saltando do pescoço. Imagine-o dizendo: "Agora me ouçam, seu bando de israelitas rebeldes! Já estou cansado de vocês ficarem vacilando entre deuses. Decidi o que vou fazer, e se vocês não quiserem ir para o Sheol, devem fazer o mesmo. Eu e minha casa serviremos ao Senhor. Ouviram isso, crianças? Bem, se vocês calassem a boca e parassem de brincar por aí com o estilingue já teriam me escutado. Agora voltem para dentro da tenda e vão comer seu lanche!". Simplesmente não consigo imaginar Josué falando dessa maneira. E você?

Em vez disso, penso que ele proferiu suas últimas palavras com convicção pura. Não era preciso muito volume, pois Josué já tinha decidido que havia apenas um caminho para ele e sua família. E garantiria que assim seria feito. Não havia alternativas, e ninguém o faria mudar de ideia. Quando você lidera por convicção pura e demonstrando mediante o exemplo, os outros se sentem mais inspirados para o seguir.

Dê o exemplo

Minha forma preferida de demonstrar autoridade é por meio do exemplo. Se espero que os outros obedeçam à minha autoridade, devo me sujeitar voluntariamente àqueles que Deus coloca em autoridade sobre mim. Não posso exigir coisas de minha esposa e dos meus filhos enquanto me recuso a trilhar o caminho da obediência àqueles debaixo dos quais eu me encontro. Fazer isso seria hipocrisia e despertaria neles rebeldia.

Há momentos em que o templo de seu lar precisa ser colocado em ordem por meio da ação purificadora da disciplina e autoridade. Nessas ocasiões, Jesus não descerá em carne e osso para fazer isso por você. É você quem precisa realizar a tarefa. Revista-se daquela parte da natureza de Cristo que é, ao mesmo tempo, compassiva e confrontadora. A convicção de aço em seu interior deve permanecer tão forte e determinada quanto a de Josué, ao dizer: "Quanto a mim, eu e minha família serviremos ao SENHOR" (Js 24.15). Nada de "se", "e" ou "mas". A propósito, abdicar de sua autoridade e cedê-la à esposa em momentos assim está fora de questão.

Deus não chamou os homens para serem exigentes, ditatoriais e opressores das Janes, homens que batem no peito para conseguir o que querem. Ele os chama para agir com resolução e convicção. Quer que persigamos o reino com o caráter formado. O lindo elogio de Jesus a João Batista — aquele que Cristo chamou de o maior "de todos os que nasceram de mulher — foi dado junto com a declaração de que "o Reino dos céus é tomado à força" (Mt 11.11-15, NVI). Nos mesmos versículos, Jesus identifica João com o espírito de Elias. Você não precisa usar roupas de pelo áspero de camelo, comer gafanhotos e morar no deserto para cumprir o propósito divino de ser um Elias. Mas precisa viver como um homem de convicção. Deve recusar se prostrar aos conceitos desta geração tanto do tipo machista bombado com peito cabeludo ou de andróginos que gostariam de ser mulheres e buscam implantes nos seios. Essa geração efeminada precisa de uma redefinição do que significa a verdadeira masculinidade. E a nova definição deve vir da Bíblia e de homens que agem como modelos do exemplo bíblico.

Nós, que vivemos nos dias finais antes do retorno de Cristo, precisamos aprender a viver com o mesmo espírito de Elias. Há uma ordem bíblica em Malaquias 4.5-6 para virmos no espírito de Elias restaurar a boa liderança nos lares. Temos também um mandado do Rei dos reis em Mateus 11 para avançar o reino de Deus com todo vigor, no mesmo espírito do profeta. Devemos formar a nova geração de Elias:

- Homens comprometidos em colocar a família acima do emprego e da igreja.
- Homens fiéis à esposa e exemplares para os filhos.
- Modelos de espiritualidade para os jovens do mundo.
- Acima de tudo, homens de coragem, que não tenham medo de se posicionar contra o reino das trevas.

Não realizamos essas coisas por meio de decretos ditatoriais bombásticos, mas, sim, com espírito de humildade e contrição.

Mateus descreve Jesus como alguém que jamais brigava, discutia ou aumentava o volume da voz nas ruas. Tão manso era que se recusava a apagar a chama que já estava fraca e a esmagar a cana quebrada (Mt 12.18-21). Isso é o que eu chamo de homem de verdade! Ele é o tipo de líder que os outros seguem automaticamente e no qual as nações depositam sua confiança. Fica claro que Jesus não vivia com insegurança, nem sentia necessidade de se provar para os outros. Em vez disso, vivia confiante, sendo aquele que Deus o havia chamado para ser.

Homem, não importa qual é seu estilo de liderança e a inclinação de sua personalidade, continua a ser fundamental que você lidere. Não abra mão de suas responsabilidades de líder para sua esposa ou qualquer outra pessoa. É isso que significa avançar o reino de Deus com ímpeto. Afinal, quando Cristo voltar para estabelecer plenamente seu reino na terra, queremos fazer parte de sua equipe de liderança. Portanto, está na hora de começar a praticar para quando chegar o grande momento.

6
[ELA diz]
Eu machona

———————————————————— Por Devi

Infelizmente, muitas mulheres em posição de liderança possuem uma atitude que promove a competição com os homens. A fim de finalmente conquistar sua parcela de poder no mundo empresarial ou eclesiástico dominado pelo sexo masculino e obter notoriedade e respeito, muitas mulheres acham necessário falar com uma voz emprestada — a voz dos homens. Convenceram-se de que, para serem ouvidas, precisam se vestir com terninhos, sacrificar o cuidado e a sensibilidade, se impor e ser duras no falar.

Na verdade, em vez de fortalecê-lo, esse tipo de ação dilui o impacto da liderança feminina. A mentira do feminismo inicial nos levou a pensar que existe apenas um jeito de fazer as coisas — o jeito dos homens. A mentira continua com a ideia de que, para as mulheres serem líderes, precisam liderar com o estilo machão.

O empoderamento é superior

Gerações se passaram desde o ímpeto inicial em busca de direitos iguais. Hoje, após décadas de sacrifício de nossa feminilidade, chegou o momento para as mulheres voltarem a enfatizar nosso direito humano natural à cooperação, sensibilidade e empoderamento dos outros. Temos excelência natural nessas áreas.

Tanto mulheres como homens têm a ganhar se empresas, igrejas e famílias adotarem uma estratégia *terna* ou *gentil*. Um livro escrito sobre o assunto, *Tender Power* [Poder brando], de Sherry Suib Cohen, demonstra com clareza por meio de experiências pessoais e descobertas de pesquisas o impacto que a liderança gentil pode ter sobre o mundo profissional e particular das pessoas.

A verdadeira influência feminina transforma o estilo dominador de administração masculina em um ambiente mais familiar de cooperação e construção de equipes. Chamamos isso de um novo modelo de liderança. Há autores escrevendo livros sobre o assunto e empresas se beneficiando de seu uso. Mas será que isso realmente é algo novo? Não para as mulheres. Estamos tão somente voltando ao que sempre foi natural e confortável para nós.

A liderança tem a ver com empoderar os outros: seu marido, seus filhos, amigos, colegas de trabalho e sócios. Quando as pessoas a seu redor vivem empoderadas, você também o faz. As mulheres têm empoderado os outros desde os tempos de Eva. É uma prática feminina bem antiga!

Tentar ser e fazer tudo se torna um fardo pesado. Na Bíblia, Jesus diz o seguinte:

> Venham a mim todos vocês que estão cansados e sobrecarregados, e eu lhes darei descanso. Tomem sobre vocês o meu jugo. Deixem que eu lhes ensine, pois sou manso e humilde de coração, e encontrarão descanso para a alma.
>
> Mateus 11.28-29

O retorno a ser *mansa* ou *gentil* aliviará a carga que você muitas vezes carrega. Há poder em apenas ser gentil! Então o que é *poder* e o que é *brandura*?

O antigo poder, o tipo que costuma ser praticado em ambientes competitivos — em geral dominados por homens —, costuma apresentar as seguintes características:

- É baseado em ordens.
- Preocupa-se em proteger a si mesmo.
- Não se conecta aos outros.
- Valoriza o resultado, em lugar de cuidar das pessoas.
- Ligado a fatos, não a sentimentos.
- É competitivo.

Alguns termos que caracterizam o poder incluem: vigor, potência, pressão, energia, força e habilidade de influenciar. Em contrapartida, alguns termos que descrevem brando incluem: vulnerável, terno, empático, sensível, amoroso, gentil, atencioso, misericordioso, apaixonado, generoso e bondoso.

Embora os descritivos para *poder* pareçam fazer contraste com os de *brando*, veja como eles podem se tornar quando os unimos:

- Força sensível
- Liderança empática
- Ímpeto amoroso
- Habilidade atenciosa de influenciar
- Pressão gentil

A combinação de brandura e poder — chamada de *força gentil* — pode ser revolucionária. Tanto homens como mulheres podem adotar essa abordagem se não tiverem medo de tentar algo novo.

Na apresentação de Larry, ele incorpora com destreza os personagens Tarzan e Jane. Bem, eu entendo que Tarzan e Jane necessitam um do outro. A força gentil balança em unidade colocando o *coração* naquilo que você faz — na profissão, no ministério, na família e no casamento. A força gentil tem tudo a ver com parceria. A guerra dos sexos, seja por meio da competição aberta ou sutil um contra o outro, não foi ordenada por Deus. Em vez do modelo "Mim Tarzan, você Jane", maridos e mulheres em liderança podem segurar a corda juntos. Às vezes, isso significa cozinhar juntos, limpar juntos, preencher envelopes juntos e partilhar com cortesia, apoiando um ao outro no que for necessário para o êxito do casal.

A força gentil diz respeito a empoderar os outros, isto é, uma generosidade de espírito que transmite conhecimento para aqueles que se encontram nos degraus mais baixos de sua escada. A força gentil tem tudo a ver com empatia, ou seja, a habilidade humana de se colocar no lugar do outro.

Larry é um exemplo de força gentil em minha vida. Ele me encoraja e corrige — duas qualidades de um líder eficaz. Quando me corrige, lança mão de sensibilidade e empatia. Quando me sinto envergonhada, ele me ama e cuida de mim até eu retomar minha coragem. Quando me aproximo dele com um "forte apelo" para que ele mude de ideia, aproximo-me de seu ego masculino com fortes doses de louvor. Ciente de que ele tem a tendência de ficar na defensiva, explico qual é minha preocupação, correção ou convicção, mas não exijo uma decisão. Faço meu apelo e me sujeito aos resultados. Dou tempo para ele reagir.

Quando empoderamos um ao outro com brandura, crescemos em estima e segurança pessoal. Faz bem ser bom. Sinto-me melhor em relação a mim mesma quando me relaciono com os outros com força gentil. Sempre que abordamos a situação com coerção ou agressão, todos saem perdendo. Quando eu me aproximo de Larry assim, sinto-me insatisfeita e culpada, ao passo que ele fica inseguro e nervoso.

Homens e mulheres, maridos e esposas, não tenham medo de fazer uso da gentileza. A força combinada com a gentileza só acentua seu poder; não o diminui.

7

[ELE diz]
Vivendo com uma líder

———————————————————————— Por Larry

Na Introdução deste livro, contei como minha esposa já saiu da barriga da mãe liderando. Liderar é tão natural para ela quanto respirar. Ela lidera a mim, a si mesma, sua equipe, as pessoas dentro de um avião, qualquer um que estiver na fila do supermercado, o trânsito, a polícia, os jardineiros, construtores e, acima de tudo, dezenas de milhares de mulheres de todo o país. E eu sinto um orgulho imenso dela. Quanto mais liberdade e exposição ela adquire, mais feliz eu fico.

Creio que Deus também me deu o dom e a graça de algumas habilidades de liderança, mas nada que se compare às de Devi. Eu poderia me sentir totalmente intimidado, não fossem dois fatos: Devi nunca exibe arrogância ou superioridade em relação a mim, e ela sempre apoia minha forma de ver as coisas. Sei que um líder seguro provavelmente nem precisaria dessas qualidades vindo de sua cara-metade, mas eu necessito delas.

Sinta-se abençoado ao vê-la ser abençoada

Dois grandes fatores me ajudam a reagir de maneira adequada à liderança de Devi sem que eu me torne negativista ou ressentido.

Em primeiro lugar, como me sinto confortável com quem Deus me criou para ser, não fico intimidado. Eu amo o que o Senhor me chamou para fazer. Fico extremamente feliz ao pregar, ensinar, discipular homens e investir em ministérios e líderes globais. Fico cansado só de pensar em fazer o que Devi faz. Ela anda em velocidade supersônica, e eu me movo a passo de tartaruga. Ela quer se divertir sem parar, enquanto eu mal posso esperar para dar uma escapada e tirar um cochilo. Ela gosta de se sentar no primeiro banco, mesmo ao visitar uma igreja pela primeira vez, enquanto eu sinto vontade de me sentar debaixo do banco. Ela ama os holofotes, já eu prefiro os bastidores. Na maior parte do tempo, ela precisa de um tranquilizante, e eu, de uma injeção de adrenalina.

Em segundo lugar, eu amo vê-la alcançar a excelência. Não fico com inveja, nem ciúme quando ela é convidada a falar em eventos maiores que aqueles para os quais eu sou chamado. Sinto orgulho quando a vejo fazendo o melhor uso de seus dons.

Anos atrás, um pastor me ligou para ver se Devi e eu poderíamos falar em sua igreja. Expliquei que eu estava disponível, mas ela não, ao que ele respondeu: "Ah, então pode deixar. Nós queríamos mesmo a presença dela". Valeu, amigão! Nada de cartão de Natal para você este ano! Brincadeira (quer dizer, mais ou menos...).

A verdade é que sou abençoado ao vê-la ser abençoada. Sinto orgulho tremendo de suas realizações. Ela me fascina da mesma forma que deslumbra os outros. Não me importo quando a vejo receber toda a atenção. Aliás, prefiro que os elogios sejam para ela, não para mim.

Você já deve ter ouvido muitos homens apresentarem a esposa usando a expressão batida: "Aqui está minha melhor metade". Eu apresento Devi dizendo: "Aqui estão meus melhores três quartos?". Não é bonitinho? E pensei em tudo sozinho. Não, eu falo porque realmente acredito nisso. Ela de fato carrega uns três quartos do peso da liderança. Não estou sendo condescendente, mas realista. Devi lidera vários círculos à minha frente. E aprecio o ritmo de sua atuação. Como a cauda de um cometa, ela me atrai para dentro da força gravitacional de sua visão, para que possamos apreciar o percurso juntos. Sem ela, eu estaria girando espaço afora.

Quantos homens vivem com uma mulher cujas habilidades de liderança superam as próprias, mas jamais experimentam a alegria de apreciar as bênçãos na vida da esposa? Suspeito que muitos. Provavelmente uma porcentagem maior do que poderíamos imaginar.

Meus modelos de liderança

Creio que minha atitude em relação à minha esposa — a falta de ressentimento por suas habilidades de liderança, meu desejo de promovê-la e vê-la ser abençoada — vem dos meus pais. Minha mãe, Rachel Titus, sem dúvida ajudou a moldar minhas atitudes em relação a meus dons e meu chamado. O contentamento com meus dons, bem como a alegria e satisfação que sinto em relação a meu chamado, certamente surgiram ao observá-la. Mamãe era uma oradora e professora extremamente talentosa e amava o que fazia. Sua mala estava arrumada o tempo inteiro, e ela mal podia esperar para embarcar para o próximo compromisso. Como minha mãe, eu amo o que faço. Agora que nossos filhos estão crescidos e não tenho mais a responsabilidade pastoral por uma igreja local, meu ritmo se apressa e meu espírito se ilumina diante da possibilidade de embarcar em mais um avião e pregar para uma nova congregação. Por que eu teria rancor em relação ao sucesso de minha esposa se me sinto tão feliz com o meu?

Meu pai afetou positivamente minha habilidade de me alegrar com as conquistas de Devi. Papai era um grande promotor de pessoas, e isso começava dentro de casa. Para ele, mamãe era a melhor pregadora do planeta. Mas, além de mamãe, ele também me promovia. Certa vez, eu o peguei dentro do *shopping*, se gabando para um desconhecido: "Você devia ouvir meu filho. Ele é tão bom quanto Billy Graham!". Embora tenha apreciado o elogio, não fui iludido. Comparar-me a Billy Graham era um grande exagero da imaginação, mas isso não importava para meu pai. Aos olhos dele, eu estava lá no alto, no ar rarefeito junto com o maior evangelista do planeta. Não me lembro de papai sequer insinuar ressentimento pelo sucesso de minha mãe ou de qualquer outra pessoa.

Meu pai tratava mamãe com deferência e respeito. Ele sabia como diminuir para que ela pudesse crescer, descer para ela subir. Aliás, papai fazia isso literalmente quando a apresentava para falar. Embora meu pai não tivesse nenhum pingo do dom da pregação, ele sempre apresentava mamãe antes de suas falas. Dava para pensar que alguém mais importante que a rainha da Inglaterra estava prestes a subir à plataforma. Mamãe então caminhava com porte de realeza até o púlpito, assumia o microfone e devolvia os elogios, honrando papai assim como ela a havia honrado.

Papai acreditava firmemente no cavalheirismo. Sentia que era seu dever de honra abrir a porta para mamãe toda vez que ela se aproximava. Aliás, ela escreveu um poema que lemos no funeral de papai em 1972:

Espera por mim à porta
A despedida enriquece as horas áureas
Das memórias que guardo no coração;
As muitas vezes que falaste com gentileza
"Espera, quero abrir-te o portão".

Cavalheirismo confirmado nos anos da velhice
Como sempre fora nos dias de então;
"Seja uma dama e espera por mim,
sou teu homem, vou abrir-te o portão".

Apressadas tuas mãos se dirigiam à porta
E o caminho amplo era descortinado;
Gentil, conduzias-me em segurança,
Então vinhas caminhar ao meu lado.

Sentirei saudade de teu amor e conforto,
De tuas palavras de incentivo e emoção;
Mas o que mais me fará falta em tudo
É que não estarás aqui para abrir o portão.

Preciso aprender a abrir sozinha as portas
E com coragem por elas passar,
Para encontrar tudo aquilo que estiver além
De tua presença a me acompanhar.

Pois o reino celeste chamou
E tu fostes de antemão;
Mas quando eu chegar, sem dúvida dirás:
"Espera, quero abrir-te o portão".

Não envia São Pedro para abrir a porta
Nem nenhum dos anjos em seu poder;
Espero que me saúdes e recebas
Quando no céu eu for viver.

Ter discípulos melhores é uma honra

Não consigo entender líderes que sentem ciúmes, inveja e sabotam seus discípulos quando estes se tornam melhores que eles. Esse deveria ser o maior dos elogios — quando alguém em quem você investiu alcança excelência maior que a sua. Amo ver minha esposa e meus filhos irem além do que eu jamais consegui. Sinto-me honrado quando posso me alegrar nas realizações deles.

A oração final de Jesus em João 17 foi pedindo que seus discípulos experimentassem a glória que o Pai havia lhe concedido. A glória que o Pai partilha com o Filho desde a eternidade passada foi transmitida a seus discípulos. Um grande líder divide com alegria suas vitórias com os que vêm depois dele. Um líder inseguro teme que seus holofotes precisem incluir outros e não permite que isso aconteça.

Os verdadeiros líderes não só se contentam com o sucesso alheio, como também se deleitam em promover outros e em vê-los ser promovidos. Em minha opinião, é necessário um grande homem para promover e dar liberdade à esposa e à família. Vamos inverter a frase: "Atrás de um grande homem, existe sempre uma grande mulher" e dizer: "Atrás de uma grande mulher, existe sempre um homem que acredita nela, a apoia e não se ressente do fato de que ela é uma grande líder". Pode ser comprido de dizer, mas descreve com precisão a atitude que os homens deveriam ter ao se casar com uma líder.

Em vez de ser o brutamontes em meio a um mar de porcelana, permita voluntariamente que sua esposa seja a porcelana em meio a um mar de brutalidade.

7
[ELA diz]
Vivendo com um líder

— Por Devi

Ao ler as palavras de Larry sobre mim, você não o vê assumir o crédito por nada. Mas por que ele o faria? Sua humildade explica com perfeição seu estilo de liderança. Quando nos casamos, Larry se dedicava ao ministério em tempo integral. Seu primeiro chamado ao sair do seminário foi para trabalhar com seu irmão mais velho em uma reserva indígena no Colorado. De lá, atuou como ministro de música, preparando corais para louvar e exaltar o nome de Deus. Viajou com os pais evangelistas por um período, liderando o louvor e pregando ocasionalmente. Então Deus lhe designou o serviço em posição de liderança.

Larry assumiu o cargo de liderança dos programas para os jovens de uma denominação em um estado inteiro. Seu título era Presidente de Jovens do Distrito Noroeste. Essa era sua função quando nos casamos. Depois, foi preceptor masculino de uma faculdade cristã e, mais à frente, assumiu a função de pastor auxiliar. Em seguida, assumimos o primeiro pastorado titular. Larry passou 34 anos liderando congregações e grandes equipes em seu papel de pastor titular. Nossas igrejas cresciam rápido e muito. Algumas permaneceram bem-sucedidas, ao passo que outras falharam. Ele agora lidera a organização missionária que fundamos juntos, Kingdom Global Ministries [Ministério Global do Reino].

Larry foi o líder em nosso relacionamento. Ele assumiu o comando de nossa vida, e fiquei muito grata porque ele me escolheu para seguir seu chamado. Ele não me fez promessas, a não ser que me amaria, seria fiel a mim e daria prioridade máxima à Palavra de Deus. Eu não conhecia Larry muito bem quando disse: "Sim, eu prometo (na verdade, eu disse: "Sim, eu farei"). Seguirei sua liderança e me sujeitarei a você como cabeça". Cumprir essa aliança deu muitos frutos em minha vida, embora eu também seja líder.

Eu tinha 17 anos e havia acabado de concluir o ensino médio quando nos casamos. Eu não sabia que era líder, em especial da maneira que Larry me descreveu. Sim, eu assumi o controle por nossa casa, cuidando meticulosamente de nosso lar e de nossa família. Acompanhava o amor de Larry pelas pessoas estendendo hospitalidade fora do comum. Posteriormente, trabalhei em todos os âmbitos da igreja por vários anos, nas áreas em que minha ajuda era necessária. Também trabalhei fora de casa em épocas de renda limitada. Minha atitude era: "Farei tudo que for necessário". Sem dúvida, eu liderava em minha esfera de influência e responsabilidade, mas, na época, não me enxergava como líder.

A liderança é tão variada quanto as pessoas que ocupam posições de liderança. Existem diversos estilos de liderança. Meu marido é um líder forte com temperamento introvertido e melancólico. Ele nunca procura ser o destaque da festa, nem perde tempo com coisas triviais. Planeja sua estratégia com cuidado a fim de incluir relacionamentos pessoais. Sente-se confortável com a solidão, e a meditação lhe faz companhia. Fala pouco, mas com ousadia quando tem algo a dizer.

Eu também sou líder, mas de um jeito bem diferente, conforme Larry descreveu com clareza. Eu costumo ser notada quando entro em um ambiente. Preciso me lembrar de respirar, assumir um lugar reservado e não sair correndo até a frente. Estar a sós por qualquer quantidade de tempo para mim significa solidão. Falo sobre qualquer assunto como especialista, articulando com clareza minha ideia. Às vezes, eu realmente sei do que estou falando e, em outras ocasiões, vou apenas manter você no suspense...

As pessoas são minha vida, de certa maneira. Larry passa horas, dias ou meses com uma pessoa de cada vez. Seu telefone toca com homens de várias partes do país querendo falar com o "pai", que é como se referem a ele. Já eu? Gosto das pessoas em grupos. Por isso, faço festas: jantares, aniversários, despedidas ou apenas festas sem motivo especial. Quem se importa com a finalidade delas? E o Larry? Ele não gosta de festas, mas ama as pessoas. Acho que planejar a festa é o aspecto mais agradável para mim, não o evento em si. Amo ver os outros apreciarem algo que criei. Amo partilhar minhas paixões com os outros, de maneira individual ou coletiva. Aquilo que estou aprendendo ou aprendi se torna minha plataforma para ensinar os outros. Crio grandes meios para que os outros possam saber aquilo que eu sei, mesmo que não seja muito. Rádio, televisão, internet e multidões — quanto mais pessoas eu ensino, mais pessoas eu influencio.

Não somos competidores

Eu não estou em competição com meu marido. Títulos não importam para nenhum de nós dois. Ambos sabemos em que área temos excelência e damos ao outro a liberdade de fazer exatamente isso — alcançar a excelência. Compensamos um ao outro, não competimos.

A característica mais marcante do competidor é sua motivação em "ganhar". Mas, quando um ganha, outro perde. Nem Larry nem eu tentamos superar o outro. Nós promovemos um ao outro e somos os maiores torcedores um do outro. Não queremos que o outro perca.

O sucesso não está em um título

Larry e eu já experimentamos tanto sucesso juntos como individual. Nosso sucesso se mede mais pela influência que exercemos na vida dos outros, incluindo nossos filhos e netos, do que por dinheiro ou bens materiais. Contudo, nós dois temos uma reputação de maior visibilidade por causa dos anos de ministério fiel e eficaz e da escrita de livros.

O sucesso daqueles a quem lideramos é a validação de que somos líderes eficazes, não títulos.

Nossa influência tem impactado silenciosamente multidões de vários países — como casal e também de forma individual.

Nenhum de nós tem diplomas que nos deem um título de prestígio. Às vezes, as pessoas valorizam os títulos e os acrescentam ao nosso nome por respeito, mas nós nunca acrescentamos títulos ao nosso nome. Eles não são necessários para provar que somos líderes. O sucesso daqueles a quem lideramos é a validação de que somos líderes eficazes, não títulos. Quando você sabe quem é, não precisa provar.

Certa vez, nosso filho gentilmente me repreendeu quando o apresentei como dr. Aaron Titus. Embora ele tenha um merecido título de doutor em física e seja um celebrado professor universitário e respeitado cientista, com várias publicações em sua área, nunca assina seu nome ou se apresenta usando o título. Nem sua esposa, a dra. Kimberly Titus, doutora em física e professora universitária de matemática.

Só é apropriado usar o título dentro do ambiente em que o diploma foi conquistado. Por exemplo, no *campus* onde Aaron trabalha, para seus alunos e em sua sala de aula, ele é o dr. Titus. Contudo, em meio a seus pares e colegas, ele jamais exalta a si mesmo.

Há vários campos de atuação profissional que não acrescentam títulos de funções descritivas à frente do nome. Por exemplo, jamais escrevemos ou dizemos: "Conheça o gerente Felipe Hasegawa" ou "Está é a diretora Devi Titus". Meu médico não coloca seu título na porta do consultório. A placa traz seu nome, seguido pelos símbolos dos diplomas que conquistou. Outros podem escolher chamá-lo de "doutor" em seu ambiente de trabalho.

A Bíblia não usa títulos. O texto bíblico se refere a amigos, familiares e colegas de ministério usando o primeiro nome de cada um: Jesus, Paulo, Pedro, Tiago, João, Abraão, Isaías e assim por diante. Então por que nos preocupamos tanto dentro da igreja com títulos de exaltação pessoal, como bispo, pastor, copastor, ancião, profetisa, apóstolo, evangelista etc.? Tais termos podem ser eficazmente utilizados como adjetivos descritivos, que esclareçam nossa função, mas não como títulos, na esperança de que definam nosso sucesso.

Em algumas denominações cristãs, as mulheres casadas com pastores parecem vulneráveis a encontrar títulos para si mesmas em busca da coliderança. Eu incentivo toda mulher a crescer na liderança individual enquanto apoia o chamado do marido, e Deus lhe dará o reconhecimento que você merece. Não é necessário lutar para ser relevante. Nenhuma outra profissão inclui dar à esposa um título equivalente ao do marido. Tampouco isso deveria acontecer conosco. Na denominação cristã em que Larry e eu congregávamos, os líderes me incentivaram a ser ordenada. Recusei, porque nunca cursei teologia, nem fiz o seminário. Amo as Sagradas Escrituras, e sua leitura faz parte diária de minha vida. Hoje eu ensino multidões sobre os princípios que aprendi na Bíblia. Escrevo livros sobre eles, vendo CDs e DVDs, multiplicando ainda mais minhas mensagens. Ministro para os outros, como todos os cristãos devem fazer, mas não necessito de um certificado pendurado na parede para validar o que não conquistei merecidamente. Caso me concedessem um diploma *honoris causa* pelas realizações de minha vida inteira, refletiria se iria aceitar, mas com o senso de humildade não merecida.

> *Eu incentivo toda mulher a crescer na liderança individual enquanto apoia o chamado do marido, e Deus lhe dará o reconhecimento que você merece.*

Seus títulos ou a falta deles não medem seu sucesso.

Quando o sucesso bate à porta dos dois

Para falar a verdade, nem você nem seu cônjuge nasceram líderes. Nós nascemos bebês. O médico não olhou para sua mãe e disse: "Veja, você acabou de dar à luz um líder!". No entanto, Deus tinha seu destino em mente antes da fundação da terra. Você é ideia do Senhor. Ele lhe deu uma personalidade ou um temperamento que definirá o tipo de líder que vai se tornar. A liderança é desenvolvida. Levou tempo para vocês dois se tornarem quem são. Vocês amadureceram e adquiriram a identidade pessoal que têm hoje.

Quando ambos descobrem sua paixão e vivem na prosperidade que Deus os criou para ter, é extraordinário. Não há nada pelo qual batalhar, competir ou se intimidar. As fases da vida darão flexibilidade ao foco, mas o que permanecerá idêntico será sua confiança pessoal. Você não se sente ameaçada pelo sucesso do cônjuge. Em vez disso, o celebra.

Uma vez que Larry é um líder silencioso, humilde e forte, seu sucesso nunca colocará a foto dele nos *outdoors*. Contudo, os anos de discipulado fiel aos outros faz seu telefone tocar todos os dias para ouvir "Oi, pai!" do outro lado da linha. É possível ter cem ou mil filhos? Eu responderia que não, mas Larry provou que eu estava errada.

Larry fez igrejas crescerem, treinou líderes, plantou congregações, fundou faculdades de teologia e inspirou liderança em milhares incontáveis com muito sucesso. Sua influência faz seu telefone não parar de tocar e sua mala está sempre pronta para viajar o mundo, respondendo ao chamado de Deus em sua vida.

Eu também vivencio algo que não planejei. Estava plenamente satisfeita em seguir Larry, arrumar a mala dele, apoiá-lo, receber seus inúmeros amigos e cuidar de nossa família. Deus, porém, tinha outra coisa em mente para mim — algo que eu não havia planejado.

Eu também sou bem-sucedida. Tenho dado total apoio a meu marido em tudo que Deus o chamou para fazer. Também criei filhos piedosos, iniciei negócios, lancei novos meios de ministério e hoje viajo o mundo e escrevo livros publicados em vários idiomas. Sou uma oradora muito procurada para congressos de mulheres cristãs. Nos anos de minha maturidade, tenho um ministério de alto nível com as mulheres. Ele não é resultado de planejamento estratégico ou de escrever declarações focadas de missão pessoal. Um a um, tenho aceitado os convites e hoje recebo mais do que consigo atender. Minha paixão é *restaurar a dignidade e a santidade do lar* na maneira que homens e mulheres entendem o lar em relação ao coração humano. Sinto-me impulsionada a fazer isso com todos os meios de comunicação possíveis que existirem. Com mais de setenta anos, estou me esforçando ao máximo para aprender sobre tecnologia, redes sociais e formas mais modernas de comunicação a fim de aumentar minha marca nas famílias atuais, que necessitam tanto!

Examine minha vida e a de Larry. O sucesso bateu à porta de nós dois — juntos e de maneira individual. Esse sucesso nos apresenta novos desafios que necessitam ser compreendidos e administrados, para que nosso relacionamento continue a florescer. Todos os líderes têm algumas coisas em comum, que precisam de cuidados, para que prosperem e não caiam.

Aceitação da realidade da liderança em comum

Quando você vive com um líder, existem algumas coisas que não podem ser mudadas. Elas são comuns a todos os líderes e devem ser administradas. Quando líderes vivem juntos, a responsabilidade de liderança é dobrada. É por meio da aceitação, em vez da resistência, que tais realidades permitirão que vocês vivam em harmonia. Caso contrário, o relacionamento entre vocês dois pode terminar com uma colisão cataclísmica. Pense nas importantes realidades a seguir:

1. Os líderes têm uma agenda apertada

Horários e prazos fazem parte do sistema criado pelo líder

para alcançar seus objetivos. Por isso, o cônjuge deve procurar ter um calendário preciso de datas e horários, a fim de começar cada dia com o sentimento de preparo, não de caos.

Conversem todos os dias sobre a agenda e façam ajustes para estar juntos, sempre que possível. Não permitam que a agenda apertada os leve a ter vidas separadas.

Larry e eu viajamos muito para dar palestras. Nossos públicos são diferentes. Eu falo para as mulheres e ele, para homens e igrejas. Nessa temporada de sucesso, ficamos muito tempo separados. A comunicação um com o outro em relação à nossa agenda, a consulta ao outro antes de fazer um compromisso e o pensamento no outro durante esse processo são aspectos muito importantes. Tais atitudes mantêm nosso coração unido e nos permitem participar um com o outro em oração, preocupações e relatos.

Esse sucesso nos apresenta novos desafios que necessitam ser compreendidos e administrados, para que nosso relacionamento continue a florescer.

É importante colocar um ao outro no calendário. Se você não fizer isso, outras demandas tirarão o tempo com seu cônjuge. Não faria sentido reclamar o tempo inteiro que Larry fica tanto fora. As reclamações só pioram as coisas para os dois lados e não comunicam de forma apropriada o que você precisa dizer.

Libere seu esposo para fazer o que é necessário. Mas faça o tempo valer quando estiverem juntos. Agende esses momentos como um compromisso inadiável.

2. *Os líderes têm seguidores*

A vida com um líder sempre inclui outras pessoas. As pessoas dele e as minhas podem ser diferentes. Uma forma comum de alguns lidarem com os "outros" na vida do líder é se tornar possessivos e tentar limitar os relacionamentos do outro. Outra maneira é se isolar e não participar de nenhuma das atividades do cônjuge. Qualquer uma dessas escolhas atrapalhará seu relacionamento e a liderança eficaz.

Embora você deva agendar momentos para estar sozinho com o cônjuge, a única solução verdadeira é apreciar o fato de que seu cônjuge líder tem outras pessoas dispostas a segui-lo. Aprecie participar tanto quanto possível da área de liderança da vida do outro.

Larry não gosta de participar de congressos para mulheres. Mas fiz amigas extraordinárias para a vida inteira nesses eventos. Agora ele passa tempo com o cônjuge dessas mulheres e também com elas. Apreciamos a companhia uns dos outros porque ele escolheu aceitar minhas "seguidoras".

Da mesma maneira, Larry sempre me conta como certo homem ou "filho" é extraordinário e quer que eu o conheça. A verdade é que Larry deseja que eu ame quem ele ama, e eu desejo que ele faça o mesmo.

É importante participar de eventos e ocasiões especiais com a "turma" do seu cônjuge. Caso o cônjuge seja líder de uma organização ou empresa, você deve acompanhá-lo nos eventos corporativos e conhecer seus "seguidores".

A turma dele se torna a minha, e minha turma se torna dele também. Apoiamos um ao outro ao conhecer as pessoas importantes na vida de ambos.

3. Os líderes são focados

Há pouco espaço para a espontaneidade quando se vive com

um líder. Os líderes são focados em seus objetivos. A agenda predetermina suas atividades. Ao conversar com líderes focados, em geral você só recebe parte de sua atenção. A mente sempre está preocupada e sua atenção é curta, como a de uma criança.

Não leve para o lado pessoal. Lance mão de breves intervalos de conversa, em vez de tentar prender a atenção do líder em um longo discurso. Dessa forma, você tem maior probabilidade de conservar a atenção dele.

Larry e eu rimos um do outro. Conseguimos passar horas juntos sem dizer uma palavra. Nós dois somos focados. Ele lê, eu crio. As duas atividades exigem foco. Nenhum de nós reclama de ser negligenciado. Lembre-se: ele não é de conversar, já eu sou bastante comunicativa. Por isso, é muito importante que eu lhe dê espaço. Mas ele faz o mesmo por mim. Nós conversamos também. Ele ouve, e eu falo. Somos focados um no outro.

Muitas de nossas conversas significativas são sobre revelações individuais, conhecimento que descobrimos e tarefas que precisam ser feitas. Procuramos valorizar a opinião do outro. A profundidade de nossa convicção vem de permitir que o outro foque em suas paixões.

4. Os líderes trabalham com uma equipe

Os líderes estão acostumados a dar orientações a um grupo de pessoas, trabalhando com elas para implementar sua visão. Eles são a autoridade e os membros da equipe dão opiniões, raramente questionando sua autoridade.

O lar é diferente. Não somos chefes do cônjuge. Quando o líder sai do ambiente de trabalho e chega em casa, muitas vezes continua a tratar a família como equipe de funcionários, dando tarefas e fazendo avaliações. Para não acontecer isso, é útil dar ao líder um tempo de transição do ambiente de trabalho para o familiar.

Mulheres: seu marido não é um assistente pessoal, zelador ou babá dos filhos. Ele é o amor de sua vida. Não o encha de ordens quando chegar em casa. Você pode ajudar a si mesma a fazer essa transição de um ambiente voltado para tarefas que necessitam ser feitas para um lar pacífico e amoroso criando uma atmosfera tranquila e receptiva — velas com fragrância suave e música calma. Evite barulho e confusão. Fale em tom manso e gentil.

Cavalheiros: ajam como tal. Sua esposa não é sua secretária, escrava, diretora financeira ou de operações. Ela é o amor de sua vida. Lembre-se disso tão logo estacionar na garagem. Você está em casa para se conectar, não para se desconectar. Deixe as tarefas no trabalho e concentre-se nas tarefas do lar — seus relacionamentos familiares, a começar pela esposa. As pessoas são sua tarefa e seu prazo.

5. *Os líderes sentem estresse*

A liderança tem pontos de estresse nem sempre fáceis de definir. É possível dialogar sobre algumas coisas, mas outras não ficam tão claras.

As pressões e preocupações sobre as quais não dá para conversar podem alterar o humor. Quando você notar que esse é o caso com seu cônjuge, não insista, tentando descobrir o que há de errado. Isso só aumenta a tensão. Ajude a levar a carga sendo compreensivo, dando espaço e tomando o máximo possível de decisões sem se incomodar com picuinhas. Lembre-se: nenhuma situação vai durar para sempre. Isso também passará.

Sua atitude amorosa de apoio aliviará a tensão e poupará a saúde de seu cônjuge.

Existe estresse positivo e negativo. Faça questão de se responsabilizar pela administração dos próprios pontos de estresse de maneira positiva. Não desconte em seu cônjuge, colocando a culpa de seu mau-humor na situação que está vivendo no trabalho. Você dá exemplo para que ele faça o mesmo com você. Lembre-se: você está longe de quem um dia foi, mas ainda não chegou a quem deseja ser. Controle seu estresse de maneira positiva e edifique seu caráter.

6. Os líderes também podem errar

Os líderes sentem responsabilidade tremenda pelos outros. Às vezes, é difícil para eles aceitar que podem estar errados. Talvez se preocupem com a possibilidade de seu erro magoar aqueles a quem lideram. Eu amo e coloco em prática a sabedoria de minha mãe. Ela é famosa em nossa família por seus ditados, e este é meu preferido: "O que há de tão mal em estar errado?". A adoção dessa atitude nos liberta de temer o fracasso e de tentar nos proteger com uma postura defensiva.

Os líderes tendem a querer acobertar seus erros e os justificar. Dê a seu cônjuge líder espaço para dizer: "Estou errado", sem medo de ser criticado. Como você é um buscador de soluções (líder), pode ter a tendência de dar sermão no cônjuge enquanto ele descobre e admite que está errado. Seja tardio no falar, rápido em ouvir e tardio em se irar. Sua reação faz maravilhas ao proporcionar a confiança necessária para seu cônjuge tentar de novo.

7. Os líderes necessitam de afeto

Deem um ao outro muito afeto. Como seu cônjuge líder passa

o dia com uma equipe de pessoas que o apoia, trabalha com ele e se relaciona de maneira muito próxima, é importante que ele se conecte com você ao chegar em casa. Caso você se mostre distante e desinteressado, será tentador para ele permanecer no trabalho e se tornar íntimo de outra pessoa.

A maioria dos líderes é vulnerável à traição emocional porque o cônjuge não se relaciona com ele no nível emocional. No livro *A verdade sobre a traição masculina*, o autor M. Gary Neuman, especialista em relacionamentos, entrevistou duzentos homens para descobrir por que eles traem. Deles, 48% citaram a insatisfação emocional como o principal motivo para a traição. Já era o mito de que, para os homens, trair só está ligado ao sexo. Somente 8% dos entrevistados citaram a insatisfação sexual como o motivo para trair.

Expresse conexão física com seu cônjuge em público quando estiverem no ambiente de trabalho um do outro. Deem um beijinho, fiquem de mãos dadas, façam carinho no braço ou no ombro. Isso faz uma afirmação pessoal e pública do relacionamento de vocês. Evitem declarações contraditórias em público e protejam o ego do outro. Digam palavras de afirmação e encorajamento com afeição para os colegas de trabalho do cônjuge. Mostrem apreço pela liderança, pelas realizações e pelo caráter do outro.

Ative o lugar mais terno dentro do coração de seu cônjuge líder.

Problema dobrado ou recompensa dupla

Há muita responsabilidade em ser líder e, quando líderes vivem juntos, pode ser problema dobrado ou recompensa dupla. Quando Larry está sob os holofotes, eu me sento no primeiro banco, amando poder participar de seu sucesso. Quando eu estou debaixo dos holofotes, ele faz o mesmo por mim.

Uma vez que trabalhamos juntos, abraçando nossos desafios em vez de resistir às coisas que não podemos mudar, vivemos com uma dupla recompensa. Amo os momentos que passamos juntos e lhe dou liberdade para viajar quanto for necessário. Ele faz o mesmo por mim. Sinto muito orgulho dele e não tenho expectativa de que nada seja diferente do que é no momento. Agora, em nossos anos de maturidade, viajamos o mundo juntos, dando palestras como uma equipe — a recompensa dupla que nos pegou de surpresa.

> *Ative o lugar mais terno dentro do coração de seu cônjuge líder.*

8
[ELE diz]
O dinheiro é meu, querida!

— Por Larry

Nada é capaz de causar divisão entre os cônjuges no casamento mais rápido que o dinheiro. Como você já deve imaginar, no aspecto financeiro, bem como em todos os outros, sou totalmente diferente da Devi. Estamos predispostos a ter problemas? Pode ter certeza que sim! Conforme já contei para vocês, se eu vou para a esquerda, Devi vai para a direita. Se eu vou para cima, ela vai para baixo. Se eu digo sim, ela diz não. Enfaticamente! Então, no que diz respeito às finanças, os casais enfrentam um grande potencial de divisão, sobretudo quando os dois têm personalidades fortes, opiniões fortes e salários fortes.

Dá para perceber uma diferença real entre Devi e eu quando vendemos nossos produtos. Com a mesma rapidez que Devi vende os livros, CDs e DVDs que estão expostos na mesa dela, o que, na maioria dos finais de semana, acontece bem depressa, eu fico do outro lado doando meus materiais com a mesma agilidade. Aliás, se você quer pagar o preço cheio de um livro, vá até Devi. Se quiser um livro, CD ou DVD de graça, venha e me veja agir. Ela vai amar você, abraçá-lo, autografar seu livro e pegar seu dinheiro. Eu lhe darei um aperto de mãos caloroso, um abraço e um livro de graça ou devolverei seu dinheiro.

E essa é apenas uma das maneiras em que enxergamos e reagimos à nossa situação financeira de maneira diferente.

Você imaginava que as diferentes experiências na infância causariam tamanho impacto sobre o casamento? O casamento pode exacerbar muitas situações, e o dinheiro está no topo da lista.

Quando criança, meus pais nunca me ensinaram a economizar dinheiro. Agora, depois de adulto, continuo tendo dificuldade de poupar. Ninguém me explicou como eu deveria administrar meu dinheiro ou como fazer um orçamento. Não me lembro de nenhuma vez que meus pais me ensinaram sobre finanças, exceto que eu deveria devolver o dízimo. Não havia cartões de crédito naquela época, mas, se tivesse, sei que eu me afundaria totalmente nas dívidas. Assim, demorou anos e anos de casamento até eu realmente me afundar até a cabeça nas dívidas. Talvez meus irmãos tenham tido uma experiência diferente, mas, por ser o mais novo, eu nunca soube de uma época em que meus pais não estivessem passando por dificuldades financeiras. Não vivíamos em pobreza abjeta, mas papai nunca teve dinheiro suficiente para realmente sustentar a família e, sem dúvida, não tinha dinheiro suficiente para se aposentar. Se mamãe não tivesse começado a trabalhar com seu ministério após o derrame de meu pai, não faço ideia de como eles teriam sobrevivido.

Até hoje, tenho minhas dificuldades com as finanças. Se encontro algo de que goste, compro na mesma hora. Acho que se chama "gratificação instantânea". Também gosto do que há de melhor e não me contento com o segundo lugar. Se Devi encontra algo de que goste, ela espera até entrar em promoção ou opta por algo que parece ser tão bom quanto, porém com menor preço.

Em contrapartida, a família de Devi sempre trabalhou duro, economizou com frugalidade e administrava muito bem o dinheiro. Os pais dela nunca ganharam muito, mas economizaram bastante ao longo dos anos e conseguiram se aposentar com um padrão de vida confortável. Quanto a mim, provavelmente me aposentarei alguns anos depois de meus filhos. (Graças a Deus que acabaram com a prisão por dívidas!)

Quando Devi e eu nos casamos, eu tinha o hábito de gastar o salário assim que o ganhava. Mas agora que estamos casados há cinco décadas, tão logo o dinheiro entra, guardamos por pelo menos um mês. Brincadeira (mais ou menos...). Estamos melhor atualmente, mas aprendi a depender mais da sabedoria de Devi do que de minhas emoções, inclusive em minha necessidade de gratificação instantânea ou de querer "abençoar" alguém. Ela não se intimida em me dizer: "Querido, você não deveria dar dinheiro para essa pessoa, que não trabalhou para conquistá-lo. Não vai fazer bem para ela". E o que eu posso dizer? Amo ajudar as pessoas. Às vezes, porém, preciso me lembrar de que há ocasiões em que a ajuda aos outros se torna um empecilho para sua aprendizagem e, nesses casos, acaba não sendo uma bênção, mas, sim, um impedimento para que cresçam.

O dinheiro e as finanças apresentam uma oportunidade única para os casais se unirem em um objetivo em comum ou se dividirem por causa de opiniões e metas diferentes. Além de haver divisões profundas, essa diferença também pode levar a fissuras que não são curadas com o tempo. Muitos casamentos sucumbem às rachaduras causadas por opiniões divergentes ou intransigentes em relação a questões financeiras, acabando em divórcio ou grande desunião que persiste por anos.

É raro, mas alguns casais têm experiências semelhantes no que diz respeito às finanças. Ambos aprenderam a administrar o dinheiro com eficácia e têm opiniões parecidas em relação às decisões financeiras. Se você faz parte de um desses casais, parabéns! Você integra uma elite e provavelmente é um dos 144 mil de Apocalipse 7 (brincadeirinha!).

Contudo, nem todo marido e mulher tiveram a bênção de aprender a administrar as finanças com os pais enquanto cresciam. O mais provável é que somente um de vocês teve a oportunidade de trazer da infância sábios conselhos de administração do dinheiro para dentro do casamento.

Em tais casos, não é incomum que o cônjuge mais capacitado considere o outro imaturo, irresponsável ou, no mínimo, ingênuo no que diz respeito a decisões financeiras. Embora possa ser verdade, ajuda muito pouco abordar essa questão com uma postura condescendente. Nutrir amargura ou dar sermões no cônjuge menos preparado jamais melhorará o relacionamento conjugal, nem consertará os males financeiros. Encorajamento, afirmação e amor podem cobrir uma multidão de pecados e erros financeiros.

Em muitos casos, os dois cônjuges se casam sem a menor ideia de como economizar ou administrar o dinheiro. Ai! O desastre espera à porta, a menos que o casal aja de imediato. Sessões de aconselhamento conjugal podem ajudar muito, caso sejam feitas com antecedência.

E seus dons ou conhecimentos na área financeira? Em muitos casos, se não na maioria, um dos cônjuges tem mais conhecimento e especialização na área de administração financeira que o outro. Por exemplo, muitos homens são bem-sucedidos ao investir na bolsa de valores. Além disso, muitas esposas têm excelentes habilidades na área contábil, enquanto o marido trabalha duro para ganhar o dinheiro que ela administra bem. Em alguns casamentos, é o contrário que acontece.

O crucial é vocês descobrirem o que cada um de vocês faz melhor. Então, permitam que a pessoa mais qualificada assuma a responsabilidade quanto antes.

Para mim, o princípio mais importante de todos é que vocês entrem em acordo antes de tomar qualquer decisão importante. Isso é fundamental sobretudo na área das finanças. Deus ama a união. Ele quer que vocês vivam unidos. É mais importante que vocês estejam unidos do que certos. Pelo menos estarão errados juntos.

Devi e eu levamos anos para entender como administrar melhor nossos recursos. Ou quem sabe eu deva admitir que levei anos para reconhecer que Devi tem uma cabeça melhor na área financeira e eu estava só sendo teimoso.

Devi enxerga no longo prazo. Administrar as finanças e economizar dinheiro é muito natural para ela. Descobri, ao longo de anos e anos de tentativa e erro, que, em processos de negociação, é melhor deixar que ela lidere. Ao comprar um carro, uma casa, um eletrodoméstico ou ao planejar para o futuro, ela está sempre anos-luz à minha frente. É um desastre toda vez que tomo a decisão de forma unilateral. Ao comprar um carro, fico surpreso quando não ofereço ao vendedor de fama duvidosa dinheiro a mais apenas por deixar que eu compre o veículo por um valor maior do que está anunciado. Só tenho vontade de agradar a todos e deixar os outros felizes.

Mas, quando falamos em talão de cheques, deixe comigo! A personalidade sanguínea de Devi parece dar as caras bem no caixa. Quem sabe ela escreva a data na parte de valor, ou o total do cheque anterior no atual, ou mesmo se esqueça de registrar qualquer coisa. Sempre temos um motivo para rir, chorar ou celebrar quando abro o extrato mensal. "Querida, que cheque foi esse? E esse valor, foi para pagar o quê? Querida, estamos no vermelho. Querida, recebemos mil a mais este mês porque você se esqueceu de anotar nas entradas". Nós exclamamos: "Socorro!" ou "Aleluia!".

Não tem segredo: descubram a especialidade um do outro e deixem cada um cuidar do que sabe. E, homens, não tentem controlar as finanças se esse não for seu dom. Admita, supere e entregue a contabilidade para aquela que Deus sabe que pode ajudá-lo a se manter no azul, com as contas em dia e parecendo mais esperto do que realmente é.

Antes de você pular meu capítulo pensando: "Esse cara é um total fracasso financeiro!", espere um pouquinho. Posso até não ser o melhor com dinheiro, mas já estou muitos passos à frente do que costumava ser. Antes de colocar a alcunha "fracasso financeiro" ao lado do meu nome, você deveria conhecer algumas de minhas melhores qualidades:

- Eu nunca desestimulo minha esposa de sonhar e poupar para seus sonhos. Já ouvi muitos homens responderem à súplica da mulher por uma lava-louças melhor, um sofá, uma cama ou uma casa novos de forma curta e grossa: "Não temos grana para isso". É assim que se mata um sonho! Alimente o sonho dela abrindo uma poupança, ou com um emprego a mais, ou ainda fazendo horas extras, mas não acabe com o sonho dela.
- Faça questão de que ela sempre tenha dinheiro na bolsa, sem precisar implorar. Se só lhe restar um dólar, dê para ela. Quando sacar dinheiro no banco, entregue metade para ela. Afinal, ela é sua metade.
- Eu considero que todo o "meu" dinheiro é dela também. Nunca ganhei um dólar que tenha sentido vontade de guardar para mim e não repartir com ela. Não considere

que seu dinheiro é "seu", mas, sim, "nosso". Estamos nessa juntos. Tudo é "nosso": nossos filhos, nossa casa, nosso dinheiro, nossos sonhos e, sim, nossas dívidas.
- Eu devolvo o dízimo, doando os primeiros 10% de tudo o que ganho para o reino de Deus e a igreja. O Senhor pode encontrar diversas coisas nas quais fiquei em falta quando nos encontrarmos no dia do juízo, mas, na área dos dízimos, eu nunca roubei a Deus.
- Sempre pago minhas contas em dia. Há, sim, raras exceções, como nas ocasiões em que o dinheiro acabou porque comprei algo que não tinha condições de custear, mas isso quase não acontece.
- Eu não tomo decisões eternas com base em considerações financeiras.

Por fim, as pessoas podem se perguntar: "Quando a esposa trabalha, nós dividimos o salário ou o dinheiro é dela?". Essa dúvida requer uma resposta brilhante. Por isso, alegremente cedo a vez e dou o direito de resposta à minha esposa. Viu quanto eu sou submisso?

8
[ELA diz]
O dinheiro é meu, querido!

———————————————— Por Devi

Sim, Larry e eu crescemos com pontos de vista bem diferentes quanto ao dinheiro. Quando eu era pequena, meu pai era açougueiro autônomo e trabalhava no pequeno supermercado que pertencia a seu sobrinho. Ele não ganhava muito. Mamãe era caixa do mesmo mercadinho ao longo dos meses em que havia aula. Durante as férias de verão, ela ficava em casa conosco e recebia o seguro-desemprego. Posteriormente, mamãe se tornou funcionária da pequena agência dos correios de nossa cidade, e papai era pastor de nossa igrejinha. Ambos se aposentaram atuando nessas funções. Eu estava no ensino médio quando mamãe começou a trabalhar nos correios e havia acabado de me casar quando papai virou pastor da igreja que eu cresci frequentando.

Eu não nos considerava pobres, mas, de acordo com as estatísticas governamentais, nós éramos sim. Eu usava roupas bonitas e da moda porque mamãe costurava a maioria delas. Aliás, eu me achava uma das meninas mais bem-vestidas da escola. Também tínhamos móveis atuais e, embora nossa casa tivesse cem anos de existência, era uma das melhoras de nossa pequena vila rural de trezentos habitantes.

Meu irmão, quatro anos mais velho que eu, começou a trabalhar no estoque da mesma loja quando era bem jovem. Eu cuidava da casa, arrumava a mesa e começava a preparar o jantar antes de mamãe chegar em casa todos os dias. Tive o primeiro emprego aos 15 anos, assim que tirei a habilitação de motorista. Mas comecei a ganhar dinheiro aos 12. Eu pegava roupa para passar e também era "esteticista" das amigas e parentes de mamãe. Eu fazia um ótimo trabalho com *bobs* e arrumando o cabelo das mulheres. Os penteados que eu criava duravam uma semana até o cabelo precisar ser lavado e arrumado de novo. O dinheiro que eu ganhava era *meu*. Economizava a maior parte e gastava um pouco.

Aos sábados, meu irmão e eu podíamos dormir até as oito da manhã! Após ajudar com a casa pela manhã, nossos pais nos deixavam brincar à tarde. Nossas obrigações consistiam em limpar a casa, cortar a grama e arrancar as ervas daninhas do jardim. Nós dois compartilhávamos e trocávamos as tarefas, para manter a vida interessante. Nunca havia ouvido falar de pessoas que recebiam mesada, até entrar no ensino médio. O comentário que fiz para uma amiga foi: "Quer dizer que seus pais lhe dão dinheiro sem que você trabalhe para merecer?". Aquilo me pareceu ridículo.

Lembro-me muito bem de quando papai abriu a carteira para me mostrar dois compartimentos escondidos. Um era reservado para o dízimo, 10% do pagamento que ele recebia semanalmente. Ele separava o dízimo para devolver à igreja. O outro era para um quarto da parcela mensal do financiamento de nossa casa. Toda semana, papai colocava o valor nesses compartimentos, para garantir que não gastaria com outras coisas. Esse exemplo causou uma impressão indelével em mim. Simplesmente não havia crédito em nossa casa, e eu nem sabia que isso existia até pouco depois de me casar.

Minha família tinha o hábito de ganhar o dinheiro, economizar, compartilhar e gastar parte dele. Com as economias que mamãe e papai juntaram, eles conseguiram comprar alguns imóveis para aluguel, que produziram uma boa renda complementar e para a aposentadoria.

Como Larry e eu éramos muito jovens quando nos casamos, não conversamos sobre nossos valores em relação ao dinheiro. Preciso explicar por um instante como é a personalidade de cada um de nós, para que você consiga entender os desafios que enfrentamos ao administrar o dinheiro. Eu sou visionária, determinada, decisiva e muito focada em tarefas. Larry é estável, leal, confiável, simpático e muito focado nas pessoas. Tenho a tendência de controlar pessoas e situações, ao passo que Larry, às vezes, é bem teimoso. Dá para ver facilmente que nossos pontos fortes funcionam muito bem juntos, mas nossos pontos fracos têm o potencial para envenenar e destruir nosso relacionamento.

No início do casamento, fizemos como a maioria, com diversas idas e vindas em relação a quem paga as contas do mês e administra as despesas da casa. Quando eu pagava as contas, tratava Larry como se ele fosse criança. Entregava-lhe uma mesada e dizia não para seus padrões de gastos com frequência muito maior do que dizia sim. Eu manipulava nosso dinheiro, corria riscos e não pagava as contas em dia. Isso diminuía a masculinidade e o senso de realização dele por ser nosso provedor. Quando eu entregava tudo para ele, não confiava que um dia conseguiríamos ter alguma coisa. Achava que ele sairia dando tudo para os outros e tinha medo de que não sobrasse nada para nossa família.

Nenhum de nós dois fazia a menor ideia de como criar um orçamento familiar e se ater a ele. Nós só ganhávamos o dinheiro, que nunca parecia bastar, e gastávamos tudo. Achávamos que estávamos trabalhando juntos, mas, na verdade, eu me fechava e não expressava minhas opiniões quando ele assumia o controle — receita certa para uma futura tragédia financeira!

Fazer um orçamento com a projeção das rendas e despesas não funcionava para nós porque, ao contrário da maioria das pessoas, nós não sabíamos quanto ganharíamos por semana. Em nossa geração, a maior parte da renda ministerial era proveniente de "ofertas de gratidão", que mal davam para sobrevivermos. Nas vezes em que tínhamos um parco salário, normalmente não o recebíamos em dia.

Tensões e conflitos surgem nesse tipo de ambiente financeiro. Larry era generoso demais. Ele dava tudo para os outros, inclusive o dinheiro para comprar nossa segunda casa e carros que não estavam quitados. Como eu confiava mais na espiritualidade de Larry do que na minha, tinha medo de interferir. Eu achava que meu egoísmo e falta de fé sem restrições nos fariam deixar de ter a provisão, a unção e a bênção de Deus em nossa vida. Por isso, permanecia em silêncio.

Muitos anos depois, reconheci que eu tinha responsabilidade não sobre nosso dinheiro, mas sobre meu coração. Não importava como gastaríamos o dinheiro ou quanto teríamos em dívidas, eu entendi que não podia deixar o ressentimento se abrigar em meu coração, nem permitir que essa diferença se transformasse em um abismo em nosso relacionamento.

Determinei em meu coração, na presença de Deus, que eu permaneceria contente, fôssemos ricos ou pobres, com qualquer consequência financeira que tivéssemos em razão de uma boa ou má administração. Eu viveria em amor, paz e harmonia com Larry, na periferia ou em um bairro residencial de elite. Abriria mão de todo controle e confiaria em meu marido e no Senhor em relação a nosso bem-estar futuro.

Sempre tive renda de uma maneira ou de outra em nosso casamento. Sou naturalmente empreendedora e leio em Provérbios 31 que a mulher virtuosa, ao cuidar do marido e da família, também pode ganhar dinheiro. Era isso que eu fazia e continuo a fazer hoje.

Eu abri mão do controle de todas as finanças, e Larry assumiu a responsabilidade. Eu tive a seguinte ideia: entrego a ele aquilo que ganho, e ele deposita em nossa conta conjunta. Meu dinheiro é dele. O dinheiro dele é meu. Ele paga as contas e mantém minha carteira com dinheiro, sempre que temos. Ele sempre é generoso comigo e, toda vez que desejo fazer uma compra pessoal de valor significativo, converso com ele. Faço isso por respeito, não por obrigação. Ele nunca exige que eu peça permissão para gastar dinheiro, mas, quando eu faço isso, estou prestando contas, a fim de não gastar por impulso. Isso também nos mantém conectados e informados em relação aos desejos e às escolhas um do outro.

> *Meu dinheiro é dele.*
> *O dinheiro dele é meu.*

Consultá-lo e ele me consultar nos mantém unidos em nosso relacionamento e nos interesses do casal. Ajuda-nos a viver com interdependência, em lugar de levar vidas independentes.

Como passei a confiar em Larry e abri mão do controle, ele se tornou um excelente administrador. Continuamos a viver pela fé, mas nada nos falta. Juntos, praticamente quitamos as dívidas e nos mantemos vigilantes para ficar nos trilhos, com os pagamentos em dia, poupando e fazendo tudo que deveríamos ter feito enquanto éramos mais jovens.

Não olhamos para trás com arrependimento e culpa. Deus proveu para nossa prosperidade, mas desperdiçamos parte dela. No entanto, estamos enfrentando a terceira idade com algo mais importante que fundos de investimento e uma conta bancária gorda. Vivemos em harmonia, amor e união. Esse relacionamento nos deu a alegria de uma família amorosa com forte caráter espiritual que supera os desafios da vida e permanece comprometida com o casamento. Agora também apreciamos sentar na arquibancada e observar nossos netos adultos descobrirem uma forma bem mais rápida de conquistar as coisas, que levamos anos para aprender. Deixaremos uma herança para nossa família? Sim. Não será tão grande quanto poderia ter sido caso tivéssemos administrado melhor nosso dinheiro, mas todos nós aceitamos bem essa realidade. Os valores aprendidos com essas lições de vida enriquecem muito a experiência deles.

A herança de gerações prometida por Deus a Abraão inclui a transferência de cinco elementos essenciais para as gerações futuras. Eles incluem: a *fé* que Abraão tinha em Deus e a *provisão* que Deus dava a Abraão. Abraão era um bom mordomo dessa provisão. Por isso, ele a multiplicou e ela, por sua vez, se transformou em *prosperidade*. Abraão permaneceu radicalmente obediente, e essa *obediência* o levou a um *relacionamento íntimo com Deus*. Essa é a promessa da herança que pode ser passada para nossas gerações. Embora a conta bancária que deixaremos para nossos filhos quando deixarmos este mundo não seja suficiente para sustentá-los, a herança *deles* irá muito além disso.

Nós legamos a eles fé, provisão, prosperidade (em pequeno grau), obediência e intimidade com Deus. O que mais uma família poderia querer? E nossa maior recompensa é ver nossos filhos transferirem esses valores aos filhos deles, e nossos netos adultos ensinando os filhos da mesma maneira que meus pais me ensinaram.

Larry me mostrou como partilhar com generosidade as coisas que Deus nos dá e como confiar nossa vida a ele. Eu demonstrei a meu esposo como é rica a vida da frugalidade e criatividade. Quando liberamos um ao outro, permitimos que ambos vivenciemos nosso amor em comum pela beleza — um belo lar e uma bela vida. Hoje desfrutamos a alegria de doar, poupar e gastar — um milagre para nós dois.

9
[ELE diz]
Somos tão diferentes!

— Por Larry

União jamais significa mesmice ou uniformidade. A união requer diversidade. Não posso ser unido a mim mesmo. Só posso me unir a outra pessoa, e esse outro precisa ser totalmente diferente para que alcancemos a união. Dizer: "Somos tão diferentes, jamais deveríamos ter nos casado" é um absurdo. É exatamente por serem tão diferentes que a união pode ser alcançada. Se Deus estivesse interessado em "uniformidade", não teria tirado Eva do lado de Adão. Como Eva foi extraída da costela de Adão, fisiologicamente as mulheres precisam ser diferentes dos homens.

No casamento, Deus requer que duas pessoas completamente diferentes se tornem uma só. "Por isso o homem deixa pai e mãe e se une à sua mulher, e os dois se tornam um só." Esse versículo, mencionado pela primeira vez por Deus em Gênesis 2.24, é tão importante que foi repetido no Novo Testamento por Jesus em Mateus 19.5 e Marcos 10.7-8, e depois por Paulo em 1Coríntios 6.16. Logo, foi ideia de Deus que duas pessoas totalmente diferentes se tornassem uma só carne.

É claro que todos já têm consciência da enorme diferença entre homem e mulher como gênero. Ela gosta de companhia, ele gosta de ficar em seu cantinho; ela gosta de fazer compras, ele prefere esportes; ela gosta de comida sofisticada, ele prefere qualquer fritura; ela gosta de se arrumar, ele prefere *jeans* e camiseta; ela gosta de fazer perguntas infinitas, ele responde com uns grunhidos monossilábicos; ela é capaz de contar seus pensamentos mais profundos para o caixa do supermercado na frente de Deus e do mundo inteiro, ele não compartilha seus segredos nem com um padre surdo dentro do confessionário; ela passa horas se aprontando, ele escova os dentes e sai porta afora; ela está sempre com frio, e ele o tempo inteiro com calor.

A união requer diversidade.

Como adendo, gostaria de recomendar o excelente livro ou série de DVDs de Jimmy Evans, *Marriage on the Rock* [Casamento sobre a rocha], que aborda o assunto com excelência. Ele ensina como a diversidade deve ajudar, em lugar de atrapalhar, o relacionamento conjugal. Admito que minha indicação é parcial, já que Jimmy e Karen são amigos íntimos, mas nunca ouvi ensinos melhores ou mais práticos sobre o casamento. Encomende esse material antes de terminar a leitura deste capítulo. Você vai ficar feliz por ter feito isso — pode salvar seu casamento.

Um dia desses, eu estava observando quatro adolescentes em uma esquina com anúncios para lavar carros, tentando convencer os clientes a comprar uma lavagem para ajudá-los em seu projeto de angariação de recursos. Na verdade, para ser mais claro, havia três adolescentes de pé com as placas e um sentado com o anúncio no colo. As três que estavam de pé eram moças e o quarto, sentado, era um rapaz. Isso lhe revela alguma coisa sobre os gêneros? Três moças gritando, pulando e balançando a placa para os carros que passavam, e um rapaz sentado no banco com a placa no colo, tirando meleca do nariz. Isso porque eles nem são casados ainda. Se fossem casados, ele estaria deitado com a placa tampando o sol do rosto e um picolé derretendo por perto.

Em todas as páginas deste livro, você leu sobre nossas perspectivas diferentes — acerca de tudo.

No mundo animal, eu descrevo Devi como a chita e eu como o bicho-preguiça de três dedos. Por favor, entenda que sou a preguiça de três dedos, não a de dois, o que seria totalmente inaceitável e até ofensivo. Esse dedo a mais faz toda a diferença do mundo!

A chita consegue correr até a 120 quilômetros por hora. Já eu, a preguiça de três dedos, consigo atingir uma velocidade de 0,25 quilômetro por hora, se estiver com pressa. É por isso que aquele dedo do pé a mais faz a diferença na hora da correria. Eu durmo praticamente o dia inteiro, pendurado de cabeça para baixo. Como de cabeça para baixo e também tenho "aquele negócio" de cabeça para baixo, o que não é fácil, como você deve imaginar. Faço tudo de cabeça para baixo (já ficou com pena da Devi?). Mal consigo terminar este parágrafo sem sentir vontade de dar um tempo e tirar um cochilo. Será que isso me descreve? Eu rio de mim mesmo porque é melhor do que chorar. Se eu chorar de cabeça para baixo, corro o risco de me afogar.

Como duas pessoas tão diferentes podem ter união? Como dois opostos completos trabalham unidos? Ou, para inverter a última frase, como duas pessoas chegam à união sem trabalho?

Antes de mais nada, quero que você entenda a importância que a Bíblia atribui à união. A última oração de Jesus, encontrada em João 17, pediu que sua igreja, seu corpo, se tornasse uma só.

Por que Jesus considera a união tão importante? A resposta se encontra em João 10, 14 e 17. Deixe-me entrar um pouquinho na esfera teológica com você. De maneira simplificada, Jesus e o Pai são um, e é isso que ele quer para seus filhos. Em contrapartida, o diabo faz tudo que está a seu alcance para destruir a união. Satanás ama a divisão, o ódio, a malícia, o egoísmo e o divórcio.

Em João 10.30, Jesus declara que ele e o Pai são um. A palavra grega para um é *hice* e significa um em propósito, não em pessoa. Seria impossível Jesus e o Pai serem um se fossem a mesma pessoa, pois a união exige diversidade. Ao longo de toda a Bíblia, Jesus e o Pai desempenham dois papéis completamente diferentes:

A pessoa de Jesus, o Filho

- Jesus se descreve como o Filho e Deus como seu Pai (Jo 5.17,19ss; 1Jo 1.3).
- Jesus está sentado à direita do Pai (Rm 8.34; 1Jo 2.1; Ef 1.20; Hb 1.3).
- Jesus não sabe a data de seu retorno, somente o Pai o sabe (Mt 24.36).
- Jesus veio fazer a vontade do Pai, não a própria (Jo 4.34; 5.19; 9.4; Lc 22.42).
- Jesus orava para o Pai, não vice-versa, e pede que façamos o mesmo (Mt 6.6-14; Jo 17).
- Jesus não falava as próprias palavras, não realizava os próprios milagres, nem fazia os próprios julgamentos (Jo 5.19-30; 6.38; 7.16; 8.28).
- Jesus levará o reino completo de Deus e o entregará ao Pai (1Co 15.24-28).
- Jesus criou os céus e a terra de acordo com o plano do Pai (Hb 1.2; 11.3; Cl 1.15-18).

- Jesus morreu na cruz, não o Pai (Mt; Mc; Lc; Jo).
- Jesus veio na plena natureza do Pai para viver em carne humana; o Pai não veio viver na carne (Jo 1.14; Fp 2.6; Cl 1.19; 2.9-10).
- Jesus era mortal; o Pai é aquele que habita na imortalidade (1Tm 1.17; 6.16; Lc 24.39; 1Jo 1.1).
- Jesus carregou os pecados do mundo, o Pai não (2Co 5.21; 1Pe 2.24).
- Jesus é o mediador; o Pai é o alvo (At 4.12; 1Tm 2.5).
- Jesus tem um corpo espiritual chamado igreja; o Pai não (1Co 12.13,18,28).
- Jesus voltará em um cavalo branco para julgar as nações do mundo; o Pai não (Ap 19.11).
- Jesus teve um corpo físico que as multidões viam e tocavam; ninguém jamais viu o Pai (Jo 1.18; Cl 1.15; 1Jo 1.1; Lc 24.39; 1Tm 6.16).
- Jesus veio do Pai para esta terra, não o contrário (Jo 1.14).
- Jesus é o Messias, o Cristo; o Pai não (Mt 1.16; 16.16; Jo 1.45).
- Jesus recebe adoração porque ele redimiu as pessoas com seu sangue (Ap 5); o Pai recebe adoração porque criou todas as coisas (Ap 4).
- Jesus foi enviado pelo Pai; o Pai jamais foi enviado por Jesus (Jo 17.18; 20.21).

A pessoa do Pai

- O Pai falou do céu em três ocasiões para o Filho que estava na terra (Lc 3.22; 9.35; Jo 12.28).
- O trono e o lar do Pai estão no céu (Mt 6.1,9).

- O Pai tem um Filho unigênito, Jesus. Embora Deus tenha muitos filhos, somente Jesus é o unigênito do Pai (Jo 1.14,18; 3.16; At 13.33; 1Jo 4.9).
- O trono do Pai no céu sempre é central, e o Filho se encontra à sua direita (Ap 4—5; 22.1; Sl 110.1; Ef 1.20-22).
- O Pai designou Jesus para ser herdeiro de todas as coisas e, por meio dele, criou o universo (Hb 1.1-2).
- O Pai deu sua plenitude a Jesus, não vice-versa (Cl 1.19; 2.9).
- O Pai é espírito (Jo 4.24); um espírito não tem carne e ossos (Lc 24.39).
- O Pai jamais foi visto por seres humanos, e ninguém pode vê-lo e continuar vivo (1Tm 1.17; 6.16; Êx 33.20; Jo 1.18; 6.46).
- O Pai é aquele que atrai as pessoas para o Filho (Jo 6.44; Jo 17.2).
- O Pai deu sua glória ao Filho (Jo 17.5,24).
- O Pai enviou o Filho ao mundo (Jo 17.18).
- O Pai é invisível (Cl 1.15; 1Tm 1.17; 6.16; Jo 1.18).
- O Pai é maior que todos (Jo 10.29; 14.28).
- O Pai ordena ao Filho, mas o Filho jamais ordena ao Pai (Jo 14.31).
- O Pai colocou tudo sob os pés de Cristo (1Co 15.27; Ef 1.22; Sl 8.6; 110.1; Mt 22.44).
- O Pai receberá todos os reinos do mundo de Jesus; então Jesus se sujeitará ao Pai para que o Pai seja "todas as coisas em toda parte" (1Co 15.28).
- O Pai deu ao Filho um nome e um título que se encontram acima de qualquer outro nome ou título (Ef 1.21; Fp 2.9-11).

- O Pai ressuscitou Jesus dos mortos (Ef 1.19-20; Gl 1.1).
- O Pai é imortal; o Filho vivenciou a mortalidade, ou morte (1Tm 1.17; 6.16).
- O Pai reconciliou o mundo consigo no Filho (1Co 5.19).
- O Pai habitará entre nós na nova Jerusalém, assim como Jesus habitou entre os discípulos há mais de dois mil anos (Ap 21.3).
- O Pai habita em luz inacessível. Jesus, a luz do mundo, é acessado com facilidade (1Tm 5.16; 1Jo 1.1).

E essa é apenas uma lista parcial das diferenças entre o Pai e seu Filho unigênito, Jesus. Mostrei para você esses textos bíblicos para destacar que Jesus e o Pai são duas personalidades (pessoas) completamente diferentes, porém absolutamente unidas em propósito.

Em João 10.38, Jesus explica como a diversidade entre ele e o Pai permite que alcancem a união: "Entenderão que o Pai está em mim, e que eu estou no Pai". Em João 14.10, Jesus diz: "Você não crê que eu estou no Pai e o Pai está em mim? As palavras que eu digo não são minhas, mas de meu Pai, que permanece em mim e realiza suas obras por meu intermédio". No versículo 23 do mesmo capítulo, Jesus afirma: "Quem me ama faz o que eu ordeno. Meu Pai o amará, e nós viremos para morar nele".

Em João 17.21, Jesus amplia sua explicação sobre união e inclui também aquele que crê: "Que todos eles sejam um, como nós somos um, como tu estás em mim, Pai, e eu estou em ti". No versículo 22, ele dá mais detalhes, dizendo: "Eu dei a eles a glória que tu me deste, para que sejam um, como nós somos um". E o versículo 23 é o auge, que conclui tudo: "Eu estou neles e tu estás em mim. Que eles experimentem unidade perfeita, para que todo o mundo saiba que tu me enviaste e que os amas tanto quanto me amas".

É importante aplicar essa mensagem ao casamento porque Deus ordena que nós, marido e mulher, nos tornemos um, assim como Jesus e a igreja são um. "'Por isso o homem deixa pai e mãe e se une à sua mulher, e os dois [do grego *duo*] se tornam um [do grego *hice*] só.' Esse é um grande mistério, mas ilustra a união entre Cristo e a igreja" (Ef 5.31-32).

Note que, em todos os casos, as personalidades envolvidas nunca se tornam a outra pessoa, mas se juntam quando as partes unidas tomam uma decisão deliberada.

Meu desejo é lhe apresentar uma ilustração simples, mas profunda. Quando você nasceu de novo, duas coisas aconteceram com você e com Jesus: Jesus assumiu residência espiritual dentro de você, e você assumiu residência espiritual dentro dele. O Espírito Santo realizou esse processo por causa de sua decisão de aceitar a Cristo (1Co 12.13). Você não se torna Jesus, nem ele se torna você. Vocês apenas começam a viver um dentro do outro em espírito de união, da mesma forma que o Pai vive no Filho e o Filho no Pai. Paul afirma, em diversas passagens, que estamos *em* Cristo. Também diz que Cristo vive *em* nós. Qual das duas declarações é verdadeira? Ambas. Os dois, Jesus e você, se tornam um. Isso parece algo que você gostaria de ter em seu casamento?

Em uma rápida imersão, Paulo apresenta detalhes em Efésios 4 a fim de enfatizar que a união é necessária não só para os casais casados, mas, sim, para todo o corpo de Cristo:

> Façam todo o possível para se manterem unidos no Espírito, ligados pelo vínculo da paz.
>
> Efésios 4.3

[...] até que todos alcancemos a unidade que a fé e o conhecimento do Filho de Deus produzem.

Efésios 4.13

Aqui está a grande moral da história: ou entramos em união com Deus Pai, Jesus Cristo, nosso cônjuge e com os irmãos e irmãs na fé, ou ficamos absolutamente de fora da vontade de Deus.

Fico entristecido ao ver tantos casais levando vidas separadas, sem jamais alcançar a união, nunca vivendo um com o outro e um em Cristo. A menos que você viva em união, permanece casado apenas no sobrenome.

Paulo não mede esforços em várias passagens do Novo Testamento para enfatizar a importância da união: "Façam todo o possível para se manterem unidos no Espírito, ligados pelo vínculo da paz", suplica em Efésios 4.3. "Façam todo o possível" é a tradução em português do termo grego *spoudazo*, que significa "apressar, ser zeloso e rápido". Na tradução Titus, quer dizer: "Apressem-se!". Compreenda a importância da união e então faça tudo que estiver a seu alcance para colocá-la em prática de imediato em seu casamento. É SUPER IMPORTANTE!

Quando Jesus disse que ele e o Pai são um em João 10.30, não se referiu a igualdade, mas, sim, a união na diversidade. A prova disso se encontra no versículo anterior, no qual Jesus afirma que o Pai é maior que ele (ver tb. Jo 14.28). De acordo com a descrição feita por Paulo em Filipenses 2.5-10, Jesus já havia se destituído dos privilégios de igualdade com o Pai quando veio se encarnar como Deus/homem nesta terra. Por isso, qualquer tentativa de

A menos que você viva em união, permanece casado apenas no sobrenome.

"união" que signifique "mesmice" já está errada. A união requer diversidade e, juntamente com Jesus e a igreja, Deus Pai e Deus Filho, o casamento é um exemplo perfeito de como pessoas diferentes podem se tornar *uma só*. Aliás, além da Divindade, o casamento é o melhor exemplo de união que a Bíblia nos dá.

Se eu fosse ampliar e expor o restante dos versículos e capítulos sobre união encontrados na Bíblia, precisaria escrever um livro inteiro somente sobre essa tema, mas esse não é meu objetivo, pelo menos não por enquanto. Basta dizer, porém, que a união é extremamente importante na Bíblia. Aliás, parece que é uma questão bem mais importante do que a maioria dos casais reconhece, se formos levar em conta as terríveis estatísticas ligadas ao relacionamento conjugal. Entendemos mesmo quanto Deus valoriza a união e fazemos "todo o possível para [nos mantermos] unidos no Espírito, ligados pelo vínculo da paz"?

Não dá para tocar uma sinfonia com um instrumento só. A harmonia requer instrumentos distintos. Tampouco podemos construir um casamento e o manter sem a harmonia da diversidade.

Seguem-se algumas sugestões para manter a união em seu casamento:

1. *Ambos necessitam entender com clareza que o homem é o cabeça do casamento.* A autoridade, que é dada ao cabeça, sempre precede a unidade. Isso é verdade não só no casamento, mas em todos os outros aspectos da sociedade civilizada. Em todo evento de que você participar, alguém estará no comando, ao passo que outros precisaram abrir mão dos desejos pessoais.

Se não houver uma compreensão clara do que é ser cabeça, jamais haverá união no casamento, na igreja, na empresa, na nação, no exército, nem em qualquer outro lugar. Permita-me então fazer uma pergunta básica, porém profunda: quem é o cabeça em seu casamento? Se a resposta for você, o homem, então podemos passar para o tópico seguinte. Se a resposta não for o homem, então não poderá haver união até que essa escolha — e de fato é uma escolha — seja feita por ambos os cônjuges.

2. *Escolha honrar e preferir o outro*. O egoísmo destrói o casamento. Colocar o outro em primeiro lugar produz união e abnegação. Leia Filipenses 2.5-10 para ver como Jesus fazia isso. A pergunta sempre surge: mas nós não somos iguais? É claro que sim, assim como Jesus e o Pai são iguais, mas Jesus escolheu se humilhar, em vez de exigir igualdade. Os dois cônjuges precisam fazer essa mesma escolha. Você deve ser humilde e não exigir que as coisas sejam feitas a seu modo (1Pe 3.7).

O egoísmo destrói o casamento. Colocar o outro em primeiro lugar produz união e abnegação.

3. *Aprecie, em vez de desprezar, a diversidade entre vocês*. Embora já tenha mencionado isso com detalhes no capítulo 2, gostaria de dizer mais uma vez, em tom de lembrete. Não pode haver união enquanto você desprezar a beleza da diversidade. Deus os criou diferentes e então os uniu para funcionarem como um. Aquela fofura que se sentava a seu lado enquanto vocês estavam namorando continua a ser a mesma fofura, mas agora você despreza o que antes achava tão bonitinho. Quem mudou então? Ame a diversidade dela. Agradeça a Deus porque ela não age igual a você.

4. *Aprendam a dar prioridade ao outro e a ser submissos um ao outro*. É verdade que, em Efésios 5.22, Paulo instruiu as mulheres a ser submissas aos homens. No entanto, no versículo anterior, ele ordena que nos sujeitemos uns aos outros. Creio que "uns aos outros" deve incluir vocês dois, o que acha?

Se você se sujeitar mais à sua esposa, pode acabar descobrindo que Deus fala mais a ela do que você pensa. E isso o impedirá de cair em muitos erros tolos que você acabaria cometendo se não ouvisse.

5. *Façam as coisas juntos*. Sentem-se juntos; fiquem de mãos dadas; andem juntos; participem de compromissos sociais juntos; andem no mesmo carro (isso pode parecer ridículo, mas nesta era em que as famílias têm muitos carros, os casais podem passar dias e semanas em veículos separados); frequentem eventos esportivos juntos; assistam à TV juntos; e, por favor, comam juntos! A propósito, Devi tem um livro excelente sobre esse assunto chamado *A experiência da mesa*.

Aprecie, em vez de desprezar, a diversidade entre vocês.

Para ser honesto, eu preferiria fazer um canal no dente a sair para fazer compras com minha esposa. Mas, a fim de estarmos juntos, eu levo um livro e procuro a cadeira mais próxima no departamento de roupas femininas.

Encontrem maneiras de estar juntos quando vocês se encontram distantes, por exemplo:

- Ligue para ela de dia ou de noite.
- Mande um *e-mail*, mensagem de texto ou escreva bilhetes de "amor".
- Converse com os outros sobre ela, exaltando suas virtudes.
- Adie grandes decisões até poderem "conversar juntos".

Uma andorinha não faz verão, e são necessárias duas pessoas para se tornar um. Se foi Deus quem ordenou, precisamos nos apressar para colocar essa realidade em prática.

9

[ELA diz]
Somos tão diferentes!

———————————————— Por Devi

Larry explicou em detalhes quanto somos diferentes. É interessante para mim ler sobre nossas diferenças da perspectiva dele. Porque, do meu ponto de vista, elas não parecem tão exageradas. Talvez isso aconteça porque eu o considero "diferente" e acho que eu sou "normal". Quando você enxerga as coisas dentro de uma perspectiva própria, o que está perto de você estará longe dele e vice-versa, mesmo ao contemplar a mesma vista.

Essa compreensão ajuda a reconhecer um dos valores da união: ela expande o ponto de vista do indivíduo. Aquilo que você considera mais importante (seu lado visível) e o que ele considera mais importante (o lado visível dele) podem ser a mesma coisa, de dois ângulos diferentes. Quando vocês unem as perspectivas diferentes, obtêm uma visão mais completa do que jamais conseguiriam sozinhos.

É necessário fazer esta grande pergunta: vocês estão dispostos a se unir em sua diversidade? O capítulo 2 ajuda a apreciar as diferenças entre o casal e celebrá-las. Mas unificá-las é algo bem diferente.

O termo *unificar* é um verbo, não um substantivo — refere-se ao processo de trabalhar rumo à meta da união. Dois se tornarem um é um estado da existência: união. No entanto, abraçar o processo de unificação significa aceitar uma jornada de autoconsciência e sacrifícios pessoais. É impossível alcançar a união quando duas pessoas permanecem relutantes em unificar.

Conversemos agora sobre o processo de unificação. Pense em duas estradas que vêm de comunidades muito diferentes. Quem sabe uma delas surja em uma pequena cidade do interior, ao passo que a outra vem de uma metrópole. Em algum ponto do caminho, as duas estradas convergem na rodovia interestadual. Nenhuma dessas estradas sozinha é capaz de levar você a uma série de lugares interessantes sem convergir, deixando para trás seu ponto de origem a fim de chegar a um novo destino.

Quando líderes se casam, ambos são qualificados e até experientes em mundos diferentes. Seria maravilhoso poder dizer que a união ocorre de maneira automática na noite de núpcias. Mas não é assim. O que ocorre de fato é que cada pessoa começa a jornada de deixar o passado e se mover para o futuro juntos. Observe que cada um tem um passado, mas o futuro dos dois é único.

Abraçar o processo de unificação significa aceitar uma jornada de autoconsciência e sacrifícios pessoais.

Com frequência, os casais vivem tragicamente uma vida com dois futuros, cada um na própria direção, fazendo o que quer. O triste é que esse tipo de existência não passa da metade de cumprir uma vida de união — que realmente abraça as paixões, os interesses e as conquistas um do outro. Voltando para a analogia: na maioria das vezes, quando duas estradas de duas faixas convergem, elas se tornam uma rodovia de seis a outro faixas, não de apenas quatro.

O processo de fusão de duas pessoas muito diferentes, que vêm de experiências de vida bem distintas, pode ser desconfortável, mas não desista. Com a prática, vocês melhorarão em convergir e viver em união. Foque o pensamento na rodovia de oito faixas que a vida de vocês pode formar juntos. Às vezes, vocês dirigirão na mesma faixa, ao passo que, em outras ocasiões, cada um terá a própria faixa, mas vocês sempre saberão em que faixa estão e para onde estão indo juntos.

Analisemos os componentes essenciais da união: sacrifício pessoal e autoconsciência.

Sacrifício pessoal

Consiste em dar liberdade um ao outro para se expressar dentro da própria personalidade. É não ser um empecilho para o outro. A fim de fazer isso, você deve sacrificar gostos e preferências pessoais e permitir que seu cônjuge expresse plenamente os dele. É óbvio que nossos gostos e preferências mudam ao longo do tempo, por causa de maturidade, educação e experiência. Logo, é limitador que seu parceiro de vida tenha os mesmos gostos que você. Como então duas pessoas podem ser unidas quando querem coisas bem diferentes? A personalidade mais forte entre os dois deve ceder suas preferências para dar espaço à parte mais frágil. Quando a pessoa tímida sente liberdade para expressar de forma plena sua criatividade pessoal sem medo de ser criticada ou ridicularizada, você descobrirá novas qualidades nessa pessoa e se apaixonará por elas. Pare de limitar seu cônjuge e aprecie a nova liberdade dele.

Talvez você se pergunte: "Mas e se eu realmente não gostar do que ela gosta, como a comida, a decoração, os passatempos, interesses etc.?". Minha resposta é: "Você a ama?". Se sim, sacrificará seus "gostos" para o prazer dela. Observe que estou aconselhando os homens a fazer isso pela esposa. É nesse ponto que entram em cena a responsabilidade bíblica e o papel dos gêneros. O marido, que é o cabeça da esposa, deve amá-la assim como Cristo ama a igreja. Deus o chama a ter um estilo de vida de sacrifício pessoal com sua mulher. Sua liderança espiritual deixará a esposa livre, não limitada. Ela será liberada em sua personalidade e criatividade, elementos que fazem parte da natureza de Deus em seu interior. Ela se sentirá segura por causa do apoio do marido.

Deus faz uma distinção clara em relação ao papel dos gêneros. O marido governa o ambiente do "campo", ao passo que a esposa administra o ambiente do "lar". Sua liberdade de expressão deve encontrar espaço dentro de casa, e a liberdade de expressão dele deve encontrar espaço no tipo de trabalho que decidir fazer. Por exemplo, a esposa não deve incentivar o marido a fazer medicina se a vontade dele é começar um negócio de jardinagem. Ela deve dar total apoio a ele em sua área de interesse e na profissão que escolher. Tampouco ele deve limitá-la ao reorganizar os móveis da casa. Como Deus chamou a mulher para ser "guardadora do lar", ela tem a responsabilidade diante de Deus de cuidar da casa e a administrar com paz e amor. O Senhor deu a ela a responsabilidade de manter a atmosfera do lar. Não existe nada pior que ter responsabilidade sem autoridade. Por isso, o marido deve ser submisso a Deus e liberar a esposa para criar dentro do lar, naquilo que é sua responsabilidade. Isso dará a ela energia para cuidar melhor da casa. Ela precisa receber liberdade para mudar móveis e acessórios de lugar como quiser, sem medo ou crítica por parte do marido. O esposo pode ajudar e dar sua opinião, mas não deve dominar esse ambiente assim como ela não o domina em seu ambiente de trabalho.

Quando o casal se apoia, cada um melhora naquilo que faz. A esposa que deseja mais para o marido do que passar a vida cortando grama, pode começar por incentivá-lo a aperfeiçoar suas habilidades comerciais para ter uma empresa grande e bem-sucedida. O marido que encoraja a arte e deseja uma casa bem cuidada pode motivar a esposa a aprender técnicas de decoração por meio de pesquisa e experimentação, a fim de que ela cresça em seu dom.

Temos a responsabilidade de sacrificar nossas preferências a fim de liberar nosso parceiro por completo e nos unificar com suas escolhas. O benefício da unificação com o outro é que ele terá o desejo de lhe agradar e pedirá sua opinião. O coração amoroso deseja incluir o desejo do cônjuge. Em outras palavras, a liberdade libera a individualidade e o amor faz convergir gostos, interesses e preferências. É uma maneira maravilhosa de viver!

Autoconsciência

É impossível passar por um processo de unificação com alguém que se recusa a se unificar com você. Pense no exemplo do óleo e do vinagre. Eles parecem unidos quando você os derrama na mesma vasilha e chacoalha. Mas é só esperar um pouco e eles se separam de novo. Contudo, se você acrescentar um pouquinho de mostarda, um emulsificante, ao óleo e vinagre, e então misturá-los de novo, eles não se separam mais. Se você, o óleo, recusar o conselho (acréscimo) de emulsificante feito pela esposa, nunca conseguirá se misturar ao vinagre. Você pode insistir em continuar como é e permanecer em isolamento emocional. No entanto, se admitir que necessita de ajuda — você não é tudo isso que acha, se for sincero — e ouvir o que os outros têm a dizer a seu respeito, sua autoconsciência aceitará conselhos sábios que o ajudarão a se unir a seu cônjuge.

Rir das próprias limitações é a coisa mais libertadora que você pode fazer. É bem melhor do que os outros rirem de você! Seja o primeiro a confessar seus desafios e os obstáculos que o atrapalham a alcançar o prazer da união. Converse sobre as suas limitações, não sobre as de seu cônjuge. A autoconsciência o ajuda a sair da camisa de força do perfeccionismo concebido por você mesmo. Os outros conseguem reconhecer seus defeitos com rapidez e, se você não os admitir, acabará se isolando emocionalmente das pessoas que ama. E não terá mais o respeito de que necessita.

É impossível passar por um processo de unificação com alguém que se recusa a se unificar com você.

O orgulho precede a queda. Prepara o caminho para o fracasso. Há muitas pessoas maravilhosas que se casaram e fracassaram porque se recusaram a ser humildes. Não importa em que você acha que é bom, sempre existe alguém melhor de quem você pode aprender. Seja humilde e pergunte primeiro a opinião de seu cônjuge. Quando tiver liberdade absoluta para lhe falar em amor e sem medo, você ficará surpreso ao descobrir a sabedoria que ele ou ela tem para dividir com você. Desempenho e perfeccionismo nos distanciam de nosso objetivo — a união.

Já a humildade prepara o cenário para o sucesso. Duas pessoas humildes, que estimam a singularidade um do outro, desfrutam os benefícios da união. Alegria, riso, prazer, partilha, apoio, incentivo, trabalho e serviço juntos — esses são os benefícios da união.

Bons hábitos de viver em união

Quando um casal converge as duas vidas em união, seus costumes mudam. Aqui estão alguns hábitos a ser considerados:

1. *Fazer coisas juntos.* O melhor conselho que meus pais me deram quando eu me casei foi: "Façam as coisas juntos". Se ele for lavar o carro, ajude-o ou realize outro projeto na parte de fora da casa a fim de passarem tempo juntos. Quando cozinhar ou limpar a cozinha, trabalhem juntos. Deitem-se juntos. Levantem-se juntos. Arrumem a cama juntos. Limpem a casa juntos. Organizem a garagem juntos. Quando estiverem em um lugar público, sentem-se juntos. Não coloquem os filhos no meio de vocês.

Há vários anos, Larry e eu fizemos um corte nas despesas e passamos a ter um carro só. Achamos que conseguiríamos viver assim por seis meses, no máximo. Mas agora, depois de dez anos, continuamos com um único veículo. Amamos os momentos juntos que isso nos proporciona. Descobrimos que ter um carro nos força à unificação de maneira mais intensa, pois nos impede de ter vidas distintas e separadas. Precisamos levar em conta a agenda do outro, mas ir juntos para os lugares permite que passemos mais tempo conversando. Nunca nos sentimos mais próximos do que agora.

2. *Fale coisas positivas sobre seu cônjuge para os outros.* Com muita frequência, com amigos ou em outros contextos em grupo, os casais tomam a liberdade de fazer graça um do outro, destacando os pontos fracos e rindo deles. Quando você magoa seu cônjuge, está ferindo a si próprio. Falar coisas

positivas sobre seu cônjuge o mantém em primeiro plano no seu pensamento.

Quando vou falar em uma igreja na qual Larry já pregou, as pessoas ficam animadas querendo me conhecer por causa das coisas edificantes que Larry disse a meu respeito. Estão prontas para aprender comigo por causa da validação dada por ele. Esse tipo de afirmação me faz querer ser cada vez melhor, sem decepcionar ninguém, sobretudo meu marido.

3. *Escolha seus confidentes com cuidado.* A união protege as vulnerabilidades de seu relacionamento. Na rodovia de oito faixas que vocês desfrutam juntos, haverá áreas de construção pelo caminho. Elas melhoram o prazer e a segurança na estrada e preparam o caminho para atender a novas demandas de trânsito no futuro. A estrada precisa de ajustes e reparos a fim de permanecer unida. Circunstâncias diferentes na vida mudam o fluxo do tráfico e, com frequência, não gostamos dos impedimentos e das intromissões desses cones alaranjados. Quando você achar difícil trafegar por uma área de construção e precisar de "assistência na estrada", escolha com cuidado com quem irá conversar.

Algo que sei com toda certeza é que você jamais deve falar coisas negativas sobre o cônjuge para seus pais. Deus lhe dará a graça de perdoar, deixar para lá e reconstruir. Mas sua família não terá a mesma graça e conservará a tendência de enxergar seu cônjuge com base no relato negativo muito tempo depois de vocês já haverem se reconciliado. Além disso, quando seu cônjuge descobrir que você falou sobre os desafios do relacionamento de vocês e expôs abertamente os defeitos dele, sentirá que você foi desleal. E a deslealdade causa divisão naquilo que estava unido.

4. *Busque conselhos sábios.* A estrada rumo à união pode ter trechos acidentados, buracos, desvios e curvas. Podemos resolver alguns problemas do relacionamento com tempo, experiência, paciência e amor. No entanto, não tente trilhar a jornada sozinho. Se parecer que chegou a um impasse, uma encruzilhada, e você não sabe qual rumo tomar, peça ajuda. Juntos, por favor, busquem conselhos sábios.

Conversar com um mediador ou ir em busca de *coaching* pessoal é sinal de força e revela que você valoriza a união no casamento. Há pouco tempo, conheci um jovem casal em que ambos haviam crescido em lares problemáticos. Após um ano de casamento, eles tiveram a sabedoria de acrescentar sessões regulares de aconselhamento a seu orçamento familiar. Queriam ser proativos e garantir que seu relacionamento teria um alicerce sólido. Juntos, sujeitaram-se a ouvir e aprender, ser corrigidos e direcionados. Transformaram a união em uma elevada prioridade.

5. *Ore.* Eu creio no antigo provérbio: "A família que ora unida permanece unida". Jamais subestime o poder da oração. Transforme a oração pelo cônjuge em um dever diário porque só Deus é capaz de mudar o coração humano. Quando você reconhecer isso, deixará de tentar mudar seu cônjuge e permitirá que o Senhor seja Deus em sua vida e na vida do outro. É extraordinário como ele responderá a suas orações. Por meio da oração, Deus muda vocês dois!

10
[ELE diz]
Não estou na defensiva!
———————————————— Por Larry

Devi diz que ficar na defensiva é o inimigo número um da intimidade no casamento. Sabe qual é minha resposta? "Não é não! Há outras causas! Só não consigo me lembrar de nenhuma no momento". Quando ela diz que estou sensível demais ou na defensiva em relação a algo, reajo dizendo: "Não estou não!". E quando ela começa a ficar perto de sugerir que estou com um problema, coloco de imediato meu radar mental para funcionar e encontrar outro culpado. É fundamental para mim encontrar outra pessoa que seja o problema, não eu.

Você provavelmente já adivinhou que um de nós, em nosso relacionamento conjugal, tem uma atitude muito defensiva. Dá para adivinhar quem é essa pessoa? Se você me acusar, eu nego. Afinal, sou homem. Não cometo erros, não preciso pedir desculpas e nunca, jamais estou errado. Se você acha que eu estou errado, então isso prova quem de fato está errado: você.

Quem costuma ficar na defensiva não sente vontade de se avaliar para encontrar pistas de suas falhas. É muito resistente ao ensino, porque o problema nunca é ele. A culpa sempre é de outra pessoa. Quem fica na defensiva é muito fechado, sem permitir que os outros o conheçam de verdade. Como Devi costuma dizer, uma pessoa assim sempre coloca um escudo de acrílico à sua frente, defendendo-se de qualquer tentativa de outros tentarem conhecê-lo. Em geral, teme se magoar. A defensiva é o inimigo número um da intimidade.

As pessoas com atitude defensiva não querem encarar os fatos. Não se abrem para a correção e sempre procuram alguém para culpar. São paranoicas em relação a ser expostas por uma fraqueza, um erro ou uma suposta falha. As desculpas se tornam o disfarce para os fracassos. Enxergam os outros como os verdadeiros culpados e culpam as circunstâncias, para desviar a própria culpa. "Eu teria chegado a tempo, mas o trânsito estava péssimo." "Eu poderia ter devolvido seu carro a tempo, mas minha esposa ficou doente." "Eu poderia, mas..." se torna a frase de abertura para todas as desculpas.

Quando alguém perguntar por que você está atrasado, não seria revigorante dizer: "Porque não calculei de antemão quanto o trânsito estaria ruim" ou "Tentei encaixar projetos demais no tempo que eu tinha antes de ir embora"? Ou, o melhor de tudo, você poderia dizer: "Porque sou um procrastinador inveterado e não tenho ninguém a culpar, além de mim mesmo".

Por que tentamos culpar os outros, em vez de assumir responsabilidade pelas decisões insensatas que fazemos, coisas que não dão certo e confusões que criamos? Por que é tão difícil levantar a mão e dizer: "Fui eu. Eu fiz. Eu sou o problema". Não acho que exista um político capaz de dizer: "Eu sou o problema. Fui eu. Não culpe ninguém mais, pois o culpado sou eu. Diga-me o que preciso fazer para corrigir a situação". Se houver alguém assim, deveríamos elegê-lo presidente.

O ex-presidente dos Estados Unidos Harry Truman tinha uma placa na mesa de seu escritório que dizia: "A batata quente para aqui". É um excelente lema para o homem que foi o único presidente a usar uma arma nuclear. Ele assumia responsabilidade total por seus atos, sem dar desculpas, nem culpar outros para escapar das críticas públicas. Se os republicanos não existissem, os democratas não teriam ninguém para culpar pela bagunça nos Estados Unidos. Se os democratas não existissem, os republicanos não teriam ninguém para censurar e culpar durante suas campanhas eleitorais.

Felizmente para os presidentes, eles sempre podem culpar seus antecessores. O vice-presidente sempre pode responsabilizar o presidente quanto à sua falta de êxito. Os generais podem culpar seus subordinados e os subordinados, seus generais.

Os homens sempre podem apontar o dedo da culpa para a esposa, assim como Adão fez com a máxima defensiva: "Foi a mulher que tu me deste!". E as esposas têm o maior bode expiatório que existe — o diabo. Na verdade, os cristãos adoram o diabo, pois podem culpá-lo por tudo, inclusive por coisas que não foi ele quem fez.

Nos anos em que trabalhei com presos nas penitenciárias, raras foram as vezes que encontrei alguém que dissesse: "Fui eu. Eu sou o problema. Não tenho ninguém para culpar além de mim mesmo". É sempre a mãe, o pai, a namorada, a polícia, o cachorro, o gato, o professor, o patrão — qualquer um, menos eles mesmos.

Cheguei à convicção de que nenhum homem pode se tornar verdadeiramente grande ao permanecer na defensiva. Essa é a maldição dos homens inseguros, que nunca assumem os próprios problemas. Porque você é o único que pode resolver a própria bagunça, a menos que a assuma como sua, jamais será capaz de consertá-la.

Quais são alguns sinais de quem tem atitude defensiva?

- Tem medo de admitir um erro.
- Ao primeiro sinal de acusação, começa a procurar alguém para colocar a culpa.
- Não conta a verdade inteira, mas somente a parte que o faz ficar bem na foto.
- Não se mostra disposto a ouvir as sugestões dos outros.
- Não gosta de ser ensinado, nem de aprender. Acha que sabe mais que os outros.
- Se alguém o desafiar, imediatamente deprecia a pessoa.
- Tem dificuldade de admitir quando está errado.
- Tem dificuldade de pedir desculpas.
- Quer parecer absolutamente perfeito.
- Tem dificuldade de elogiar os outros.
- É controlador.
- Não é aberto ou vulnerável.
- Seus amigos não se sentem confortáveis em confrontá-lo.
- Evita confrontos.
- Esconde coisas.

Se você se identificou com cinco ou mais dessas características, existe a forte possibilidade de que seja um MANÍACO DEFENSIVO! Não, não, deixe-me aliviar as coisas. Assim como o restante de nós, animais machos defensivos, você sempre encontra outra pessoa para colocar a culpa, mas, por dentro, deseja ser homem e assumir os próprios problemas.

O que você pode fazer?

- Aceite sugestões.
- Não procure bodes expiatórios quando se sentir acurralado.

- Assuma a culpa quando algo der errado e a culpa for sua.
- Seja absolutamente honesto quando um erro seu for exposto.
- Não se esconda como Adão quando sentir que o Espírito Santo o está convencendo do erro.
- Aceite críticas e veja se há alguma parte delas que você pode aproveitar e usar para aprender.
- Não tema o fracasso. Ele é amigo, não um inimigo.
- Considere que os erros são normais para a humanidade, não um pecado contra Deus.
- Não tema ser magoado. Se você abraçar a verdade, ela o libertará, não o magoará.

Há muitos anos, convoquei uma reunião do conselho de nossa igreja que incluía tanto presbíteros como diáconos. Quando todos os homens se sentaram em volta da mesa em formato de "u", fiz uma das perguntas mais tolas que poderia ter formulado: "Existe algo em minha liderança de que vocês não gostam?". Eu sabia que receberia algumas respostas negativas. Mas não fazia ideia de que seriam *vinte*! A maioria delas era sobre minúcias, mas certo homem resolveu destilar todo seu veneno em mim. "Você não ouve ninguém. Se alguém tenta corrigi-lo, você vira as costas para essa pessoa. Você não tem um espírito receptivo ao ensino. Não se mostra disposto a ouvir nenhuma sugestão de alguém que tenha algo a dizer. As coisas nunca são culpa sua." Na verdade, ele falou ainda mais do que isso, mas deu para você ter uma ideia.

Eu fiquei pasmo, chocado, envergonhado, magoado e bravo — tudo ao mesmo tempo. Terminei a reunião quanto antes, fui para casa e chorei a noite inteira.

No dia seguinte, saí rumo ao centro de convenções com o objetivo de informar à liderança que não poderia cumprir o compromisso feito com eles de pregar naquele dia. Não precisaria compartilhar o fato de que havia chorado a noite inteira, estava emocionalmente esgotado, sentindo-me um fracasso, sem nada para dizer às pessoas. Só informaria que não poderia mais pregar. Certa vez, ouvi alguém dizer que um amigo o destruíra em pedacinhos tão pequenos que seu coração ficara em migalhas. Era assim que eu me sentia, mas provavelmente as migalhas ainda foram reduzidas e transformadas em pó, tamanha minha desolação.

Antes, porém, de chegar ao centro de convenções, passei pela entrada na rodovia que dava acesso à minha igreja e virei o carro como se estivesse indo para o escritório. Fiquei em choque. Foi como se alguém estivesse girando o volante do meu veículo a fim de que eu fosse para lá. Nas cinco viradas à direita que precisava fazer até parar no estacionamento da igreja, ouvi a voz do Senhor falar a mim com clareza: "Larry, já tentei lhe dizer, por meio de amigos, inimigos, funcionários e esposa, que você vive na defensiva, mas você não ouviu ninguém. Se você não se arrepender, removerei o candelabro da sua vida".

Entendi de imediato sobre o que o Senhor estava falando. Eu havia estudado Apocalipse o suficiente para saber que os candelabros, em meio aos quais Jesus andou nos capítulos 2 e 3, representam as igrejas da Ásia Menor. Contudo, em meu estudo anterior, também havia concluído que, na verdade, os candelabros indicam a unção do Espírito Santo nas igrejas. Minha interpretação foi que, se eu não me arrependesse, Jesus removeria a unção de meu ministério. Ele não disse que eu perderia a salvação, mas meu ministério não teria mais o elemento crucial e capacitador do Espírito Santo, que garante sua eficácia.

Estacionei o carro, caminhei até meu escritório e me dirigi instantaneamente ao escritório do homem que havia desferido o golpe moral. Agradeci a repreensão. Disse que apreciava o fato de que ele havia exposto esse problema da atitude defensiva em minha vida. Também o elogiei por falar a verdade em amor, sem temer uma retaliação da minha parte. Ao fim da confissão, eu era um homem diferente.

Entrei no carro e prossegui até o centro de convenções, onde preguei uma mensagem poderosa e profética para a multidão. Caso não tivesse aceitado meus problemas e confessado o pecado da atitude defensiva, tenho certeza de que não teria havido unção naquele culto, nem em nenhum dos que vieram depois.

Gostaria de poder dizer que, a partir de então, nunca mais fiquei na defensiva. Mas isso seria mentira. A realidade é que a atitude defensiva pode surgir às vezes, mas eu a enfrento, sem permitir que domine. Consigo aceitar voluntariamente a verdade, por mais dolorosa que seja, ciente de que a verdade sempre me libertará. Foi isso que Jesus disse, e ele estava certo (Jo 8.32).

O que acontece se alguém falar a verdade, mas sem amor? Bem, mesmo assim sou obrigado a aceitá-la. A atitude de outra pessoa não pode me deter de mudar, nem é uma desculpa para rejeitar a realidade.

Jamie Buckingham dizia uma frase ótima. Segundo ele, a verdade o libertará, não sem antes machucar. Eu concordo, mas é um machucado positivo.

Então, querida, pode falar a verdade. Vou aceitá-la como homem, depois de dar desculpas. Não, não, hoje já consegui diminuir para uma só.

10

[ELA diz]
Não estou na defensiva!

———————————— Por Devi

Se tempo fosse promessa de intimidade no casamento, seria ótimo. Mas não é! É alarmante o número anual de casais com mais de duas décadas de união que se divorcia. O índice de divórcio entre casais com mais de 50 anos dobrou nas duas últimas décadas, de acordo com um estado realizado pela Bowling Green State University. Em 1990, menos de uma a cada dez pessoas que se divorciavam tinha 50 anos ou mais. Em 2015, esse número chegou a quatro.

É absolutamente possível se desviar das diferenças e ter uma vida harmoniosa um com o outro sem jamais ter intimidade. É possível fazer sexo maravilhoso, compartilhar risadas hilárias e ter companheirismo pacífico um com o outro sem se sentir íntimos. Quando o marido ou a esposa vive com uma guarda emocional de plantão dentro do coração, cria um muro emocional no qual o outro não consegue penetrar. Pior ainda é quando tanto o marido como a mulher têm atitude defensiva. Podem até se aproximar mais no relacionamento, mas a atitude defensiva os impedirá de entrar no interior do outro — de ser íntimos com o coração. Permitir que o outro entre em seu coração é confiar todos os seus pensamentos, bons ou ruins, todos os seus "segredos", significando que você não vive mais com segredos, e todos os seus temores. A intimidade também compartilha esperanças, sonhos e visões sem temer ser ridicularizado, por mais estranhos ou distantes que pareçam. Dois se tornando um não é apenas um voto de casamento repetido no altar. Trata-se de um mistério extraordinário do coração humano.

Dois se tornam um

A verdadeira intimidade consiste em dois corações que se tornam um. Dei a Larry autoridade total sobre meu coração, e ele me concedeu autoridade total sobre o dele. Dou ouvidos a tudo que Larry diz a meu respeito, mesmo quando acho que ele está errado. Tenho consciência de que tenho um lado cego que não consigo enxergar. Se ele destacar algo que necessita ser corrigido, quem sou eu para não confiar que ele tem o melhor em mente? A correção dele sempre é feita em amor e, se eu aceitar suas contribuições em minha vida, serei beneficiária do crescimento pessoal e da intimidade com ele. Talvez você esteja pensando: "Mas meu marido me corrige com raiva, não com amor". Quando isso acontece, você ainda pode ouvir o que ele tem a dizer e peneirar, ficando com o que é bom e descartando o ruim. Não permita que a raiva dele impeça você de aceitar a correção, caso ele tenha razão. O problema da raiva não é seu — é ele quem precisa resolver. Permitir que o outro aborde problemas de seu caráter sempre torna o relacionamento mais íntimo.

Um olhar mais próximo

Portanto, uma vez que estamos rodeados de tão grande multidão de testemunhas, livremo-nos de todo peso que nos torna vagarosos e do pecado que nos atrapalha, e corramos com perseverança a corrida que foi posta diante de nós. Mantenhamos o olhar firme em Jesus, o líder e aperfeiçoador de nossa fé. Por causa da alegria que o esperava, ele suportou a cruz sem se importar com a vergonha. Agora ele está sentado no lugar de honra à direita do trono de Deus.

Hebreus 12.1-2

A postura defensiva é um peso ou estorvo que se apega fortemente à alma. A Bíblia diz que você deve se livrar desse peso. O dicionário descreve *defensiva* da seguinte maneira: argumento feito perante um tribunal (um acusador); dedicado a impedir ou resistir à agressão; argumento para justificar. Os líderes (pessoas acostumadas a ter autoridade) que demonstram uma atitude defensiva são excelentes em argumentar e comprovar sua ideia, justificando o próprio comportamento e se protegendo. Também são excelentes em dizer ao outro o que fazer e por quê. Então como é possível "se livrar"?

1. *Enfrente sua necessidade de estar certa* e permita que seu marido esteja certo ou pelo menos ache que está certo. Faz muito bem para o ego dele. Se ele estiver errado (e você souber), não precisa que você fale. Ele mesmo descobrirá por conta própria.

2. *Apresente seu argumento em um momento diferente do dele.* Isso evitará uma discussão.

3. *Aperfeiçoe seus hábitos de comunicação.* Quando você responde com as palavras "Eu sei", desconsidera de imediato a opinião do outro. Não tem graça conversar com quem já sabe de tudo.

Uma participante do programa intensivo Experiência do Lar que faço em minha Mansão de Mentoreamento me explicou os desafios que ela e o marido têm no relacionamento. Ela trabalha como advogada de defesa nos tribunais, e ele é professor de psicologia. Com frequência, ele lhe diz: "Não me interrogue", ao que ela responde: "Não venha fazer psicanálise em mim". Tive que rir. Consegui entender direitinho como isso podia acontecer no relacionamento deles. É possível que você não tenha se casado nem com um psicólogo, nem com um advogado de defesa, mas é fácil entender como podemos usar as ferramentas de nossa profissão contra o cônjuge quando queremos ganhar. Se você é professora, pode ser que queira ensinar o marido o tempo inteiro. Se ele é médico, pode querer diagnosticá-la e assim por diante.

Pare e pense nisto: por que você sentiria vontade de criar um cenário para fazer quem você mais ama perder — especialmente se for perder de você? Na maioria das vezes, quando temos "comunhão intensa" (brigas ou discussões), não entendemos o que realmente está acontecendo entre nós. Dois estão na tentativa de se tornar um. Não é fácil, mas é possível. Continue procurando baixar sua guarda para "deixá-lo entrar".

Entenda o que é a atitude defensiva

Há cinco causas comuns para uma atitude defensiva:

1. Rejeição
2. Desapontamento
3. Traição
4. Vergonha
5. Fracasso

A compreensão das cinco causas da atitude defensiva ajudará você a escalar o muro de defesa de seu marido e entrar no coração dele. Você também reconhecerá por que fica na defensiva e criará coragem para derrubar o próprio muro, medo por medo, permitindo que ele entre em seu coração. É importante saber que você nunca consegue derrubar o muro emocional do outro. Nem uma escavadeira faria esse trabalho. Se tentar esse método, você será recebida por um esquadrão de fuzilamento, ficará ferida e precisará bater em retirada. Já o amor é capaz de penetrar tudo, por mais inamovível que o muro pareça.

A atitude defensiva leva a pessoa a agir com base em suas fraquezas, não em seus pontos fortes.

A atitude defensiva leva a pessoa a agir com base em suas fraquezas, não em seus pontos fortes. A reação costuma ser evitar algo que o indivíduo interpreta como doloroso na esfera pessoal. Essa dor se origina de uma ou mais das cinco causas comuns da atitude defensiva, citadas acima.

Larry chegou em casa depois de uma reunião com o conselho de nossa igreja, que vinha crescendo cada vez mais. Eu havia desenvolvido um programa evangelístico para as mulheres que alcançava a cidade inteira e, pouco tempo antes, tinha realizado um evento do ministério que encheu o centro de convenções. A visão nos preenchia, e nossa congregação nos apoiava e amava. Compramos mais terreno para expansão, contratamos uma equipe qualificada e um ministério frutífero estava impactando nossa cidade.

Com expressão séria, Larry me disse:

— Eu me demiti esta noite.

Eu senti como se estivesse em um *kamikaze* no parque de diversões, girando em uma grade da qual não conseguia sair e o fundo se abriu.

— Por quê? O que aconteceu? — perguntei.

A reação defensiva de Larry com o conselho da igreja resultou em uma perda dolorosa para nossa família. Ele não pediu para sair por causa daquela reunião diretamente. Reagiu por fraqueza, pressentindo e temendo a repetição da mesma dor que havia sofrido quatro anos antes.

Com frequência, as ações defensivas de seu cônjuge não estão relacionadas ao problema atual, mas ligadas ao passado. Entender isso pode ajudá-lo a transitar pelo relacionamento. Fiquei muito brava com Larry por alguns dias, então Deus me falou: "Você precisa permitir que Larry erre. Eu permito, então você deve aceitar isso. Você também já errou muitas vezes na vida". Foi só então que consegui deixar de lado minha raiva (defensiva) e seguir em frente rumo à nova aventura que esse "erro" criou para nossa família. Apeguei-me a Romanos 8.28. É um texto bíblico que todos conhecemos, mas poucos querem colocar em prática:

> E sabemos que Deus faz *todas as coisas cooperarem para o bem* daqueles que o amam e que são chamados de acordo com seu propósito.

A compreensão dessa verdade e a confiança nela devem remover o medo de estar errado. Mesmo com nossos melhores esforços, nem Larry nem eu conseguiremos acertar sempre. Nem você.

A realidade dura da vida é que aquilo que acontece conosco hoje pode afetar como reagimos ao amanhã, a menos que peguemos o touro da atitude defensiva pelos chifres e o deitemos ao chão. Fazemos isso ao aceitar o que acontece conosco hoje e extrair o máximo disso. Você é o único capaz de derrubar o próprio muro.

Identifique suas reações

O amor nunca desiste, nunca perde a fé, sempre tem esperança e sempre se mantém firme. [...] O amor durará para sempre.
1Coríntios 13.7-8a

A remoção do muro da defensiva para permitir que seu amor entre no coração de seu marido é uma decisão deliberada. Lembre-se, quando você ergue um muro emocional para evitar que o sofrimento entre, o amor também fica do lado de fora. Apresentarei algumas reações comuns, e veja se você se identifica com alguma delas. Admitir que você reage de uma dessas maneiras pode ser o primeiro passo para baixar a guarda.

1. *Tenho medo de sofrer rejeição.* O medo de rejeição leva a pessoa a endurecer o coração e atacar antes de ser atacada. Ela revida com raiva. A raiva sempre afasta quem ama você, quer o seu melhor e está tentando se aproximar.

2. *Sou cínico e sarcástico.* O cinismo e o sarcasmo parecem maneiras aceitáveis de menosprezar o outro. Em geral, isso é feito com humor. Mas a verdade é que você está depreciando seu cônjuge e apontando seus defeitos, mantendo-o preso à sua pretensão — a pretensão de que você não tem defeito algum.

3. *Coloco a culpa nos outros.* Se você sente necessidade de explicar por que disse o que disse ou fez o que fez, está defendendo suas ações e culpando as pessoas ou circunstâncias por seu comportamento. Isso impede você de receber uma instrução ou correção que poderia ser uma bênção em sua vida.

4. *Eu ajo de maneira independente.* Se você age de maneira independente, não busca conselhos sábios, nem pede a opinião dos outros, provavelmente teme ser julgado assim como julga os outros — de forma dura. Em sua mente, se você pedir

para ser ensinado por outros, sobretudo por seu marido, estará admitindo que não sabe de tudo, o que ameaçará sua suposta imagem de perfeição.

A atitude defensiva é uma prisão emocional provocada pela própria pessoa. A fechadura está dentro de seu coração, e só você tem a chave para abri-la.

Derrube a parede — destranque a porta

No início de nosso casamento e ministério, Larry e eu causamos um impacto extraordinário para o reino e experimentamos o sucesso em proporção monumental. Deus escolheu nos ungir e abençoar nossa fé cega e apaixonada. Doze anos depois, chegou nossa vez de encarar uma prova de proporção equivalente ao nosso sucesso. O que enfrentamos poderia ter sido devastador e destruir nossa vida, nosso casamento e nosso chamado para o ministério. Foi então que decidimos que terminar bem era mais importante que começar bem.

Com o passar do tempo, depois de lidar com a dor do fracasso, Larry e eu nos unimos e aceitamos o que "fizeram conosco". Em vez de culpar os outros e nos justificar, assumimos toda a culpa. Aceitamos que Deus era a mão por trás da mão que nos feriu. Larry derrubou sua muralha defensiva pedra por pedra, experiência por experiência. Eu também dei a ele a liberdade de errar sem apontar o dedo.

A atitude defensiva é uma prisão emocional provocada pela própria pessoa. A fechadura está dentro de seu coração, e só você tem a chave para abri-la.

Minha mãe tem uma série de frases de sabedoria que moldaram meu caráter. Uma das minhas preferidas, como já mencionei, é: "O que há de tão mal em estar errado?". O medo do fracasso ou de estar errado impede que a pessoa defensiva tente. A vida é cheia de altos e baixos, certos e errados, triunfos e fracassos — ninguém escapa disso. A batida da bateria pulsa no grave, o tom das teclas do piano reverberam no grave. Nossos momentos mais sombrios se tornaram nossas maiores vitórias. Não tentar é não conquistar. Tentar é assumir o risco de falhar ou conseguir. Ambos são vitórias. Não é tão ruim assim estar errado, se você admitir. E se for culpado por algo de errado quando isso não for verdade, lembre-se: não há nada de mal em estar errado quando você sabe que não está. Das duas maneiras, você ganha.

Outra frase de sabedoria de mamãe é um acréscimo ao antigo ditado: "Não adianta chorar sobre o leite derramado. É só limpar!". Se você errou, extraia o máximo da situação, assuma responsabilidade e siga em frente. Sem dúvida, foi esse tipo de treinamento e exemplo que me deu confiança para aceitar meus defeitos, ter uma atitude disposta a aprender e apoiar outros que não têm esse tipo de estrutura emocional.

A vida com quem tem atitude defensiva

É importante entender como abordar a pessoa cuja guarda está sempre montada e sente medo de lhe confiar todo o coração. Seguem algumas orientações:

1. *Ajuste seu estilo de comunicação.* Você não é professor de seu cônjuge. Em geral, insegurança e autoestima baixa são as raízes da natureza defensiva. Faça muitas perguntas quando se comunicar com o outro. Dê sugestões, em vez de ordens. Evite acusar: "Por quê você...?", "Você deveria...", "Você poderia..." e "Você fez...". Fale palavras de afirmação. Deixe o outro saber

quanto a opinião dele é importante. Não manipule. Seja respeitoso em sua abordagem. Não precisa pisar em ovos, mas seja sempre gracioso e use a diplomacia. Isso é amor. A pior coisa que você pode dizer para a pessoa com atitude defensiva durante uma conversa é: "Você está na defensiva". Ou pior: "Não fique na defensiva!". Isso cria um afastamento toda vez, que provocará uma reação agressiva ou de retirada.

2. *Desenvolva a autoestima do outro.* Apoie seu cônjuge. Ame as coisas que ele ama. Concorde com ele. Faça contato visual quando ele estiver conversando com você. Apoie as ideias dele com um assentir da cabeça ou um sorriso. Contribua com o diálogo fazendo uma pergunta de interesse ou apoio. Evite fazer comentários que desafiem o que ele disse.

3. *Confronte com o coração submisso.* Se você tiver uma opinião diferente da de seu cônjuge acerca de uma coisa séria que você acredita que poderia ser destrutiva para você ou sua família, use o que chamo de "princípio de Ester". Quando Ester precisou confrontar a decisão do marido, orou por três dias e então entrou na presença dele com o coração submisso. Começou o diálogo com a expressão: "Se lhe parecer bem...". Ela convidou o rei para um banquete que preparou e começou a explicar o problema. Foi cuidadosa e intencional. Não descarregou a culpa nele, nem o atacou. Pelo contrário: rendeu o coração e estava disposta a arriscar mudar a opinião dele ou sofrer as consequências de sua decisão. Isso sim é submissão verdadeira!

Mulheres defensivas

As mulheres defensivas se comportam de forma diferente dos homens, embora as raízes do problema sejam as mesmas.

Larry falou de forma bem intensa com os homens, agora chegou minha vez de conversar diretamente com as mulheres. No princípio da história, Eva demonstrou duas vulnerabilidades da mulher. Primeiro, ela procurou espiritualidade, ser "como Deus". Em segundo lugar, culpou a serpente: "A serpente me enganou [...]. Foi por isso que comi do fruto" (Gn 3.4,14).

O excesso de espiritualidade entre as mulheres se transforma em um muro impenetrável de defesa. Elas sempre têm a "Palavra do Senhor" e não dão ouvidos aos outros. Logo se tornam superiores ao marido, ao pastor, como disse certa mulher: "Deus me designou como vigia para garantir que esta igreja não caia no erro!". Eva provavelmente queria ser como Deus para poder dizer a Adão o que ele deveria fazer! É exatamente essa atitude que torna as mulheres vulneráveis ao engano.

Eva começou a conversar com uma voz que contradizia a Palavra de Deus. Refletiu em ideias que estavam em conflito direto com aquilo que o Senhor tinha dito para Adão. Ao que tudo indica, ela não confiava completamente no que Adão dissera ter ouvido da parte de Deus e não estava disposta a se submeter por completo e aceitar a Palavra do Senhor. Quando o enganador se aproximou dela, perguntando o que Deus tinha dito, o primeiro erro que ela cometeu foi se envolver em diálogo com um pensamento ou ideia que estava em conflito direto com a Palavra de Deus. Eva não era receptiva ao ensino e não confiava que Adão tinha ouvido a voz do Senhor. Satanás distorceu as palavras de Deus e interpretou erroneamente o que o Senhor dissera. Disse a Eva: "É claro que vocês não morrerão!". Eva ouviu e então se questionou, sem confiar no que Adão acreditava. Começou uma conversa de racionalização que a levou ao engano. Então pensou "que a árvore era linda"; Eva amava a beleza. "E que seu fruto parecia delicioso"; ela estava sendo sensível. O que poderia haver de errado com ser sensível, amar a beleza e a sabedoria? Não podemos perder a oportunidade! Veja, Adão, o que podemos realizar! Sensibilidade, beleza e inteligência... É tudo que uma mulher pode querer!

Mas o que Deus queria? Quando o Senhor se aproximou do casal, Adão e Eva se esconderam, na defensiva. Eles não queriam enfrentar o que haviam feito. A defesa de Adão foi se esconder e culpar a esposa; a defesa de Eva foi se esconder e culpar o diabo. "Não foi Adão o enganado. A mulher é que foi enganada, e o resultado foi o pecado" (1Tm 2.14). Adão desobedeceu a Deus e não assumiu a responsabilidade por sua desobediência. Ele conhecia a Palavra do Senhor, mas não temia a Deus e foi desencaminhado por sua vulnerabilidade em relação à mulher que amava. Deu ouvidos a ela e não a protegeu recusando-se a transigir. Eva foi enganada por Satanás. São duas coisas bem diferentes. A desobediência e o engano levaram esse casal a uma condição de duras dificuldades e perdas, causando dor nas gerações inocentes que viriam depois (ver Gn 3.1-19).

Colocar a culpa em outro é mais uma característica que as mulheres usam como arma defensiva. E as "mulheres superespirituais" sempre culpam o diabo. "Satanás está atacando nosso casamento." Não é Satanás! É você que não respeita a sabedoria de seu marido e não confia nele.

> Esposas, sujeitem-se à autoridade de seu marido. Assim, mesmo que ele se recuse a obedecer à palavra, será conquistado por sua conduta, sem palavra alguma, mas por observar seu modo de viver puro e reverente. [...] Vistam-se com a beleza que vem de dentro e que não desaparece, a beleza de um espírito amável e sereno, tão precioso para Deus.
>
> 1Pedro 3.1-2,4

A rendição de sua atitude defensiva e a união a seu marido, confiando na capacidade dele de ouvir a voz de Deus, a protegerá dos erros. As mulheres defensivas tendem a se tornar resistentes ao ensino, incorrigíveis, sarcásticas e tendenciosas a culpar os outros. Todos se afastam desse tipo de comportamento e se fecham. A maioria cederá ao seu jeito de fazer as coisas, mas não gostará do destino ao qual seu caminho levará. Derrube seu muro defensivo dando permissão aos outros para lhe ensinar o que você não sabe, corrigindo seu comportamento errado rude e assumindo responsabilidade por suas tensões relacionais. Edifique os outros sem buscar aprovação pessoal. Tire de seu vocabulário a resposta: "Eu sei!". Assim que alguém começar a lhe contar algo, em vez de dizer: "Eu sei!", que leva o outro a parar, substitua "Eu sei!" por "Sério?", "Legal!", "Conte-me mais" etc. Essa nova atitude abrirá seu coração para receber informações. Você vai amar as coisas extraordinárias que os outros lhe dirão. O mais triste de viver com um muro de defesa é que ele não deixa só o sofrimento do lado de fora, mas o amor também não consegue entrar em seu coração.

Edifique os outros sem buscar aprovação pessoal.

Abaixe a guarda e receba as bênçãos que estão esperando por você por meio das pessoas incríveis que Deus colocou em sua vida.

11

[ELE diz]
Regiões de perigo – de olho nas bandeiras vermelhas

Por Larry

As bandeiras vermelhas costumam ser aqueles sinais de alerta segurados ou afixados por construtores indicando a necessidade de extrema cautela. As pessoas que ignoram esse tipo de aviso o fazem assumindo os riscos. O casamento também tem bandeiras vermelhas, que consistem em alertas bíblicos que advertem quanto ao provável perigo ou, caso não se dê atenção, possível desastre.

Este capítulo sobre bandeiras vermelhas tem a intenção de advertir você quanto aos perigos em potencial na vida de líderes que vivem juntos. Embora não se trate de lista exaustiva, trata-se pelo menos de uma tentativa de afastar alguns dos perigos mais óbvios nos quais já vimos líderes sucumbirem ao longo de mais de cinquenta anos de ministério. Se você prestar atenção às bandeiras vermelhas, salvará seu casamento, sua família e seu futuro. Se as ignorar, poderá perder tudo. Aquilo que começa como um flerte com a aventura pode terminar em um desastre judicial.

Não existe ninguém tão espiritual a ponto de ficar imune a esses possíveis desastres. Conforme Paulo disse: "Disciplino meu corpo como um atleta, treinando-o para fazer o que deve, de modo que, depois de ter pregado a outros, eu mesmo não seja desqualificado" (1Co 9.27). Não é que Paulo esteja ameaçando a perdição eterna. O que ele diz é que, se não disciplinarmos nosso apetite carnal, Deus não nos usará. Seremos arquivados, desqualificados. Você acha que o Senhor usa um indisciplinado que escolhe continuamente ignorar seus sinais de alerta? Isso nunca irá acontecer!

Seguem abaixo algumas das bandeiras vermelhas que já presenciei.

Falar sobre divórcio

O divórcio foi facilitado em nosso sistema jurídico; logo, tornou-se comum na sociedade. Agora os casais provocam com a palavra "divórcio", usando-a como forma frequente de ameaça para manter o cônjuge na linha. Não consigo imaginar nada mais prejudicial. *Divórcio* não consta no dicionário de meu lar. Devi e eu nem pensamos nisso. Não faz parte do nosso vocabulário. Em uma entrevista, perguntaram a Ruth Graham: "Você já pensou em se divorciar?". Ruth Graham foi espirituosa e disse que se divorciar do marido Billy nunca foi uma opção, mas que já havia pensado em matá-lo. É claro que essa afirmação foi feita em tom de brincadeira. Foi uma maneira divertida de reforçar sua convicção de que o divórcio não era uma alternativa para o casamento deles, mesmo ao passarem por momentos difíceis.

Sou tão inflexível em relação a essa convicção que não gosto de nenhuma brincadeira sobre divórcio, nem de quem fala sobre o casamento de forma pejorativa ou leviana. O matrimônio deve receber elevada consideração.

Não faz muitas décadas, poucas pessoas nos Estados Unidos ou na cultura ocidental consideravam a opção do divórcio. No passado, quem se casava permanecia casado a qualquer custo. Agora, o divórcio costuma ser visto como opção antes mesmo da cerimônia de casamento. "Bem, se as coisas não derem certo, sempre é possível pedir o divórcio." E tudo fica até registrado em acordos pré-nupciais. E Hollywood não ajuda com sua abordagem superficial ao casamento tanto nos filmes como na vida real. Revistas sensacionalistas devem ficar em êxtase ao saber da iminência de divórcio entre celebridades. É um material excelente para os vendedores de fofoca. É raro eles se alegrarem por casamentos fiéis e duradouros. Acho que isso não vende revistas. Embora o divórcio seja socialmente aceito, permanece uma tristeza interior quando o casamento de alguém acaba, seja um político, um apresentador de televisão, um pastor ou membro da família.

Por favor, compreenda que não dá para ficar falando em divórcio o tempo inteiro em suas conversas com o cônjuge sem abrir a possibilidade de que isso realmente aconteça. Quando você proferiu os votos conjugais, deveria ter trancado a porta do pensamento no divórcio, quanto mais seguir em frente com essa ideia. Que legado maior você poderia deixar para seus filhos do que o testemunho do compromisso conjugal? Isso lhes dará caráter para não desistir quando a vida ficar difícil. Eles conseguirão permanecer juntos "na alegria ou na tristeza, até que a morte os separe", porque vocês fizeram o mesmo.

A Bíblia é clara em dizer que "Deus odeia o divórcio". Eu também odeio!

Faz pouco tempo, certo homem me contou que sua esposa vinha ameaçando pedir o divórcio. Ele se gabou de ter dito para ela que permaneceria comprometido com os filhos e eles ficariam bem. Quando contei isso para Devi, ela ficou abismada. "Não, os filhos não vão ficar bem!", e então listou uma série de motivos para mostrar quanto isso é absolutamente falso. Nunca está tudo bem para os filhos quando o pai e a mãe, a quem eles amam tão profundamente, não demonstram mais o mesmo tipo de amor um pelo outro. Nós que fazemos aconselhamento de casais com regularidade precisamos abordar as consequências negativas do divórcio. Você não faz ideia dos danos que esse processo causa aos filhos, danos que décadas de aconselhamento não são capazes de erradicar. Filhos de coração partido porque os pais não estão juntos se tornam adultos de coração partido que raramente desenvolvem relacionamentos comprometidos e amorosos de longo prazo. Temem a dor da separação porque já a sofreram uma vez na vida. Os filhos são um bom motivo para permanecer casados? Com certeza! Vocês podem reacender a chama do amor depois, se necessário, mas deem uma chance ao "depois". O maior presente que vocês podem dar aos filhos é um pai e uma mãe que vivem juntos.

Anos atrás, quando o divórcio não era tão comum quanto agora, uma mulher se aproximou de mim confessando que iria se divorciar do marido. Logo lhe perguntei por quê. Ela foi muito franca: "É simples. Eu não o amo mais". Quando expliquei que não amar mais não era uma justificativa bíblica para o divórcio, ela retorquiu: "Não me importo". Há um problema sério quando "Não me importo" supera a ordem bíblica contra o divórcio. Onde está o temor de Deus? Onde está o medo das consequências negativas de nossas decisões? Para você, seu cônjuge e seus filhos?

O interessante é que ela nem chegou a refletir que está se colocando em posição vulnerável para o fracasso, o pecado, uma família disfuncional e a infelicidade. Não sei nem dizer quantos ex-cônjuges com quem já conversei se arrependem da decisão do divórcio. Mas posso lhe garantir que foi um número suficiente para garantir que a grama do vizinho nem sempre é mais verde. Na verdade, com frequência, ela é seca e morta.

Não estou condenando ninguém que se divorciou. Só estou sugerindo que você considere a possibilidade de enxergar o divórcio não só como uma bandeira vermelha, mas como um *banner* vermelho, um *outdoor* vermelho, um dirigível vermelho e qualquer outra coisa que seja vermelha, inclusive o sangue. Ele é mortal. Nossa cultura, nossa sociedade e suas famílias estão sendo sistematicamente destruídas por esse problema em massa. Deveríamos ter cuidado dele enquanto era apenas uma bandeira vermelha, antes de se tornar um exército vermelho que marcha rumo à destruição das famílias.

Que legado maior você poderia deixar para seus filhos do que o testemunho do compromisso conjugal?

É bem possível que um cônjuge ou casal que deseja se divorciar se aproxime de você em seu papel de líder. Por favor, não assuma sobre si a culpa de encorajar essa decisão. A menos que haja abuso físico ou um caso extraconjugal acontecendo, faça tudo que estiver a seu alcance para impedir que o divórcio ocorra. Quando você comparecer perante Deus, ficará feliz por ter resistido a essa triste tendência, tanto em seu casamento como no de outros.

Anos atrás, minha filha enfrentou o fantasma incerto e temível de um casamento partido por causa da infidelidade conjugal e da possibilidade de um divórcio não desejado. Nunca vi alguém mais persistente. Ela manteve o amor e o respeito pelo marido, resistiu com firmeza ao divórcio e, dentro de meses, presenciou o arrependimento e a restauração completa do esposo. O divórcio não era uma alternativa. A oração prevaleceu e o amor superou todas as emoções negativas, inclusive o monstro da amargura. Sinto orgulho imenso tanto de minha filha quanto do meu genro. Gostaria de fazer uma estátua de bronze de ambos e escrever na legenda: "Divórcio — você PERDEU".

Se tudo é possível para Deus, então, sem dúvida, a cura de um casamento também é. Se a oração é capaz de mover montanhas, então comece a interceder. Se o amor cobre uma multidão de pecados, então libere as torrentes de amor. Mas não concorde com o espírito demoníaco do divórcio que se recusa a lidar com os problemas mais profundos e busca soluções superficiais e temporárias.

Não estou condenando ninguém que se divorciou.

Nenhuma outra mulher

Esta é minha convicção e este é meu estilo de vida. Para mim, não existe nenhuma outra mulher no mundo além de minha esposa. Ninguém merece minha atenção, meu afeto, meu compromisso emocional, minha fixação visual, nem meu coração, além de minha mulher. Nenhuma outra é tão bela, inteligente, criativa ou cheia de vida para me seduzir. Se você tiver interesse romântico em mim, saiba que está perdendo tempo. Não estou interessado em você, ponto final. Não vou lhe enviar mensagem de texto, nem falar com você ao telefone, nem mandar mensagem pelo Facebook, nem a levar para casa depois do trabalho, nem conversar pelo Twitter, nem falar com você no intervalo ou após o expediente.

Anos atrás, Devi me contou que percebeu uma mulher em nossa igreja que esperava deliberadamente eu terminar de cumprimentar as pessoas após o culto para me dar um abraço "pastoral". A princípio, achei que Devi estava exagerando. Mas não. Ela estava absolutamente certa. Às vezes, é preciso uma mulher para discernir as intenções de outra. Talvez isso também se aplique ao homem. Ele é capaz de identificar outro à espreita. Devi percebeu algo verdadeiro que eu nem havia notado. Dê ouvidos a seu cônjuge.

Não era um abraço inocente, mas, sim, um gesto físico calculado, por parte de uma mulher sedutora. Fiquei feliz porque Devi conseguiu desvendar meus olhos para a realidade de um abraço sedutor que poderia ter destruído minha vida, meu casamento e ministério. Devi me mostrou a bandeira vermelha e eu prestei atenção, muito embora na época parecesse apenas um sinal cor-de-rosa, não vermelho. Eu não conseguia enxergar. Até hoje, tomo extremo cuidado com mulheres amistosas demais. Quanto mais uma mulher se aproxima, mais eu me afasto dela. A única mulher que tem entrada em minha vida é Devi. Mulheres que fazem avanços me levam a dar passos para trás e nem precisam vestir vermelho para que eu coloque o carro na marcha ré.

Mulheres, o mesmo se aplica a vocês. Nenhum outro homem deve ter espaço em seu coração. Compartilhar sentimentos e confidências íntimas é uma região de acesso proibido. Se você perceber que está se vestindo a fim de chamar a atenção de alguém além de seu cônjuge, mude de roupa. É comum para líderes, tanto homens como mulheres, trabalhar bem de perto com outros homens e mulheres. Mulheres inteligentes gostam de homens inteligentes. Tome cuidado quando sente sinergia intelectual com outro homem. Isso pode levar a uma atração inesperada. Evite almoços de negócios sozinha com outro homem e sempre vá no próprio carro, em vez de andar de carona com um homem. Além disso, tome cuidado com toques. É comum mulheres líderes terem uma personalidade mais extrovertida. Pequenos toques podem despertar sinais inapropriados em outros que talvez não vivam de acordo com os mesmos padrões que os seus. Essas são orientações de bom senso, a fim de evitar tentações desnecessárias.

Segredos: "Shhh! Não pode contar!"

O diabo ama segredos e lugares obscuros. Deus ama a verdade e a luz. Se amamos, servimos e seguimos ao Senhor, devemos ser pessoas abertas, que nada escondem.

> Nada, em toda a criação, está escondido de Deus. Tudo está descoberto e exposto diante de seus olhos, e é a ele que prestamos contas.
>
> Hebreus 4.13

Jesus disse: "Tudo que está encoberto será revelado, e tudo que é secreto será divulgado" (Mt 10.26). Então, ampliou essa declaração em Lucas 12.3, ao afirmar: "O que vocês disseram no escuro será ouvido às claras, e o que conversaram a portas fechadas será proclamado dos telhados". Uma rápida revisão da exposição recente de vários políticos e pastores basta para você saber que tudo aquilo que é feito em segredo pode, com facilidade, ser descoberto por meio das redes sociais, garantindo que sua indiscrição particular logo se transforme em desgraça pública. Os segredos têm o hábito de destruir as melhores reputações e os melhores líderes.

No jardim do Éden, a queda de Adão resultou na primeira tentativa do ser humano de esconder as coisas de Deus. Quando o Senhor perguntou ao homem: "Onde você está?" (Gn 3.9), ele não o fez por não saber a resposta. Deus queria que Adão reconhecesse que nada permanece oculto dele. Desde então, a humanidade tem tentado esconder as coisas não só do Senhor, mas também uns dos outros. Nós viramos mestres alfaiates e costureiras, excelentes em tecer folhas de figo para acobertar nossos pecados. Se você esconde coisas de seu cônjuge, esteja certo de que o pecado virá logo em seguida.

Os segredos são enormes *bandeiras vermelhas*. Se há algo que não posso contar para meu cônjuge, esteja certo de que isso não vem de Deus. Se não posso dizer a meu cônjuge no que estou pensando, algo está errado. Se não posso contar o que estou assistindo, há algo de errado. Se não quero falar para o cônjuge o preço de algo que comprei, tenho um problema. Se não posso dizer ao cônjuge o verdadeiro motivo de ficar até mais tarde no trabalho, meu segredo abriu a porta para o diabo entrar. Se não posso contar para meu cônjuge para quem estou mandando mensagens de texto, o pecado está à porta. Segredos e pecados vivem juntos.

Se você não pode contar para seu cônjuge, então não vem de Deus. Você pode contar tudo para o cônjuge. Em um casamento saudável, não há segredos.

Minando a autoridade do outro

Quando era criança, eu ouvia a esposa de meu irmão mais velho dizer para os filhos: "Ah, vocês não precisam dar ouvidos a seu pai. Ele não faz ideia do que está falando". Às vezes, falava de maneira pejorativa e, em outras ocasiões, de forma cômica, como se ele fosse um grande tolo. Mas sempre era depreciativo, quer em tom de acusação, quer de brincadeirinha. Essa família foi arrasada pela atitude sistemática de menosprezo a meu irmão. Por fim, ela pediu o divórcio e os filhos desrespeitavam o pai. Ela começou a acreditar nas próprias mentiras. Mesmo quando criança, eu repudiava aquele jeito astuto e manipulador para dar a impressão de que ela era superior a ele. Com frequência, os comentários negativos eram feitos como se fossem piada. Mas cada palavra negativa que ela dizia contra meu irmão me magoava. Eu sabia intuitivamente que aquilo estava errado. Meus pais não se tratavam assim, e eu não queria isso em meu casamento.

Provérbios diz: "Quem prepara uma armadilha para outros nela cairá; quem rola uma pedra sobre outros por ela será esmagado" (Pv 26.27). Não dá para menosprezar seu cônjuge aos olhos dos filhos ou dos outros sem que isso também o destrua. A pedra que mina e usurpa a confiança, a identidade e/ou a autoridade de seu cônjuge voltará para esmagar você.

Sinto tristeza pelos pais que optam por colocar os filhos contra o pai ou a mãe. Eles não fazem ideia de como seus atos são destrutivos. Todos saem perdendo. Destroem tanto os filhos como a si mesmos nesse processo. Gerações sairão feridas por esse comportamento. A fim de garantir as bênçãos de Deus, é preciso edificar o cônjuge o tempo inteiro e, em especial, na presença dos filhos.

Nada é mais importante para a estabilidade e a saúde emocional da família do que manter um *front* unido. Se sua esposa der uma ordem aos filhos, concorde, mesmo que vocês precisem conversar sobre isso depois. "Filho, o que sua mãe lhe pediu? Então faça!" "O que seu pai disse? Bem, eu concordo com ele."

Não permita que os filhos os coloquem um contra o outro. Eles começam esse joguinho pouco depois de nascer e o testam rotineiramente ao longo da infância e adolescência. Vá em frente e frustre o ponto alto do dia de seus filhos permanecendo unido com a decisão de seu cônjuge.

O grande destruidor: o fator "E"

O adultério NÃO é o maior destruidor do casamento. O egoísmo é. A menos que alguém pense que estou minimizando o potencial de perigo dos casos extraconjugais, tenha a certeza de que o motivo para ter mencionado isso acima foi enfatizar seu impacto mortal. Mas existe algo bem mais sutil e fatal, que é o egoísmo. Em minha opinião, o egoísmo é o denominador comum de todas as dificuldades matrimoniais. Quando líderes vivem juntos, é muito tentador se sentir motivado pelos próprios objetivos, deveres e estilos de vida.

Após cinquenta anos de ministério, eu nunca — deixe-me repetir — *nunca* atendi nenhum casal na área de aconselhamento cujo maior problema não fosse o egoísmo. Problemas mais superficiais sempre surgem, como dinheiro, "Não o(a) amo mais", infidelidade ou falta de comunicação, mas todas essas causas inevitavelmente remontam ao egoísmo.

É fácil identificar o egoísmo por meio de uma atitude: "Eu primeiro!". Se você considerar o outro mais importante que você, como Filipenses 2.3 orienta, o egoísmo deixa de ser um problema. Mude a atitude do "Eu primeiro!" para "Você primeiro", e nunca mais você acabará no consultório de um terapeuta de casais. O egoísmo diminuirá e morrerá de uma hora para a outra se você assumir essa postura.

O egoísmo destrói qualquer casamento ou outros relacionamentos, inclusive os da família, igreja, ambiente de trabalho ou nação. O egoísmo não só abre a porta para uma série de bandeiras vermelhas, como também as balança para uma manada de búfalos vir correndo em sua direção, destruindo tudo que estiver no caminho. Nada é mais destrutivo que o egoísmo. O famoso *crooner* que cantava sobre fazer as coisas do próprio jeito, "my way", não sabia quanto essa filosofia é letal. Fazer as coisas do "meu jeito" destrói qualquer possibilidade de sucesso na vida. Além disso, nega a essência do evangelho que coloca Deus em primeiro lugar, os outros em segundo e você por último. Tenho uma sugestão. Vamos compor uma música nova chamada "Do *seu* jeito", acabando com o egoísmo, o destruidor número um de famílias e casamentos. Eu o desafio a encontrar um problema profundo que não seja centrado no egoísmo. Até mesmo a raiz da amargura é enxertada no egoísmo. Não dá para simplesmente "se livrar" do egoísmo. É preciso deliberadamente negar a si mesmo e colocar o cônjuge na frente. A *abnegação* precisa substituir o *egoísmo*.

Desfrutem a jornada juntos à medida que estimam um ao outro e navegam com cuidado pela vida ao passar por áreas de construção.

O trauma das transições

Benjamin Franklin disse que duas coisas na vida são inevitáveis: a morte e os impostos.

Ele estava certo. E tenho mais um fator inevitável que gostaria de acrescentar a essa lista: a transição. As mudanças são inevitáveis e sempre têm o potencial de, na melhor das hipóteses, balançar o barco, ou, no pior dos cenários, até de derrubá-lo. Quando um dos cônjuges líderes passa por uma transição, o outro sempre é afetado. Com muita frequência, o mais profundamente afetado pela mudança não é o que toma a decisão de mudar, mas, sim, aquele que precisa se conformar com a escolha feita.

É impossível passar por mudança de planos, visão, objetivos, lugar, função, ocupação ou equipe sem um trauma emocional. Mesmo quando você sabe que a mudança iminente é da vontade de Deus, ainda assim pode passar por um trauma. Leva tempo para se adaptar. Leva tempo para discernir os vários sentimentos envolvidos. Além disso, é provável que você sinta dor. Entenda, a vida pode ser bastante instável nessas ocasiões.

As transições podem causar uma série de consequências. Com muita frequência, inclui a separação de amigos e familiares. Às vezes, você se pega em um ambiente totalmente novo e desconhecido. Há ocasiões em que a transição significa diminuição da renda. E você sabe quanta insegurança isso gera. A transição pode resultar de uma má decisão que traz consequências negativas. Em outras oportunidades, a mudança pode parecer problemática a princípio, só para você descobrir mais tarde que foi uma das melhores decisões que já tomou. Podemos aprender muito ao olhar para trás. "O tempo dirá" é mais que uma frase batida. É uma forma muito precisa de avaliar como o passado afeta seu presente e futuro.

Você consegue imaginar como as esposas devem ter se sentido quando os doze discípulos de repente deram a notícia de que deixariam os barcos de pesca e outros ambientes de trabalho a fim de seguir um estranho chamado Jesus de Nazaré? Só consigo imaginar aquelas esposas judias exclamando: "Você perdeu a cabeça?". Em retrospecto, podemos perceber que eles tomaram a decisão totalmente correta. Contudo, creio que dá para presumir sem errar que as esposas deles não enxergavam dessa maneira — pelo menos, não a princípio. Elas só sabiam que perderiam o marido, o pai de seus filhos e a renda deles, tudo ao mesmo tempo!

Decisões unilaterais podem colocar os relacionamentos em perigo. O cônjuge que não participou do processo de escolha pode se sentir traído, desvalorizado, abandonado e deixado de lado. No início do casamento, eu tomava decisões unilaterais, deixando minha esposa de fora. Eu achava que sabia o que "Deus" queria e tomava a decisão como o cabeça do lar, esquecendo que deveria ser uma escolha dos líderes da casa. Isso deixava minha esposa emocionalmente esgotada, pois precisava lidar com o trauma das transições sem ter participado do processo. Eu sabia o que iria fazer e por que faria, mas não comunicava meus pensamentos para ela. E, embora não a incluísse na escolha, esperava que ela participasse das consequências. Nós dois sofremos por causa da minha falta de consideração. A comunicação é absolutamente essencial em tempos de transição. Diálogo, diálogo, diálogo, diálogo e mais diálogo.

As transições necessitam não só de conversa, mas também de tempo. É necessário que o tempo passe para adquirir perspectiva clara. Mesmo que você tome uma decisão totalmente correta, ainda é preciso incluir um intervalo temporal para a transição, a fim de ver o quadro completo e adquirir um entendimento mais claro do resultado. Vocês dois necessitam de tempo para assimilar os detalhes. Compreenda desde o princípio que não dá para apressar as transições.

O mesmo princípio se aplica quando surge uma crise e é preciso fazer uma transição. Por exemplo, a morte de um cônjuge, sócio nos negócios ou membro da família provoca a necessidade de transição. Nessas situações, o tempo sempre é um aliado. Observe Deus usar o tempo para curar as feridas das transições indesejadas.

Jamais passei por uma mudança de emprego, casa, ajuste administrativo, função ou quadro de funcionários sem algum tipo de choque emocional. Mesmo sabendo que era a vontade de Deus, ainda assim senti uma espécie de trauma. O xis da questão é que as mudanças são incômodas, perturbadoras e, às vezes, dolorosas. Mas as mudanças direcionadas por Deus sempre produzirão bons resultados, se tão somente aguardarmos.

Já chorei por semanas ao deixar amigos e familiares a fim de seguir a Deus até um novo lugar. Já passei por momentos gigantescos de dúvida pessoal toda vez que renunciei ao pastorado de uma igreja para iniciar outro ministério. As mudanças na equipe de funcionários também inevitavelmente me desconcertam e incomodam. Nossa carne ama a segurança daquilo que é familiar. Quando o *status quo* muda, você pode se preparar para o sofrimento. Mas as mudanças são necessárias, bem como a dor que provocam. Deus é o único que não muda. O restante de nós precisa mudar.

Desfrutem a jornada juntos estimando um ao outro e dirigindo a vida com cuidado ao passar pelas áreas de construção.

11

[ELA diz]
Regiões de perigo – de olho nas bandeiras vermelhas

———————————— Por Devi

Quando bandeiras vermelhas são erguidas, elas representam algo maior que mera cautela; elas indicam *mudança*. Larry descreveu uma área de construção com bandeiras vermelhas de advertência. Elas são colocadas nas áreas de construção por causa da mudança que está acontecendo. Estradas antigas são consertadas e trechos novos são construídos. Isso não é negativo; é positivo. No entanto, precisamos adaptar aquilo que costumava ser comum para nós a fim de aderir ao novo desenvolvimento. Nós moramos na metrópole Dallas/Fort, no Texas. Tenho certeza de que somos a meca das regiões de construção. Dallas deve fabricar bandeiras vermelhas — ou melhor, "cones alaranjados", pois parece haver milhares deles.

Tudo em uma área de construção é inconveniente. Ela muda a direção do trânsito, testa nossa paciência e enche nosso carro de poeira. Não há nada de divertido nesse processo. A melhor maneira de tolerar a intrusão é permanecer focado no resultado incrível. A primeira coisa que acontece é a placa indicando: "Cuidado! Você acaba de entrar em uma área de construção". O limite de velocidade é reduzido e, às vezes, o tráfego para. Isso significa que as coisas nunca mais serão as mesmas. O velho está passando, e algumas coisas estão se tornando novas. Na reconstrução, aquilo que é bom permanece e, com frequência, é melhorado. Aquilo que não é tão bom é removido.

Quando ocorrem mudanças em seu casamento (e elas ocorrerão), o mais provável é que você tenha mudado e seu cônjuge também. Graças a Deus todos nós mudamos! Seus interesses mudam, seu corpo muda e, no papel de líder, talvez aquilo que você lidera mude.

A mudança de pilotagem em uma área de construção requer foco, atenção e cuidado. O mesmo se aplica ao casamento. Não se torne tão ocupado e distraído a ponto de não observar que as coisas mudaram. Pode ser como mandar mensagens de texto enquanto dirige. A distração é capaz de fazê-lo dar uma guinada para a pista errada, levando-o a perder o desvio que o conduz ao destino — um casamento duradouro e amoroso.

Analisamos agora o que, a meu ver, não pode ser negligenciado.

De olho na velocidade

Você está vivendo na pista rápida? A placa diz: "DEVAGAR". O preço sempre é alto quando você dirige rápido demais na área de bandeira vermelha — multas dobradas. Administrar a vida no mundo atual é um verdadeiro desafio. Com as vantagens e desvantagens da internet, a agenda se enche rapidamente, sobretudo quando líderes vivem juntos. Se vocês não tomarem cuidado, o excesso de compromissos poderá desconectar o casal. É fácil deixar passar tempo demais sem uma conexão significativa.

Quando minha agenda está superlotada e o calendário me controla, em vez de eu controlar o calendário, em seguida meu calendário começa a controlar o Larry também. Meus compromissos mudam as opções que ele tem. O mesmo acontece com o calendário dele. Às vezes, os novos compromissos de meu marido mudam as opções que me restam. O resultado é que nos sentimos presos em uma armadilha.

Quero dar atenção a Larry, dedicar tempo à família, a meus netos e bisnetos e me divertir com minhas amigas. Mas quando sobrecarrego minha vida com projetos que eu amo, palestras, prazos de publicação e assim por diante, adivinha o que acontece? Você está certo! Eu me encho de ansiedade. E aí também preciso lidar com as exigências dos compromissos de Larry — o calendário e a agenda dele. Quando fico ansiosa, torno-me agressiva e direta. Ao contrário de mim, quando Larry é pressionado, ele fica emocionalmente distante, isto é, ele se fecha. A vida na pista rápida por períodos longos pode distanciar e adoecer relacionamentos saudáveis.

Juntos, demonstramos duas maneiras comuns de lidar com a ansiedade: eu fico mais ocupada e Larry tira sonecas. Nenhuma dessas estratégias desenvolve o relacionamento; pelo contrário, elas causam divisão. Cuidado! Bandeira vermelha!

Lembro-me de certa ocasião em que passamos por uma mudança drástica. Saímos de uma grande igreja em uma capital, na qual Larry era o pastor titular, para plantar uma igreja em uma cidade do interior que atravessava uma crise econômica. Mudamos da cidade onde moravam nossa filha casada e nossos netos. Eu passei a dar mais palestras do que nunca para complementar nossa renda. Larry e eu não conversávamos muito por causa da situação em que nos colocamos. Ambos estávamos muito ocupados. Fizemos diversos cortes no orçamento a fim de ter condições de bancar a nova direção do ministério de Larry. Vendemos nosso segundo carro. A igreja ficava a cinco quarteirões de nossa casa, e argumentamos que andar nos faria muito bem. E fez muito bem para nós, mas de uma maneira bem diferente.

A vida com apenas um carro nos pegou de surpresa! Aquilo que imaginamos que seria uma dificuldade se tornou uma bênção. Larry e eu precisávamos comunicar qual era nossa agenda e dar preferência um para o outro, e passávamos muito tempo conversando dentro do carro. Nós nos conectamos de novo. Ele me levava para os lugares e ia me buscar. Eu fazia o mesmo por ele. Muitas vezes, falo brincando para os casais: "Se você sente que está desconectado de seu cônjuge e vocês não têm mais coisas em comum, vendam o segundo carro da família e andem no mesmo carro por um ano. Depois, vejam como se sentem". Aquilo que imaginamos que seria um sacrifício de curto prazo acabou se tornando um estilo de vida. Continuamos a ter só um carro. Gostamos que seja assim.

É muito importante fazer pausas, diminuir o ritmo e viver com margem. A margem é um espaço em branco de cada um dos lados do papel. Elas dão espaço para ajustes, acréscimos e subtrações. As margens o mantêm pontual e em paz. São como um amplo acostamento na estrada, a faixa para estacionamentos de emergência. Não superlote seu tempo, tentando encaixar mais coisas. Em vez disso, avalie o que você pode eliminar.

Há alguns anos, eu terminei o ano com estresse interno. Tudo em minha vida exterior parecia ótimo — sucesso em minhas conquistas, amor no casamento e dinheiro suficiente para pagar as contas. Então perguntei ao Senhor: "Como posso levar a vida de maneira diferente? Que ajustes preciso fazer?". Percebi que eu quase não parava de trabalhar. Eu passava horas por semana dentro de aviões, e a primeira coisa que eu fazia era abrir o computador. Eu escrevia artigos, fazia listas e delegava mais trabalho para meus funcionários. Percebi que Deus me orientou a deixar o computador de lado enquanto estivesse em voo para ler, mas somente leituras sobre temas que desconheço. Isso significava que não poderia ler a Bíblia durante os voos. Antes, eu lia a fim de estudar e me preparar para a próxima palestra, o próximo sermão ou discurso — qualquer que seja o nome de sua preferência. Sou uma palestrante. Em suma, quando lia, ainda assim estava trabalhando.

Eu estava em um sulco profundo na estrada, e os sulcos não contribuem para uma direção segura. Lembro com clareza que isso aconteceu durante a competitiva disputa dentro do Partido Democrata entre Barack Obama e Hillary Clinton. Por isso, os primeiros livros que li foram sobre Obama e Hillary. Isso me levou a uma jornada de mudança — mudança para melhor. Em seguida, li a autobiografia de Allen Greenspan. Eu não sabia nada sobre economia! Li *Infiel*, de Ayaan Hirsi Ali. Eu não sabia nada a respeito da vida trágica das mulheres muçulmanas. Dezenas de livros me levaram a uma descoberta sobre mim mesma que eu não conhecia, e foi a melhor coisa que me aconteceu. Leio de seis a oito horas por semana em aviões, e já aprendi tanto! A bandeira vermelha me fez diminuir a velocidade, reduzir o ritmo, e hoje sou muito mais bem informada. Esse é hoje meu compromisso da vida inteira, e minha ansiedade interna nunca voltou àquele ponto.

> *É muito importante fazer pausas, diminuir o ritmo e viver com margem.*

De olho nas mudanças em suas conversas

A melhor maneira de aferir as mudanças em seu relacionamento é dar ouvidos a suas conversas. Examine o teor de suas falas e a frequência dos diálogos. Vocês pararam de conversar? Sente impaciência quando o cônjuge quer falar sobre coisas que não são importantes para você? Riem juntos e contam histórias um para o outro? Você busca a sabedoria do cônjuge quando está tomando decisões em sua esfera de responsabilidade?

Tenho certeza de que você já viu casais jantando em um restaurante que ficam à mesa a refeição inteira sem dizer uma palavra um para o outro. Larry e eu havíamos acabado de fazer nosso pedido, e ele pediu licença para terminar um texto antes de guardar o celular; já eu peguei caneta e papel e comecei a fazer uma lista de afazeres para o dia seguinte. Um tempinho se passou e fomos tirados de nosso estado de concentração pelo garçom que entregou nossas bebidas. Ambos estávamos tão absortos que nenhum dialogava. Então observei o casal ao nosso lado, sentados à mesa coberta por uma toalha de tecido, com o guardanapo no colo. Ela lia um livro no Kindle, e ele acessava *e-mails* no iPhone enquanto ambos comiam o prato principal.

Olhei para Larry sentado à minha frente e chamei a atenção dele para aquele casal de cabelos grisalhos. Comecei a dizer um monte de coisas sem sentido. Sorri, dei risada, flertei e o fiz rir. O que eu disse foi o seguinte:

— Os outros também estão olhando para nós e, de hoje em diante, farei de conta que estamos conversando e nos divertindo, mesmo se você não estiver "aqui" no momento. Eu NÃO vou me tornar como eles!

Exatamente ali nós observamos que havíamos mudado e não tinha sido para melhor. Ele riu para mim e disse:

— É só me dizer o que você quer que eu fale que eu vou dizer — tão típico do meu marido engraçado e não verbal!

Mantenha-se interessante e aprenda sobre os interesses de seu cônjuge para que vocês tenham coisas em comum sobre as quais conversar. Meu pai amava esportes e minha mãe adorava ler. Por isso, ela lia o caderno de esportes do jornal todos os dias enquanto papai assistia aos jogos. Sabia todos os placares e o nome dos jogadores, e mamãe também! Ela amava esportes? Não necessariamente, mas aprendia sobre os interesses de meu pai para que tivessem coisas em comum sobre as quais conversar. Mamãe era funcionária dos correios. Papai participava de todas as convenções do trabalho dela e se familiarizava com seus colegas. Eles compartilhavam os interesses um do outro.

À medida que vocês mudam e crescem, continuem a aprender um sobre o outro e sobre seus novos interesses. Com isso, vocês continuarão a dialogar.

De olho nas mudanças em seu tom

Acessos frequentes de raiva descarregados em seu cônjuge não correspondem à forma que vocês dois se relacionavam antes do "sim" no altar. Não foi falando com severidade e volume alto que você conquistou a afeição de seu cônjuge. E nem é dessa maneira que você a conservará. Escute-se. Você mudou? Provérbios 15.1 diz que a resposta gentil desvia o furor. A raiva sempre será uma emoção viável para expressar o desprazer. Ela só se torna prejudicial quando descontrolada e voltada contra outra pessoa. Pratiquem conversar um com o outro em tom de voz brando. Em nosso lar, eu não permitia que meus filhos gritassem de um cômodo para o outro e eu não gritava para que viessem até mim. A regra era: se quer falar comigo, venha aonde eu estou. E eu não sou surda. Não há motivo nenhum para levantar a voz.

Larry é um homem brando por natureza. Nunca o vi levantar o tom de voz quando bravo. Ele fica irritado. Seu rosto cora. Ele fala de forma direta, mas não barulhenta. Já eu tendo a sentir forte paixão por aquilo em que acredito e, quando quero provar uma opinião, tenho a facilidade de erguer a voz. Eu nasci barulhenta. Minha mãe contava que eu chorava alto.

Mantenha-se interessante e aprenda sobre os interesses de seu cônjuge para que vocês tenham coisas em comum sobre as quais conversar.

Quando eu era criança, mamãe dizia: "Devi, lembre-se de que sua voz é poderosa". Essa era sua proverbial forma positiva de dizer: "Não fale tão alto!".

Para domar nossas "discussões acaloradas", Larry sempre me dizia: "Devi, não fale com esse tom de voz". Nesse momento, eu tinha a escolha de cumprir esse pedido ou resistir a ele. Tomei a decisão correta e dei ouvidos à bandeira vermelha.

A administração dessa zona de perigo agora lhe dará o benefício de transitar sua vida por uma estrada recém-asfaltada. E não se esqueça: você não pode dirigir dos dois lados da rodovia. Você só é responsável pela própria faixa. Não tem controle sobre as escolhas de seu cônjuge.

De olho nas mudanças de prioridades

Quando tudo e todos assumem prioridade em relação a seu

cônjuge, saiba que você está dirigindo na pista errada. Você pode até me dizer que valoriza o casamento e que seu cônjuge é importante para você. Eu lhe responderei: "Então quero ver seu calendário e orçamento. Assim posso ver se você está dirigindo na faixa certa".

Sua maneira de gastar tempo e dinheiro revela seus verdadeiros valores. Se seu calendário semanal não reflete o tempo gasto com seu cônjuge, vocês não estão conservando um bom relacionamento e, sem dúvida, não estão desenvolvendo um ótimo relacionamento. Não importa de que maneira vocês gastam o tempo juntos. Vocês só precisam estar juntos, apoiando um ao outro em seus interesses e responsabilidades. Larry e eu não só vivemos juntos, como também trabalhamos juntos. Viajamos juntos, ministramos juntos, fazemos supermercado juntos, lavamos o carro juntos e cuidamos do jardim juntos. Eu cozinho e Larry limpa a bagunça, e então comemos juntos. Nós realmente gostamos um do outro. Vivemos como a prioridade um do outro.

É claro que também temos tempo a sós. Juntos concordamos em dar espaço ao outro. Mesmo quando Larry está em outro país, ele continua a ser minha prioridade. Eu permaneço conectada orando por ele, conversando com ele e planejando seu retorno ao lar. Quando Larry está em casa, tudo muda. Eu preparo os pratos que ele gosta de comer. Fico em casa quando ele está em casa. Vivemos em lua de mel permanente porque transformamos o outro em prioridade.

Além disso, analise suas despesas. Quanto dinheiro você gasta com seu cônjuge e os interesses pessoais dele? Vocês compram presentes um para o outro? Quando saem para comer fora, você vai aonde o cônjuge deseja ou sempre insiste em irem ao lugar mais barato? Você come em ótimos restaurantes a trabalho e escolhe os mais em conta quando sai só o casal? Uma coisa é planejar um orçamento, e outra é ser miserável nos gastos com o marido ou a esposa. Observe a sua casa. Você prioriza gastos de atualização para fazer do lar um lugar de conforto e prazer para seu cônjuge? Talvez seu marido necessite de uma poltrona nova confortável e a esposa precise de uma mesa na varanda para oferecer refeições aconchegantes em família. Talvez você ame jogar golfe e sua esposa prefira viajar. Planejem gastar com as duas coisas. Perguntem-se: "Nossas prioridades de gastos estão invertidas? Estamos investindo em nosso relacionamento?". Evite fazer as coisas sozinho porque é mais barato pagar apenas para um do que para dois. Compare quanto vocês gastam com as atividades dos filhos com investimentos no relacionamento conjugal. Seus filhos só morarão dezoitos anos com vocês, já o casamento é para a vida inteira. Estabeleçam prioridades.

De olho nas mudanças no comportamento respeitoso

Respeito é um sentimento de admiração profunda por alguém ou algo por causa de suas habilidades, qualidades ou conquistas. É impossível viver em um relacionamento próspero e saudável em um ambiente de críticas, julgamento e negatividade. Com frequência demasiada, justificamos um comportamento desrespeitoso com base no que a outra pessoa fez. O estresse de ambos e as mudanças na vida levam todos nós a reagir de maneira desagradável às vezes. Contudo, não posso permitir que as escolhas ruins do outro determinem o tipo de pessoa que eu quero ser.

Estou me referindo a assumir a responsabilidade de dirigir com segurança seu comportamento pessoal. A imprudência dos outros às vezes ou a direção descontrolada em áreas de construção não são responsabilidades suas. Mas a sua conduta, sua reação ao cônjuge, sobretudo quando o comportamento do outro não é recomendável, podem fazer toda a diferença do mundo quanto ao rumo de seu relacionamento.

Pare de culpar o cônjuge por suas reações descontroladas às escolhas insensíveis que ele faz. Ninguém "força" você a agir como você age. Porte-se de modo digno de honra. É bem provável que os outros sigam seu exemplo.

Na carta que escreveu à igreja de Éfeso, Paulo incentiva o marido a amar a esposa e a esposa a respeitar o marido. O amor respeita e o respeito ama. Um não pode funcionar sem o outro.

Aqui está minha versão de Efésios 5.33: *"Que cada um ame a esposa como a si mesmo e que a esposa faça questão de respeitar o marido"*. Dá para imaginar que, se alguém ama você, o respeito será uma consequência automática. Mas nem sempre é assim. Com frequência, um homem ou uma mulher se comporta de forma desrespeitosa com o cônjuge por causa da dor e do tumulto interno. Essa conduta descuidada não se baseia no comportamento do outro, mas é consequência do que está dentro do coração de quem age assim.

Respeito é uma atitude da posição na qual você deseja viver, independentemente do outro. Ser respeitoso é uma escolha que você faz por si mesmo. Que tipo de pessoa você deseja ser? Alguém que menospreza e destrói ou alguém que se posiciona para reagir com respeito, a despeito do que acontecer?

Quando o versículo de Efésios diz: "e que a esposa faça questão de respeitar o marido", isso significa que é MINHA responsabilidade respeitar, sem importar se meu marido está sendo desrespeitoso. Essa é a escolha que eu fiz. Creio que as esposas recebem essa ordem específica porque é natural para nós ficar emotivas e nos comportar de maneira que magoe os outros, em especial o marido.

O ego dos maridos é tão significativo para sua masculinidade que Paulo aborda isso na exortação para que amem a esposa assim como amam a si mesmos.

Às vezes, o dicionário explica melhor. Na forma verbal, *respeitar* significa ter consideração pelos sentimentos, desejos, direitos ou tradições dos outros. O respeito evita prejuízos ou interferências. Concorda em reconhecer e cumprir regras. Um dos atributos mais importantes dos relacionamentos saudáveis é o respeito e concordar em cumprir as regras divinas.

As bandeiras vermelhas de Larry são bem diferentes das minhas, mas igualmente importantes. Ambos as extraímos de nossa vida pessoal e profissional. Milhares de casais que fazem aconselhamento pastoral apresentam a Larry uma avaliação precisa de problemas recorrentes dentro do casamento. Se essas

Ser respeitoso é uma escolha que você faz por si mesmo. Que tipo de pessoa você deseja ser?

bandeiras vermelhas forem ignoradas, podem acabar se transformando em colisões no relacionamento. Algumas colisões são susceptíveis a reparos, outras não. Infelizmente, quanto mais o indivíduo vive em um relacionamento problemático, mais difícil se torna conviver em um relacionamento saudável e amoroso.

Eu abordei de forma direta coisas pequenas que acontecem quando líderes vivem juntos. Fique atento ao trafegar pelas mudanças das áreas de construção e, assim como Larry e eu, vocês não só terão um casamento duradouro, como também amarão a vida que levarão juntos.

12
[ELE diz]
Ninguém vence sozinho

—— Por Larry

Em 1936, o rei Edward VIII da Grã-Bretanha anunciou que abdicaria do trono do Reino Unido. Ele era rei havia menos de um ano, e a cerimônia de coroação ainda não tinha acontecido. Abriu mão do trono para se casar com a *socialite* norte-americana Wallis Simpson, que já havia sido casada por duas vezes. Edward já tinha se relacionado com uma série de mulheres mais velhas, mas sem se casar com nenhuma delas. A decisão de se casar com a sra. Simpson foi apenas uma das muitas escolhas trágicas que fez ao longo da vida.

A decisão de abdicar ao trono significava que ele passaria o restante da vida distanciado da própria família. Ele se recusava a escrever até para a própria mãe. Também precisou abrir mão do título "Sua Santidade", perdeu quase todas as honras e precisou se conformar com o humilhante título de Duque de Windsor.

Seu irmão, o rei George VI, se recusava a atender seus telefonemas diários, pois sabia que seriam pedidos por dinheiro. E só recebeu permissão para voltar para sua terra pátria bem no fim de sua vida. Os planos feitos para seu funeral indicavam o desejo de sepultamento em Baltimore, Maryland, mas o envolvimento da família real após seu falecimento permitiu que ele fosse enterrado na Inglaterra.

Edward passou quase toda sua vida adulta morando em outros países, na França durante a maior parte do tempo. Por um período bem curto, foi governador das Bahamas, posição que considerava muito inferior à sua nobreza e condição de vida. Com frequência, seus atos, como a amizade com Hitler, causaram grande vergonha e angústia para a coroa britânica.

Poderia haver algo mais trágico? Para mim, é de cortar o coração. Ele nasceu na realeza, foi criado como príncipe, proclamado rei e depois perdeu tudo. Embora fosse rei, contentou-se com uma vida estéril, desinteressante, afastado da família, destituído de sua herança e condenado por si mesmo a uma existência humilhante. A leitura de sua biografia me dá vontade de chorar.

A maneira mais fácil de explicar e racionalizar o comportamento de Edward é que ele fez escolhas ruins. Deus sabe que ele deixou uma série de exemplos irrefutáveis de más decisões. Mas não acho fácil me contentar com a explicação mais imediata e óbvia de que a vida de Edward foi resultado de decisões ruins, muito embora esse seja o caso, em parte. Para mim, essa seria uma resposta trivial demais.

Os reis têm a obrigação de transformar os príncipes em reis. As rainhas devem transformar as princesas em rainhas. Os líderes devem levantar novos líderes. Pessoas de sucesso devem replicar o sucesso nos filhos. Algum princípio se perdeu no caso de Edward?

Ouça as palavras do pai de Edward, o rei George V: "Depois que eu morrer, o menino se arruinará em doze meses". Uau! Espero que Edward não tenha ouvido isso. "Espero que meu filho mais velho (Edward) nunca se case e tenha filhos", fazendo de antemão a sugestão verbal da ascensão de seu filho mais novo, o príncipe Albert (rei George VI). Espero que

Edward não tenha escutado isso também. Fico me perguntando o que mais foi dito a Edward ou a outros membros da família acerca dele que levou um príncipe a adotar uma conduta tão distante da que é esperada para alguém de sua função. Por que um indivíduo com tanto potencial naufragaria deliberadamente a própria vida?

Não estou tentando descartar as indiscrições e decisões ruins de Edward como se fossem insignificantes, por estarem ligadas ao motivo de sua vida afundar. Só estou sugerindo que, se olharmos com maior profundidade para o motivo que o levou a fazer essas más escolhas, talvez possamos encontrar uma razão por trás desses fracassos. Existem princípios que podemos extrair dessa tragédia, capazes de permitir que nosso casamento e família sejam bem-sucedidos dentro da realeza nas áreas em que falhou? Afinal, todos os que estão em Cristo têm sangue real.

Talvez Edward nunca tenha se sentido príncipe porque outros, a saber, seu pai, o lembravam de como ele era desqualificado. Talvez ele se sentisse deslocado em palácios e jantares formais. Talvez se sentisse um fracasso na faculdade, o que aconteceu, no exército, o que aconteceu, ou no exercício responsável da monarquia, o que aconteceu.

Repito, não estou sugerindo que podemos colocar toda a culpa por nossos problemas nos pais e no cônjuge, mas as pessoas mais próximas a nós têm o poder, em suas palavras ou ações, de nos predispor para o fracasso ou de liberar nosso potencial.

Tenho uma firme convicção que está no cerne de todo este livro. Todas as pessoas necessitam de alguém que acredite nelas e, sem essa afirmação, acabam vivendo abaixo de seu potencial. É difícil agir como príncipe quando você se sente um fracasso. É difícil alcançar seu pleno potencial quando você não acha que tem potencial.

Os príncipes nascem para se tornar reis. As princesas nascem para se tornar rainhas. Entretanto, no corpo de Cristo, embora nasçamos no reino de Deus, nossa herança real pode não dar em nada se continuarmos a levar uma vida mendicante de insignificância. Fomos criados para reinar como reis e rainhas juntamente com Cristo. Jesus não é um rei qualquer. Ele é o Rei dos reis, e somos parte dessa herança.

Alguém necessita falar profeticamente a nós a fim de que o pleno potencial de nossa herança possa ganhar vida. Romanos 8.17 diz que "somos seus herdeiros [de Deus] e, portanto, co-herdeiros com Cristo". Isso é inacreditável! Dá para imaginar algo mais poderoso? O Criador do universo deseja compartilhar conosco sua linhagem real, herança, autoridade, poder, domínio, riqueza e glória.

Todas as pessoas necessitam de alguém que acredite nelas e, sem essa afirmação, acabam vivendo abaixo de seu potencial.

Mas Deus projetou a raça humana e aqueles que pertencem a seu grande reino em particular para sentir a necessidade de edificar outros cujo sangue real corre nas veias. Não basta saber que somos da realeza. Precisamos ser criados em um ambiente real.

Tenho a convicção de que nossas palavras podem acender profeticamente o fogo da relevância na vida de nosso cônjuge e de nossa família. Os filhos não precisam passar a vida inteira se sentindo insignificantes. As esposas não necessitam viver com potencial não realizado.

Minha esposa poderia ter se tornado a oradora, escritora e líder reconhecida no mundo que é hoje sem mim? É bem possível que sim. Ela poderia ter feito tudo isso com a própria iniciativa, sem o auxílio de ninguém. Entretanto, na experiência da maioria das pessoas, Deus usa outros para acender a fagulha da criatividade dentro de nós. Uma palavra de afirmação, um elogio, um direcionamento claro, uma recompensa pelo trabalho bem feito — tudo se torna incendiário quando está ligado ao potencial da pessoa. Alguém nos passa um contato que muda nossa vida. Alguém diz uma palavra de incentivo que deixa para trás anos de declarações negativas anteriores.

Eu acho muito suspeita a expressão *self-made man*, que significa aquele que obtém sucesso pelos próprios méritos. Não conheço ninguém capaz de usar esse título com propriedade. Todos nos apoiamos nos ombros de indivíduos que vieram antes de nós. Todos fomos auxiliados de alguma maneira por pessoas que enxergaram potencial em nós, cujas contribuições e palavras de afirmação se tornaram cruciais para nosso sucesso. Se você encontrar alguém que lhe parecer que chegou ao sucesso sozinho, eu me voluntario para identificar outros na vida dele que lhe deram o empurrão necessário.

Tenho a convicção de que nossas palavras podem acender profeticamente o fogo da relevância na vida de nosso cônjuge e de nossa família.

Devi é a pessoa mais importante em minha vida. Ela é minha princesa. Mas quero que ela suba ao trono em nosso lar e casamento, para se tornar rainha. Na verdade, creio que ela já está nessa posição há anos. Eu a trato com a deferência e o respeito devidos à realeza. Minhas palavras destacam sua dignidade e meus atos promovem sua realeza. Ela é piedosa, gloriosa e justa. Sou abençoado por ter me casado com uma rainha.

Jesus deixou claro, em João 5.31, que são necessárias outras pessoas para estabelecer sua posição do reino de Deus: "Se eu testemunhasse a respeito de mim mesmo, meu testemunho não seria válido". Então ele prossegue citando quem foram as vozes de confirmação a seu respeito: a Palavra de Deus, as obras de Deus, o Pai e João Batista. Note que, das quatro vozes necessárias para confirmar a posição de alguém, nesse caso, de Jesus, uma delas pertence a um ser humano de carne e osso, João Batista. O mesmo acontece hoje. Não importa quanta qualidade, quanto potencial ou talento eu tenha, sempre é necessário mais uma pessoa para ouvir a voz libertadora da confirmação.

Desejo ser essa voz primeiramente para minha esposa, depois para meus filhos e família, e por fim para todos que conhecer. Algo poderoso acontece quando você pronuncia vida na visão sem chama dos outros. Ela acende e liga o poder que vem de dentro. Que honra extraordinária permitir que os príncipes saibam que nasceram para a grandeza e colocar a centelha dessa grandeza dentro deles para que façam a transição e se tornem reis!

"Você é incrível!" E falo isso de coração.

As palavras que mais repito ao conversar com as pessoas são: "Você é incrível!". E falo isso de coração. Às vezes, alguém me repreende e diz: "Só Deus é incrível", mas logo lembro que, se um Deus incrível me criou, isso faz de mim o quê? Como o Senhor teria me criado menos que incrível?

Recentemente, Devi e eu havíamos terminado de dar palestras em uma faculdade cristã quando um aluno se aproximou de nós e disse: "Essa foi a primeira vez que vi um pastor beijar a esposa no púlpito".

Talvez aquele estudante não tivesse sido exposto a muitos contextos diferentes, ou quem sabe sim. Que triste! É possível que os pregadores pensem que só as palavras faladas contem.

Creio que nossos atos falam mais alto que os sermões. Quando meu filho Aaron era jovem, ele disse para um amigo certo dia: "Meus pais são serelepes". Não sei bem o que isso quer dizer, mas resolvi considerar um elogio.

Sei que o beijo da princesa despertou o príncipe dentro do sapo no conto de fadas, e acho que pode funcionar para mim também. O amor de Devi por mim desperta o melhor em meu interior, e sei que o contrário também é verdade. Devemos fazer tudo que estiver a nosso alcance para despertar a realeza um no outro.

Oro para que, ao menos de alguma forma, a fragrância de nosso casamento tenha sido transmitida para você. Por meio dos livros, nossa vida durará muito mais que nós. Se Jesus tardar, oro para que casais das gerações que virão continuem a crescer por meio das palavras deste livro.

Estamos nos aproximando do tempo em que subiremos em nossa carruagem para partir rumo ao nosso palácio real do céu, a nova Jerusalém. Que estas sejam suas palavras finais: "Eu amei minha esposa, minha rainha, assim como Jesus amou a igreja, sua noiva, e morreu por ela".

Acho que ouço o mestre responder à medida que sua carruagem prossegue rumo às portas da cidade santa: "Muito bem, meu servo bom e fiel. Venha celebrar comigo". Uau! Eu não sabia que nossa vida na terra era apenas um preparo para a vida como a noiva de Cristo para sempre, assim como o príncipe e a princesa nos contos de fadas, na nova Jerusalém. Mas os detalhes dessas histórias cheias de imaginação estavam certos quanto a um ponto: viveremos felizes para sempre, com Jesus, nosso Príncipe e Rei dos reis.

P.S.: A propósito, antes de entrar na carruagem, não se esqueça de abrir a porta para sua rainha!

12
[ELA diz]
Ninguém vence sozinho

———— Por Devi

Foi durante tempos difíceis e sombrios, de partir o coração, que Larry e eu conversamos sobre nosso futuro e o que gostaríamos de colher dos desapontamentos mais profundos e das horas mais escuras. Nossos filhos eram pequenos, e estávamos cheios de visão e determinação. Mas Deus deteve nosso progresso. Ele precisava processar nosso caráter com provas. Foi difícil, mas nos mantivemos unidos e unidos permanecemos. Ficamos mais fortes na fé, no chamado, nos valores e na missão. Aceitamos nossas provas, e elas se tornaram nossos triunfos.

O que importa não é como você começa, mas, sim, como termina. Erros serão cometidos por você e contra você. Caso se concentre no mal que foi feito contra você, viverá em culpa e acusação. Caso foque no mal que você cometeu, se verá preso em culpa e vergonha. Onde então deve permanecer seu foco quando as coisas não acontecerem do seu jeito?

> Ele é tão rico em graça que comprou nossa liberdade com o sangue de seu Filho e perdoou nossos pecados. Generosamente, derramou sua graça sobre nós e, com ela, toda sabedoria e todo entendimento. Agora Deus nos revelou sua vontade secreta a respeito de Cristo, isto é, o cumprimento de seu bom propósito. E

o plano é este: no devido tempo, ele reunirá sob a autoridade de
Cristo tudo que existe nos céus e na terra.

Efésios 1.7-10

A Palavra de Deus é tão poderosa e prática! Entenda o
conceito das riquezas da graça do Senhor e apegue-se a ele de
coração. Quando você, seu cônjuge ou outros errarem, filtre esse comportamento falho usando *a graça de Deus*.

Foi difícil, mas nos mantivemos unidos e unidos permanecemos.

Faça diariamente aquilo que Jesus nos ensinou: "Perdoa nossas dívidas, assim como perdoamos os nossos devedores" (Mt 6.12).

Meditar e orar dessa maneira mudará seu caráter. Seu foco não estará mais no momento de choque, vergonha, lamento ou tristeza, mas, sim, em estender as *riquezas da graça*. Dar um favor não merecido ajudará você a redefinir o foco de sua energia. A pessoa focada na graça é aquela que coloca a dor dos outros antes dos próprios sentimentos. Os olhos da graça conseguem enxergar além da circunstância à sua frente para ver como as coisas serão no futuro — não como elas são no presente. É no instante em que estamos prestes a cometer uma transgressão em nossa vida pessoal que Jesus derrama sua graça sobre nós, "e, com ela, toda sabedoria e todo entendimento. Agora Deus nos revelou sua vontade secreta a respeito de Cristo, isto é, o cumprimento de seu bom propósito" (Ef 1.8-9).

A graça lhe dá um futuro e revela o mistério da vontade de Deus para você cumprir o propósito divino em sua vida. Estender graça a seu cônjuge lhe dá esperança para o futuro. Contudo, durante o caminho de aceitar nossas provas, antes que elas se tornassem triunfos, eu precisei fazer algumas escolhas muito sérias. Percebi que, de diversas maneiras, o resultado de nosso futuro estava em minhas mãos.

Ao longo dessas épocas — e houve mais de uma —, eu aprendi um princípio muito valioso. Esse princípio se tornou o prumo de meu relacionamento com Larry e foi extraído de Provérbios: "A mulher virtuosa é a coroa do seu marido, mas a que procede vergonhosamente é como podridão nos seus ossos" (Pv 12.4, RA). Larry sempre foi meu príncipe e eu, a princesa dele; mas eu poderia escolher ser uma *coroa* para ele e torná-lo rei ou então *envergonhar* meu príncipe e conduzi-lo à mais absoluta inutilidade. O futuro de Larry estava em minhas mãos.

Aceitamos nossas provas, e elas se tornaram nossos triunfos.

A palavra "podridão" usada neste provérbio simboliza o ato de lenta decadência ou deterioração. A imagem que me vem à mente é de alimentos deixados por tempo demais na geladeira. Quando resolvi guardar a comida para consumir em outro momento, ela ainda era deliciosa, colorida e cheia de nutrientes. No entanto, ao ser negligenciada, seu aspecto muda. Aquilo que antes era colorido, como cenouras suculentas de um alaranjado vivo, tornou-se cenouras malcheirosas, pegajosas, verde-acinzentadas. Aquilo que antes era cheio de vida e nutrição agora é "podridão"; não é bom, nem útil para mais ninguém — precisa ser descartado.

O entendimento dessa revelação da minha responsabilidade para nosso futuro foi gigantesco. Era isso que eu queria para Larry? Seria verdade mesmo que, se eu o negligenciasse, teria esse poder sobre ele? O homem extraordinário com quem me casei poderia, ao longo do tempo, ser reduzido à inutilidade, sem futuro, nem valor para ninguém? Seu ministério poderia ser descartado? Seria isso que esse texto bíblico poderia significar para mim?

Eu cri e assumi minha responsabilidade. Essa compreensão me fez continuar a trabalhar comigo mesma, tornando-me mais excelente em minha conduta. Busquei a Deus pedindo força e sabedoria, disciplinando minha língua descuidada, com a certeza de que minhas palavras e meus atos não trariam embaraço ou vergonha para ele. Isso elevou meu padrão de comportamento a um nível que não teria alcançado de outra maneira.

A pessoa focada na graça é aquela que coloca a dor dos outros antes dos próprios sentimentos.

Quando os casais enfrentam provas devastadoras, é fácil ver a esposa apontar o dedo, culpar, dar conselhos ou envergonhar o marido por não a proteger de tamanha dor. Contudo, se fizermos isso, tal conduta destruirá nosso cônjuge. Ele perderá a iniciativa, a confiança, a autoestima e murchará até não dar em nada. Isso não precisa acontecer. Ah, não estou dizendo que não passaremos por acessos de desânimo ou até mesmo de depressão, mas, quando isso acontecer, conseguiremos enxergar além das circunstâncias e ver um futuro — o homem que eu amarei e com quem permanecerei unida. Passaremos o futuro juntos.

Não estou satisfeita com um mero príncipe. Quero um rei. Se a *mulher virtuosa* pode ser uma coroa para a cabeça do marido, conforme Provérbios 12.4 diz, e eu quero que meu marido seja coroado REI, então adivinhe: tenho trabalho a fazer. Eu me perguntei: eu escolho excelência ou vergonha para ele? Meu comportamento, minhas palavras, minha atitude, meu compromisso, minha aliança, minha moral, meu caráter e minha fé farão a diferença e determinarão quem Larry irá se tornar.

Greg Louganis, considerado o maior saltador de todos os tempos, ganhou a medalha de ouro das Olimpíadas de 1984 e 1988 tanto no trampolim como na plataforma, na modalidade dos saltos ornamentais. É o único homem e o segundo saltador da história olímpica a conquistar a vitória em duas edições seguidas dos Jogos Olímpicos. Enquanto competia pelo ouro na edição de Seul, em 1988, Greg bateu a cabeça na plataforma. Sua confiança foi abalada. Ele precisava decidir se saltaria de novo ou não para continuar na competição. Seu técnico lhe disse: "Você pode até não acreditar em si mesmo, mas eu acredito. Salte!". Greg competiu e voltou para casa como campeão. De certa forma, o técnico o coroou rei dos saltos ornamentais antes de Greg saltar da plataforma.

Não estou satisfeita com um mero príncipe. Quero um rei.

Seja a pessoa que acredita em seu cônjuge. Eu acredito em Larry e o coroei rei. Coloco-o no lugar mais elevado de minha vida. Ele está acima de meus pais, filhos e netos. Eles o honram porque eu o honro. Celebro suas conquistas e apoie-o em seus fracassos. Creio nele mesmo quando ele não acredita. Incentivo-o a tentar mais uma vez, e ele faz o mesmo por mim.

Larry me trata como rainha. Mas eu não sou rainha; sou a coroa de meu rei. A coroa é um adorno de cabeça que simboliza autoridade (não é de se espantar que eu ame adornos!). A coroa de um monarca também significa lealdade às leis que ele representa. Larry vive de acordo com as leis de Deus e sua graça em nosso casamento. Eu reflito minha aceitação a essas leis e sua autoridade sendo a coroa dele. O rei e sua coroa são inseparáveis.

Embora fisicamente possam haver algumas horas nos dias de um rei em que a coroa é deixada de lado, ela sempre faz parte de quem ele é. O rei nunca fica sem coroa. Ele nunca permanece sem o impacto que a coroa representa em sua vida. Da mesma maneira, mesmo que Larry e eu estejamos a um continente de distância, ele nunca fica sem a influência de sua coroa, e eu nunca estou sem a proteção de meu rei.

Alguns anos atrás, fui convidada a fazer parte de uma junta diretiva. Por um tempo, eu era a única mulher atuando em meio a dezenove homens. Quando participava dessas reuniões, por vários dias em outro estado, tinha total consciência de que minha presença representava Larry. Embora Larry não tenha recebido o convite para ocupar essa função, ele me deu total apoio e sentia orgulho de mim. Conquanto eu pensasse com independência e contribuísse com as decisões e discussões dos assuntos em debate, sabia que minha conduta, minhas conversas, meu vestuário e minha atitude representavam não só a mim, mas também meu marido. Eu era sua coroa, e éramos inseparáveis em nossa influência.

Há algum tempo, estive na capa de uma revista brasileira. Na entrevista, perguntaram qual é meu maior sonho. Nesta fase da vida, meu maior sonho é que os casais conheçam a realização extraordinária de uma vida juntos, cheia do amor e da paz de Deus, dando-lhes plenitude de alegria. Nosso legado é deixar com vocês, dois líderes fortes, sabedoria e verdade sobre como prosperar em seu casamento. O que tem sido possível para nós é possível para vocês também. Larry e eu não queremos que você diga: "Ninguém nos avisou". Desejamos deixar um legado de possibilidades para sua vida. Sim, *nós* avisamos!

Livremo-nos de todo peso que nos torna vagarosos e do pecado que nos atrapalha, e corramos com perseverança a corrida que foi posta diante de nós. Mantenhamos o olhar firme em Jesus, o líder e aperfeiçoador de nossa fé.

Hebreus 12.1-2

Se você acha que ninguém mais acredita em você, saiba que você está errado. *Nós acreditamos em você*. O importante agora não é como seu casamento começou, mas, sim, como vai terminar. Aceite as verdades contidas neste livro, use nossa vida como exemplo e termine aquilo que começou — termine bem. E, mulheres, quando as carruagens de fogo chegarem à sua porta, que vocês possam dizer: "Eu respeite meu marido e lhe dei honra assim como a igreja dá glória a Cristo". Revistam-se dos trajes reais de sucesso do casamento e prosperem — juntos. Seu reino de gerações por vir será abençoado.

Compartilhe suas impressões de leitura, mencionando o título da obra, pelo e-mail **opiniao-do-leitor@mundocristao.com.br** ou por nossas redes sociais

Esta obra foi composta com tipografia Adobe Caslon Pro e impressa em papel Pólen Natural 70 g/m² na Assahi